日本で学ぶ理工系留学生

教育・研究・留学生活

太田亨・安龍洙・村岡貴子・門倉正美 編

ココ出版

序章
本書の紹介：刊行目的と特徴

　本書は、日本の理工系分野の大学・大学院に在籍する外
国人留学生について、入学前から卒業・修了までおおよそ
時間軸に沿った形で、各在学段階の具体的なテーマごとに
解説しています。すなわち、予備教育など入学前の段階、
入学後にどのような基礎教養と日本語能力を身につけ専門
の研究を行えるようになっていくか、また在学中に留学生
としてどのような研究生活を送るか、さらには日本の企業
や研究機関に就職するために必要な活動の現状はどうか、
などについてです。

　読者の皆さんは、理工系の留学生がどのような大学生活
を送っているかご存じでしょうか。理工系の学生一般を対
象にした書籍や雑誌ならこれまでいくつも出版されていま
すが、留学生に特化した内容のものはあまり知られてこな
かったのではないかと思います。本書は、理工系留学生が
どのような予備教育を受け日本の大学・大学院に入ってく
るかの「入口」部分から始まって、どのような形で日本語
教育・教養教育・専門教育を受けて大学生活および研究活
動を行い、そしてどのような形で卒業・修了して就職しキ
ャリアパスを形成していくかの「出口」までの全体のライ
ンを、1冊の中で総合的に論じます。このような書籍は、
編者である私たちが知る限りこれまで存在しませんでし
た。加えて、日本の大学・大学院を卒業・修了して、母国
や日本の社会で活躍する元留学生たちの生の声をコラムと

して載せている点も本書の特徴と言えるでしょう。

　本書は、理工系留学生をこれから受け入れる、またはすでに受け入れている日本の大学関係者（教職員、チューター、理工系研究室のメンバーなど）や、日本の理工系の大学・大学院へ学生を送り出す日本語学校や予備教育機関の進路指導者、日本の理工系大学・大学院に在籍する外国人留学生の採用を考えている日本企業の人事担当者などの方々に、ぜひ手に取って読んでいただきたいと考えます。そのような皆さんに、日本で学ぶ理工系留学生の現状を伝える情報源となる役割が、まず本書にはあります。また、留学生の学習や研究生活に関心を持つ一般読者の方々にも、本書を通じて理工系留学生の留学生活のプロセスにふれていただけたら、と思っています。

　このような役割と特徴を持つ本書は、5部・15章構成で延べ16人の執筆者が原稿を書き下ろしています。理工系の専門教育課程で実際に留学生を受け入れ指導してきた教員はもちろんのこと、入学前後の予備教育・教養教育・日本語教育で留学生を担当してきた教員、そして留学生の就職指導を行ってきたキャリアカウンセラーまで、多種多様な背景を持った専門家によって執筆されています。また各部のはじめにはその部の内容を要約した解説を置き、各部のおわりには、上記のとおり、元留学生12人にそれぞれの部のテーマに沿った形でコラム記事を書いてもらいました。

　本書の編者たちは、本編で説明される「日韓共同理工系学部留学生事業」をともに進める中で、所属大学や国の枠を越えてつながりを持つようになりました。そのつながりがいくつかの共同研究となって一緒に研究を進める中で、理工系を始めさまざまな背景を持った専門家の方々と知り合い、本書に執筆していただくことができました。これまでの編者たちの共同研究の成果は研究発表や論文の形で公

表してきましたが、理工系留学生をめぐる入学（入口）から卒業・修了（出口）までの全体像を1冊の本によって描き出すのは、これが初めての試みです。これを契機に、理工系留学生の全体像が広く世の中に知られるようになることを願っています。

目次

第 1 部

理工系留学生を
対象とした
学部入学前予備教育

第 1 章
理工系留学生の日本留学観の変容
日韓共同理工系学部留学生を対象にした
縦断的調査に基づいて

安龍洙

1 はじめに

　昔に比べて気軽に海外に行ける時代になったとはいえ、住み慣れた国を離れ、海外で学ぶ海外留学には予期せぬ困難が待ち受けています。しかし、その困難を乗り越えることで自己成長ができ、人生の大きな転換点になる可能性があります。留学生は言語や文化の異なるところで生活しなければなりませんが、実際の留学においては、留学先の学習・生活環境や留学に必要な金銭面のみならず、言葉の問題、現地での各種手続き、人間関係、生活習慣や文化の違いによる異文化不適応など様々な問題に直面します。また、留学環境やそこで知り合った人々によって異なりますが、本国で考えたこととは異なり、心配していたことが起きず順調に留学生活ができる場合もあれば、全く予期せぬことが起こり戸惑いを覚えながら留学生活を送る場合もあります。

　筆者自身もかつて留学生としてこれらの問題を経験しましたが、心配していたことが杞憂に終わったこともあれば、思ってもいなかった困難に遭遇し挫折しそうになったことも多々ありました。また、来日後、時間が経つにつれて留学生活に慣れ、当初の問題が次第に改善されたこともあれば、留学が終わるまで留学生であるがゆえに悩み続け

3

なければならないこともありました。その経験から、外国人留学生の留学観を解明するためには、留学生が抱えている修学上・生活上の問題や異文化理解等について、来日前から留学中、留学後まで時系列に追い、変化[1] と特徴を分析する必要があると考えるようになりました。

　内藤（2002）は、PAC分析（個人別態度構造分析）[2] は、被験者が自発的に作り出したイメージについて自らが自発的に反応するため、個々の被験者の内面世界を捉えることができると述べています。また、安（2008）、石鍋・安・高柳（2020）などの研究において、PAC分析が異文化理解の解明に有効であることが示されました。

　そこで、本章では日韓共同理工系学部留学生事業（以下、「日韓プログラム」）の留学生（以下、「日韓生」とする）を対象に彼・彼女らの留学観の変化について PAC分析を用いて認知的・情意的な観点から縦断的に探りました。研究の対象を日韓生にしたのは筆者がこれまで十数年間日韓双方の予備教育と研究に携わってきたからです。具体的には、日韓生を対象に、韓国での予備教育終了時から日本留学の終了時まで3名のうち1名（被調査者C）は約7年間、2名（被調査者A、B）は約4年間それぞれ縦断的に追い、来日前に抱いていた日本留学に対するイメージがその後どのように変化していくのかについて検討しました。酒匂・安・金・趙（2006）で述べているように、日韓生は日韓プログラム開始当初から、修学上・生活上の問題や異文化不適応等の問題が指摘されていました。その理由について酒匂・安・金・趙（2009: 65）では「日韓プログラムの学生の多くは成人年齢に達しておらず、大学及び社会生活の経験がない。そのため、学習者の学習に対する姿勢や心理的負担、進学後の学習などに考慮した予備教育が必要である」と述べていますが、多くの大学で類似事例が報告され、日韓双方の関係者が情報交換をしながら対応してきました。

本章[3] では日韓プログラムの14期生を対象に、内藤（2002）が開発したPAC分析法を用いて、1）韓国における予備教育修了直前（1回目調査；2013年7月頃）、2）日本における予備教育修了直前（2回目調査；2014年3月頃）、3）学部1年次前期終了直前（3回目調査；2015年7月頃）、4）学部4年次前期終了直前（4回目調査；2017年7月頃）の4回の追跡調査を実施しました。また、うち1名（被調査者C）は2020年8月頃に調査（5回目調査）を実施し帰国後の留学観についても検討しました。5回目の調査時に被調査者Cは韓国で兵役を終え、日本の大学院に進学するための準備中[4] でした。

2 ｜ 方法

　PAC分析法による調査は第1部と第2部に分けられますが、両方とも韓国の予備教育機関及び被調査者本人の同意を得てE-mailで調査を実施しました。

　第1部の調査は、前述の1）韓国における予備教育修了直前（2013年7月頃）に、以下の手順で実施しました。まず、被調査者に以下の刺激語（「あなたは日本留学についてどのようなイメージを持っていますか。思い浮かんだ言葉やイメージを、思い浮かんだ順に番号をつけて記入してください。連想イメージは言葉でも短い文でも構いません。」）を与え、そのイメージについて思いつくままに記入させました。その後、その連想イメージを重要と思われる順序に並べ、さらにそれぞれのイメージ項目の組み合わせが、直感的イメージでその意味内容においてどの程度近いのかを7段階尺度で評定させました。この尺度での回答を基に、ウォード法でクラスター分析しました。

　第2部の調査では、第1部の結果に対する対象者自身の解釈を求めました。1回目の調査では、1）各クラスター

及び全体の解釈、2）高校生の時と現在との日本留学観の変化、3）各連想イメージに対してそのイメージを抱くようになったきっかけ・媒体などについて尋ね、4）最後に各連想項目について、プラスイメージの場合は（＋）、マイナスイメージの場合は（－）、どちらともいえない場合は（0）の記号を記入させました。2回目の調査では1回目の調査結果を提示し、留学観の変化について尋ねました。また、3回目〜5回目の調査では、それまでの結果をすべて提示し、留学観の変化について尋ねました。調査はすべて韓国語で実施し日本語訳をしました。

3 ｜ PAC分析の結果

　ここでは、各被調査者のデンドログラム[5]を示します。また、本章では紙幅の都合上、前述の第2部の調査における被調査者による留学観及び留学観の変化に関する解釈（1回目〜5回目のE-mailによる回答）の掲載は割愛し、「4.考察とまとめ」で取り上げます。また、第1部の調査によって得られた被調査者それぞれのデンドログラム（図1、図2、図3）を掲載しました。

3.1　被調査者Aのクラスター分析

　図1は被調査者A（以下、「A」とします）のデンドログラムです。

　クラスター1は『1）有名大学（＋）』『2）先進国（＋）』『6）企業（経済）（＋）』『4）留学費用（0）』の4項目でクラスター名は「先進国の日本」としました。クラスター2は『3）優秀な学生（＋）』『7）国際交流（＋）』『11）韓流（＋）』の3項目でクラスター名は「異文化交流」としました。クラスター3は『5）日本の個人主義（0）』『12）いじめ（－）』の2項目でクラスター名は「日本人の性格」と

6

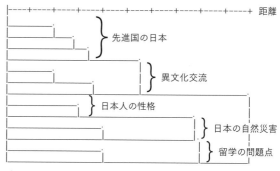

1) 有名大学（＋）
2) 先進国（＋）
6) 企業（経済）（＋）
4) 留学費用（0）
3) 優秀な学生（＋）
7) 国際交流（＋）
11) 韓流（＋）
5) 日本の個人主義（0）
12) いじめ（－）
10) 危険（地震、放射能）（－）
13) 暑い（－）
8) 兵役問題（－）
9) 逃避（－）

先進国の日本

異文化交流

日本人の性格

日本の自然災害

留学の問題点

1) 左の数値は重要順位
2) 各項目の後ろ（　）内の符号は単独でのイメージ

図1　Aのデンドログラム

しました。クラスター4は『10）危険（地震、放射能）（－）』『13）暑い（－）』の2項目でクラスター名は「日本の自然災害」としました。クラスター5は『8）兵役問題（－）』『9）逃避（－）』の2項目でクラスター名は「留学の問題点」としました。

3.2　被調査者Bのクラスター分析

　図2は被調査者B（以下、「B」とします）のデンドログラムです。

　クラスター1は『3）A〈地名〉（0）』『14）暑い（－）』『15）文化遺産が多い（＋）』の3項目でクラスター名は「留学先の環境」としました。クラスター2は『13）物価が高い（－）』『1）放射能の心配（－）』『2）外国だが近い（＋）』の3項目でクラスター名は「留学の心配事」としました。クラスター3は『8）日本語（0）』『9）日本文化（＋）』『11）日本の食べ物（＋）』『4）外国の生活（0）』『12）漢字（0）』の5項目でクラスター名は「異文化適応」としました。クラスター4は『5）独島問題（－）』『6）歴史意識（－）』『7）過去の歴史問題（－）』『10）日本人

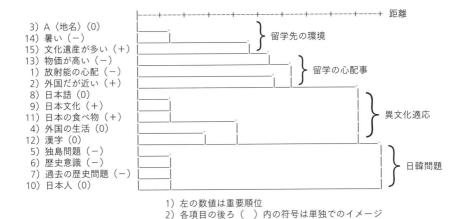

1) 左の数値は重要順位
2) 各項目の後ろ（　）内の符号は単独でのイメージ

図2　Bのデンドログラム

(0)』の4項目でクラスター名は「日韓問題」としました。

3.3　被調査者Cのクラスター分析

　図3は被調査者C（以下、「C」とします）のデンドログラムです。

　クラスター1は『1) 理工系のノーベル賞が多数（＋）』『3) 先進文化の受け入れ（＋）』『8) 就職するためのスペック（＋）』の3項目でクラスター名は「日本留学のメリット」としました。クラスター2は『4) 日本の文化体験と交流（＋）』『5) 友達問題（0）』『6) 国際化（＋）』『11) 韓国文化の伝達（＋）』の4項目でクラスター名は「国際交流」としました。クラスター3は『7) 日本の旅行（＋）』『9) 先進国の意識（＋）』『2) 自然災害の危険性（−）』『10) ホームシック（＋）』の4項目でクラスター名は「留学の心配事」としました。

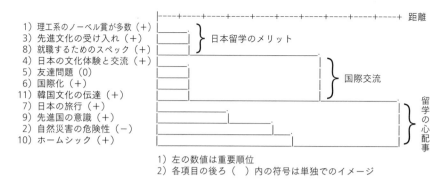

図3　Cのデンドログラム

4 ┃ 考察とまとめ

　　ここでは日韓生の日本留学観について、1）留学前の留学観、2）留学中の留学観、3）帰国後の留学観に分けてそれぞれの特徴について述べたいと思います。また、前述したように、第2部の調査におけるA、B、Cの留学観及び留学観の変化に関する解釈（1回目〜5回目）のうち、特徴的な部分を取り上げて考察を行います。

4.1　留学前の留学観

　　留学前の留学観は、1）留学に対する重要イメージ、2）日本留学のイメージ形成、3）日本留学に対するプラスイメージとマイナスイメージ、4）日本留学に対する期待と不安に分けて検討します。

4.1.1　留学に対する重要イメージ

　　日韓生が来日する前の1回目の調査で、日本留学において重要と思われるイメージ項目の1位と2位を見ると、Aは『1）有名大学（＋）』『2）先進国（＋）』、Bは『1）放射能の心配（−）』『2）外国だが近い（＋）』、Cは『1）理工

系のノーベル賞が多数（＋）』『2）自然災害の危険性（－）』
ですが、特徴的なことはＡの『1）有名大学（＋）』『2）先
進国（＋）』、Ｃの『1）理工系のノーベル賞が多数（＋）』
のように、日本の進んだ学問を学べるという期待と、Ｂの
『1）放射能の心配（－）』とＣの『2）自然災害の危険性
（－）』のように、原発事故や地震などの災害に対する不安
に分けられることです。このように、日韓生は留学前の日
本留学観には留学に対する期待と不安の両方が交錯してい
ます。

4.1.2　日本留学のイメージ形成

　第1回目の調査時に、それぞれのイメージを抱くように
なったきっかけについて尋ねたところ、Ａはすべての項目
において「自分の考え」と回答しました。Ｂは先輩から聞
いた話（例：『14）暑い（－）』『15）文化遺産が多い（＋）』『4）
外国の生活（0）』『7）過去の歴史問題（－）』）、新聞・インター
ネット・ニュースなどの媒体（例：『1）放射能の心配（－）』
『5）独島問題（－）』『6）歴史意識（－）』『7）過去の歴史問題
（－）』）と回答しています。Ｃは知人を通して（例：『8）就職
するためのスペック（＋）』『4）日本の文化体験と交流（＋）』『5）
友達問題（＋）』『10）ホームシック（＋）』）、本を通して（例：
『3）先進文化の受け入れ（＋）』『6）国際化（＋）』『11）韓国文化
の伝達（＋）』）、個人的な考え（例：『3）先進文化の受け入れ
（＋）』『11）韓国文化の伝達（＋）』『9）先進国の意識（＋）』）、実
際に調べてみて（例：『1）理工系のノーベル賞が多数（＋）』）、
学校の先生（例：『10）ホームシック（＋）』）と回答していま
す。全体的に知人から聞いた情報、本やマスメディアから
の影響を強く受けたと回答していますが、学校の先生と回
答したのは『10）ホームシック（＋）』のみで授業などから
の影響はそれほど大きくないと推察されます。つまり、
マスメディアやインターネットからの情報や先に留学して

いる知人から聞いた話が日本留学に対するイメージ形成に影響を与える可能性が高いと考えられます。韓国の予備教育期間中に、授業で日本の社会、文化、生活について教えていましたが、日韓生の日本留学に対するイメージ形成にはあまり影響を与えていないようです。

4.1.3　日本留学に対するプラスイメージとマイナスイメージ

　ここではA、B、Cのイメージについて、プラスイメージとマイナスイメージに分けてその特徴を探ってみます。プラスイメージはAの『1) 有名大学（＋)』『2) 先進国（＋)』『6) 企業（経済）（＋)』『3) 優秀な学生（＋)』『7) 国際交流（＋)』『11) 韓流（＋)』、Bの『15) 文化遺産が多い（＋)』『2) 外国だが近い（＋)』『9) 日本文化（＋)』『11) 日本の食べ物（＋)』、Cの『1) 理工系のノーベル賞が多数（＋)』『3) 先進文化の受け入れ（＋)』『8) 就職するためのスペック（＋)』『4) 日本の文化体験と交流（＋)』『6) 国際化（＋)』『11) 韓国文化の伝達（＋)』『7) 日本の旅行（＋)』『9) 先進国の意識（＋)』『10) ホームシック（＋)』です。特徴として、Aの『1) 有名大学（＋)』、Cの『1) 理工系のノーベル賞が多数（＋)』のように日本の進んだ学問を学べることへの期待が表れており、それはプラスイメージに繋がったようです。また、『7) 国際交流（＋)』『11) 韓流（＋)』『4) 日本の文化体験と交流（＋)』『6) 国際化（＋)』『11) 韓国文化の伝達（＋)』のように、日本人と交流を通して韓国の文化を伝えたり日本文化を学んだりすることで国際交流ができると考えており、それがプラス評価に繋がったようです。一方、マイナスイメージはAの『12) いじめ（－)』『10) 危険（地震、放射能）（－)』『13) 暑い（－)』『8) 兵役問題（－)』『9) 逃避（－)』、Bの『14) 暑い（－)』『13) 物価が高い（－)』『1) 放射能の心配（－)』『5) 独島問題（－)』『6) 歴史意識（－)』

『7）過去の歴史問題（−）』、Cの『2）自然災害の危険性（−）』です。特徴として、『10）危険（地震、放射能）（−）』のような日本特有のものと思われる項目がある一方で、『5）独島問題（−）』のように韓国特有のものと思われる項目もあります。韓国特有のものは日韓関係だけでなく、『8）兵役問題（−）』のように、韓国の制度そのものがマイナスイメージに繋がったと思われる項目もあります。また、『10）危険（地震、放射能）（−）』『1）放射能の心配（−）』のように福島原発事故によるものや『6）歴史意識（−）』『7）過去の歴史問題（−）』のように近年の日韓の政治的問題が日本留学観にネガティブな影響を与えているようです。

4.1.4　日本留学に対する期待と不安

　留学前の留学観については、日本留学に対して期待と不安が交錯していることが最も大きな特徴といえます。日本留学に対する期待は、Aのクラスター1の1回目「日本は発展している先進国という内容であり、「成功」というイメージ」、クラスター2の「成功する留学」と、Cのクラスター1の1回目「日本に留学することが韓国より高い水準の学問や先進文化を学べる」、クラスター2の1回目「日本という外国で生活しながら成長できるという人間性を含んでいる。もっと広い世界に飛び込み、韓国と世界を見る目を養いたいと考える」と、全体の解釈の1回目「夢に一歩近づくという期待感とときめき」などのクラスターの解釈からAとCは日本留学に対する期待が窺えます。特に、Aの「日本は発展している先進国」、Cの「韓国より高い水準の学問や先進文化を学べる」「もっと広い世界に飛び込み、韓国と世界を見る目を養いたい」のように、学問的に進んでいる日本で留学ができることへの期待感が表れています。また、韓国の大学より日本の大学に進学すること

で人間的により成長できると期待しているようです。その一方で、新しい生活に対する不安を抱いていることが分かります。Aのクラスター4の1回目「日本の自然の特徴と災害に関わる内容で、大変さと不安というイメージが思い浮かぶ」、クラスター5の1回目「留学を控えている学生として不安や心配に関する内容で、不安というイメージが思い浮かぶ」と、Bのクラスター2の1回目「日本は物価が高いから生活費が大変ではないかと心配している」、「原発事故があったため、どうしても放射能が心配だ」、全体の解釈の1回目「私が日本で経験するであろう、生活環境の変化や問題点などの事柄についてのイメージだ」と、Cのクラスター3の1回目「ホームシックと不安感が頂点に達するのは自然災害の危険を感じる時だと考える」などから、全員が日本留学に対して何らかの不安を抱いていることが分かります。また、Aの「日本の自然の特徴と災害」「留学を控えている学生として不安や心配」、Bの「日本は物価が高いから生活費が大変」「放射能が心配」、Cの「生活環境の変化」「自然災害の危険」など不安は多岐にわたっています。放射能、自然災害のように日本特有のものによる不安もあれば、生活環境の変化のように異文化不適応による不安もあります。

4.2　留学中の留学観

　留学中の留学観については、1）留学中の留学観について、2）留学前の不安感の解消、3）留学前のマイナスイメージの解消、4）留学前のイメージが留学中に強くなったケースに分けて検討します。

4.2.1　留学に対する重要イメージの変化

　ここでは4.1.1で述べた来日前の留学に対する重要イメージが留学後にどのように変化したのかについて探ってみ

ます。Aの日本が先進国という点のように、留学中に、そのイメージが弱くなった場合もありますが、学問的に進んでいる点においてはイメージの変化はありませんでした。また、BとCの自然災害や放射能に対する心配は、留学中にその不安が少しずつ和らいでおり、4年が経った時点ではその不安をあまり感じなくなったようです。このように、留学前に抱いていた日本留学に対するイメージが留学中にかなり変化していますが、それは日本についての情報収集の方法に問題があったからだと思われます。現代は、インターネットが普及して簡単に情報が集められる時代になりましたが、その情報の真偽を確かめる方法はあまりありません。そのため、日本に対するネット上の様々な情報をどのように収集し理解するかについての教育的配慮は必要であるといえるでしょう。

4.2.2　留学前の不安感の解消

　Aは、クラスター4の1回目「日本の自然の特徴と災害に関わる内容で、大変さと不安というイメージが思い浮かぶ」、2回目「大変さと不安というイメージが薄くなっている」、3回目「大変さと不安というイメージがあまり感じられなくなった」、4回目「日常生活の中で問題になるようなことはそれほど表れない」などから、来日前に抱いていた不安感が解消されている様子が窺えます。

　Bは、クラスター3の1回目は「韓国とは異なる環境に対するイメージ」、2回目「思ったより日本での生活は大変ではない」、4回目「こちらが心を開いて近づいて仲良くなるために努力すれば、日本人も心を開いてくれると思った」などからも、異文化の壁を感じつつも時間が経つにつれて日本社会に適応していく様子が窺えます。

　Cは、クラスター2の1回目「言葉と文化が違う友達とつきあうことに対する期待と不安」、2回目「今は日本人

を含めて色々な外国の友達とも交流をしながら文化の理解をしている」、3回目「これからは自分から日本人に近づいていく立場に変わっていく」、4回目は「日本に対するイメージがどんどん変わり、拡大し、深まっている」と、クラスター3の1回目「ホームシックと不安感が頂点に達するのは自然災害の危険を感じる時だと考える」、2回目「ホームシックは自然災害による不安感や人間関係による不安感ではなく」と、全体の解釈の1回目は「今の安定的な韓国での大学生活をあきらめて慣れないところで適応しなければならない」、2回目は「新しい環境に適応しなければならないという言葉が無意味」、3回目は「留学していることを忘れてしまうくらい慣れている」などから安定的な留学生活を送っていることが分かります。

　Aの自然災害に対する心配、Bの生活環境の違いに対する心配、Cの異文化不適応に対する心配など、日本留学に対する心配の内容は違うものの、全員留学前の不安や心配事が解消され、異文化に適応していく様子が観察されました。

4.2.3　留学前のマイナスイメージの解消

　Aのクラスター3の1回目「（日本人は）自由奔放と孤独」、2回目「日本人が孤独というイメージはかなり弱くなった」、3回目「日本人が孤独というイメージはなくなり」、クラスター4の1回目「日本の自然の特徴と災害に関わる内容で、大変さと不安」、2回目「大変さと不安というイメージが薄くなっている」、3回目「大変さと不安というイメージがあまり感じられなくなった」、4回目「日常生活の中で問題になるようなことはそれほど表れない」、クラスター5の1回目「留学を控えている学生として不安や心配」、2回目「以前よりは感じなくなった。（不安は）単に留学のプロセスで一つの課題に過ぎない」など

から、留学前の災害、留学に対する不安が留学中に和らいでいく様子が窺えます。

Bのクラスター2の1回目「どうしても放射能が心配だ」、2回目「放射能は思ったより深刻ではなく」、4回目「韓国で話題になっている放射能関連の論争は誇張されており」、クラスター4の1回目「韓国人と日本人が一番鋭く対立する問題」、2回目「そのような日本人はいなかった」、4回目「日常生活の中で日韓関係や日韓の問題が話題になることは多くない」などから、放射能、日韓関係について、来日後にそのイメージが弱くなっています。

Cのクラスター3のクラスター全体の1回目「慣れないところで適応しなければならない」、2回目「韓国にいた時より日本のほうが居心地がいい」、3回目「留学していることを忘れてしまうくらい慣れている」から、は来日前のホームシックと異文化適応に対する心配が来日後に弱くなっていると感じている様子が窺えます。

このように、留学前に抱いていた日本の災害、留学に対する不安、異文化適応などのマイナスイメージが留学後にそのイメージが弱くなるか、なくなることが分かりました。このようなことは、例えば、Aのクラスター全体の1回目「クラスター3、4、5はネガティブなイメージで暗い部分だ」、2回目「全体的にプラスイメージがより強くなったことだ」、3回目「『5）日本の個人主義（0）』がやや否定的から少し肯定的に、『12）いじめ（－）』がかなり否定的からやや否定的に変わった」からも分かるように、留学前のネガティブな留学観が来日後にポジティブな留学観へと変化していく様子が窺えます。

4.2.4　留学前のイメージが留学中に強くなったケース

Aのクラスター1の1回目「日本は発展している先進国」、4回目は「その考えがより強くなった」と、クラス

ター5『8）兵役問題（－）』について4回目「『8）兵役問題（－）』は高学年になり、だんだん悩みが深まっている」などから、先進国の日本と兵役問題は来日後そのイメージが強くなったと感じているようです。先進国のイメージは日本で生活しながら自分の目で見て実感した結果といえるでしょう。また、韓国の男性は兵役の義務は果たさなければならないため、留学中にそのイメージが一層強くなっていると思われます。

4.3　帰国後の留学観

　ここでは、Cのデータを用いて、韓国における予備教育修了直前（2013年7月）の留学観と韓国で兵役を終えて日本の大学院に進学するために準備中（2020年8月）の留学観を比較し、特徴を探ってみます。Cの場合、来日前の留学イメージが帰国後には留学イメージそのものがなくなるか、複数の留学イメージが一つにまとまる傾向が見られました。例えば、クラスター1の5回目「イメージ項目のうちイメージがそのまま残っているのは『1）理工系のノーベル賞が多数（＋）』のみだ。（中略）しかし、『3）先進文化の受け入れ（＋）』に関して韓国と比較した場合、分野別によって優劣が変わる。『8）就職するためのスペック（＋）』も特別に就職に有利なことはない（欧米も同じだが）」からも分かるように、留学を終え帰国した後は、留学前のイメージが変わっているか、イメージそのものがなくなっています。また、帰国後には留学前のイメージが具体化された部分もありますが、その例として、Cのクラスター2の5回目「個人的には友人から社会の仲間というイメージに広がり、今後どのような関係を作るかに関心を持っている。その意味で『4）日本の文化体験と交流（＋）』『6）国際化（＋）』『11）韓国文化の伝達（＋）』は『5）友達問題（0）』に含まれる」と、Cのクラスター3の5回目「留学前

は日本に対する漠然とした憧れだった（中略）今はより具体化されている（中略）個人的な成長から、今まで経験と知識に基づいた社会還元に変わったこともこのようなイメージの変化の要因ではないかと思う」が挙げられます。このように留学中に留学観が具体化されたり、イメージ項目同士が統合されたりするような変化が起きています。

　以上、本章では日韓生を対象に日本留学の変化について検討しました。その結果、来日前に考えていた留学に対する重要イメージとして、原発事故や地震などの災害に対する不安が挙げられますが、それにはマスメディアやインターネットなどの情報や先輩、知人などからの情報が影響を与えているようです。また、兵役、災害、放射能問題、歴史認識問題に対してはマイナスイメージを有しており、多くは留学中にそのマイナスイメージが解消されますが、兵役の問題は逆にマイナスイメージが一層強くなることが分かりました。災害、放射能問題、歴史認識問題などの問題は実際に日本に来て生活しているうちに徐々に解消されているようです。それに対して、プラスイメージについては、日本の進んだ学問を学べることが代表的な例として挙げられますが、留学中でもそのイメージに変化があまり見られませんでした。

　また、日韓生は留学する前は、日本留学に対する期待と不安が交錯していることが分かりました。日韓生は韓国より学問が進んでいる日本に留学することで人間的に成長できると期待しているようです。それと同時に、新しい生活に対する不安感も抱いており、日本の災害、留学の不安や心配、生活費、放射能、生活環境の変化など多岐にわたっていますが、これらの不安は留学中に解消されていくことが分かりました。

　さらに、来日後の留学観の特徴は留学に対する重要イメージとして挙げた災害や放射能などは、日本で生活してい

るうちにその不安が少しずつ和らいでおり、4年が経った時点ではあまり感じなくなっています。また、ホームシックと異文化適応に対する心配も来日後に弱くなっており、当初マイナスイメージだったものがポジティブなイメージへ変化していくことが分かりました。しかし、先進国の日本と兵役問題は来日後そのイメージが強くなったと感じています。このように来日前に抱いていた留学イメージが留学中に弱くなるケースもあれば、それとは逆に強くなるケースもあります。

　最後に、Cに1回目の調査から7年経過した時点での留学観を尋ねたところ、来日前の留学イメージの多くが帰国後になくなるか、一つに統合される傾向が見られました。その理由は、日本留学中の様々な経験をすることで、留学前に個別にイメージしていた留学観が整理された結果であると考えます。

　以上、本研究では日韓生を対象に留学前、留学中、留学後に分けて、留学前に抱いていた日本留学観がその後どのように変化していくのかについて縦断的に追い、検討しました。その結果、留学前の留学イメージの多くが留学中・留学後に変化していることが分かりました。特に、留学前の日本留学に対する不安や心配が解消され、異文化としての日本文化に適応していく様子が観察されました。今後、私費留学生や韓国人以外の留学生も対象に同様の調査を実施し、より多角的に留学観を探る必要があると考えますが、それを今後の課題にしたいと思います。

注

[1] 本章における「変化」とは、ある対象に対する被調査者自身によるイメージや態度について振り返り、それを評価したものです。
[2] PAC分析の詳細については、内藤（2002）をご参照ください。
[3] 本章は、安（2018）を基にデータを一部追加し、内容を大幅に加筆・

修正したものです。

［4］新型コロナウイルス感染症への対策のため、日本政府は2020年4月3日から韓国全域を入国拒否対象地域に指定しました。そのため、被調査者Cは5回目の調査時には日本に入国できない状況に置かれていました。

［5］デンドログラムとは、分析の対象となる各個体（本研究におけるイメージ項目）がグループに分類される様子を樹形図の形で表したものです。

参考文献　安龍洙（2008）「韓国人の対日観に関する一考察―個人別態度構造分析法（PAC分析法）を用いて」『ユーラシア研究』11, 5(3), pp.107–125. アジアヨーロッパ未来学会

安龍洙（2018）「国費留学生の日本留学観の変化に関する一考察―日韓プログラム14期生を対象にした4年間の追跡調査から」『留学生交流・指導研究』20, pp.97–114.　国立大学留学生指導研究協議会

安龍洙・酒匂康裕・金重燮・趙顯龍（2006）「日本における日韓理工系学部留学生事業の実施状況に関する報告―21大学を対象に実施したアンケート調査に基づいて」『茨城大学留学生センター紀要』4, pp.77–106.　茨城大学留学生センター

石鍋浩・安龍洙・高柳有希（2020）「韓国に長期滞在する日本人による韓国観の態度構造―PAC分析を用いた研究」『グローバル教育研究』3, pp.53–65.

酒匂康裕・安龍洙・金重燮・趙顯龍（2009）「韓国人学習者の日本留学に対するレディネス及びニーズの分析―日韓理工系学部留学生事業第9期生を中心として」『近畿大学語学教育部紀要』9, pp.65–88.

内藤哲雄（2002）『PAC分析実施法入門―「個」を科学する新技法への招待（改訂版）』ナカニシヤ出版

第2章

日韓共同理工系学部留学生事業（日韓プログラム）20年の歩み
予備教育を中心に

太田亨・酒匂康裕

1 日韓プログラムとは何か——プログラム開始の経緯と趣旨

1.1 日韓プログラム開始の経緯

　「日韓プログラム」は、正式名称を「日韓共同理工系学部留学生事業」と言います。1998年10月8日、金大中・大韓民国（以下、「韓国」）元大統領（故人）の公式訪日に合わせ、同大統領と小渕恵三元首相（故人）との間で共同発表された、「日韓共同宣言、21世紀に向けた新たな日本と韓国のパートナーシップ」[1] の附属書「21世紀に向けた新たな日本と韓国のパートナーシップのための行動計画」[2] の中に盛り込まれた「青少年交流の拡大」の一環として、「韓国の理工系大学学部留学生の派遣・受入事業を共同で実施し、今後10年を目途に、その時点で日本の理工系大学に在学する韓国人学部留学生が1,000人に達することを目標とする」という行動計画に基づいて創設されました。日韓プログラムとは、その事業の通称名を指します。

　日韓共同宣言が発表されて1ヶ月後の1998年11月9日、当時の文部省学術国際局留学生課から、日本全国の国立大学のうち理工系学部と日本語教育を行う留学生センターを合わせ持つ大学へ向けて、「金大中韓国大統領訪日による日韓留学生交流実施計画（案）」が通達され、日韓プログラムへの参加が呼びかけられました。それにより、

2000年度から2009年度まで毎年100人前後の韓国人留学生が選抜され、延べ39校の国立大学へ派遣・受入が行われました（太田2010: 序文）。日韓プログラムではこの10年間を「第1次事業」と呼び、1,024人の韓国人留学生が渡日しました（後掲の表1参照）。

　また、日韓プログラム第1次事業の9年目に当たる2008年4月21日には、プログラムが日韓交流に一定程度寄与していることが評価され、李明博・韓国元大統領の公式訪日に合わせて、李元大統領と福田康夫元首相との間で出された「日韓共同プレス発表」[3]により、日韓プログラムは「第2次事業」として、2010年度から2019年度まで10年間延長されました。

1.2　日韓プログラムの趣旨・特徴

　日韓プログラムの趣旨であり特徴は、次の5点にまとめることができます。①プログラムが「日韓パートナーシップのための青少年交流」の一環としての役割を担う点、②日韓両国が「共同」で費用等を折半して、日本の文部科学省国費学部留学生制度と同等の留学制度を新たに創設し運営する点、③韓国人留学生を日本へ派遣して、日本の国立大学で受け入れる点、④専門分野を「理工系」に限定して「学士課程」へ入学させる点、⑤学士課程への留学であることから、日本語教育を含めた入学前予備教育を充実させ、入学前1年間のうち、前半の半年間を韓国国内で、後半の半年間を留学先の日本の大学で予備教育を行う点です。そしてこれらの特徴の多くが、「日韓共同理工系学部留学生事業」というプログラムの正式名称の中に表れていると言えます。

2 日韓プログラム予備教育

　日韓プログラムは、1.2で述べたとおり5つの特徴があ
りますが、ここでは⑤の日韓プログラム予備教育について
記します。

　日韓プログラムの学生の多くは、高校卒業直後に韓国内
の予備教育（以下、「韓国内予備教育」）に参加したため、日
本語がゼロレベルの学生もいました。また、高校の第2外
国語で日本語を履修した学生もいましたが、多くの学生が
初級レベルの状態でした。韓国内予備教育の後は留学生活
が控えており、学生は短期間で日本語のレベルを上げなけ
ればならず、教育時間の多くは日本語学習に充てられまし
た。そのほか、数学、物理、化学、英語の実力向上を目指
すと同時に、日本での留学生活に適応するための知識修得
や文化体験を行うプログラムが組まれました。

　本節では日韓プログラム予備教育の主要事項について述
べていきます。

2.1　日韓プログラム参加学生

　日韓プログラムは開始当初、数年間は人数に変動があり
ましたが、第1次第5期以降はほぼ安定して毎期100名程
度の学生が参加しました（表1[4]）。

　日韓プログラムに参加可能な学生は、受験する年度を基
準に満19歳以下であるという条件があるため、受験者の

表1　日韓プログラムの参加学生人数　　　　　　　　　　　　　単位：人

年度	2000	2001	2002	2003	2004	2005	2006	2007	2008	2009
第1次	1期	2期	3期	4期	5期	6期	7期	8期	9期	10期
	100	116	90	121	99	99	100	99	100	100
年度	2010	2011	2012	2013	2014	2015	2016	2017	2018	2019
第2次	1期	2期	3期	4期	5期	6期	7期	8期	9期	10期
	100	100	97	100	100	100	100	98	99	99

多くは高校3年生でした。韓国の国立国際教育院（旧国際教育振興院、2008年7月に名称変更）より学生募集案内が全国の高校に公示され、筆記試験と日韓合同の面接試験を経て毎年11～12月に学生が選抜されました。男女比については、男子学生の比率が高く女子学生は毎期1～2割程度でした。

　日韓プログラムが始まった当初は情報が限定的でしたが、先輩学生が増え、インターネット等を通じてプログラムの存在が広く知られるようになりました。さらに日韓プログラム合格を目指す私設塾が開かれることもありました。また、第1次第1期より第3期までは工業高校出身者の推薦枠が別途設けられ、毎年20名程度の学生が選抜されました。このように学生は全国から選抜されてソウルに集まり、後述する予備教育機関にて集中教育を受けました。

2.2　韓国内予備教育

　韓国内予備教育は韓国の新年度である3月より始まり、8月末までの6ヶ月間、週末を除きほとんど休みなく行われました。日韓プログラムでは20年の間に多くの試みが行われ、韓国内予備教育も例外ではありませんでした。表2は金他（2005: 27）に記された表を編集したものです。日韓プログラム開始当初は日本語の修得が最優先されたため、第1次第1期は日本語の学修に多くの時間が充てられました。しかし、同時に第1次第3期までは韓国内予備教育が終了する8月頃に実施された配置試験（日本語と教養は試験科目外）の結果により留学先大学が決まる制度であったため、第1次第2期及び第3期は数学等の学習に重点が置かれました。これにより予備教育が配置試験に向けた予備校のような状況になってしまいました。その後日韓の関係者間で協議が行われ、第1次第4期からは留学先大学が決まった状態で韓国内予備教育が開始されることになりました。

表2 韓国内予備教育の週当たりの教育時間数比較（第1次 第1期〜第6期） 単位：分

科目＼期	1期	2期		3期		4期	5期	6期	備考
		その他	工業系	その他	工業系				
日本語	1,500	600	200	900	720	640	800	880	
英語	50	200	150	270	270	80	80	100	
数学	150	300	650	360	630	80	160	80	
物理	100	250	360	270	360	80	80	80	
化学	100	250	360	90	360	80	80	80	
教養Ｉ	100	100	100	90	90	80	80	80	
教養ＩＩ	-	50	50	90	90	80	80	60	韓日文化授業
教養選択	-	-	-	-	-	320	160	240	現地学習含む
各期総時間	2,000	1,750	1,870	2,250	2,520	1,440	1,520	1,600	

　それからも両国の関係者の間で調整を重ね、予備教育期間の後半を日本語の授業時間数を増やす期間とする等の取り組みがあり、第1次第9期以降、韓国内予備教育は一定の完成形を迎え、第2次事業の最終期まで続きました。日韓プログラム最終期での教育時間は、6ヶ月で合計時間数が750時間あり、そのうち日本語429時間、専門科目（数学、物理、化学）各48時間、教養Ｉが37.5時間、教養ＩＩが27時間、文化特別講義が37.5時間、韓日文化体験が75時間でした[5]。なお、時間割は1コマ80分で1日平均4コマ設定されたため、平日の日中はほぼ授業を受けて過ごしたことになります。

　韓国内予備教育では、担当教員も6ヶ月間教育活動に専念することになりました。コーディネート担当教員の下、日本語のクラスを基準として担任制を採用し、担任教員は教科教育と学生の指導を行いました。また日本語の使用教科書は、日本で出版された教科書の韓国ライセンス版が使用されました。それに対して、数学等の専門科目については、日本語のレベルが考慮され、韓国内で出版された大学

25

レベルの教科書が主に使用されました。

　韓国内予備教育に関する各種情報は、3.で後述する日韓共同理工系学部留学生事業協議会（以下、「協議会」）等の場を通じて日本の予備教育機関に提供され、教育の連携が試みられるようになりました。このように韓国内予備教育は、日韓プログラム開始当初からの様々な取り組みにより、日本への学部留学に向けた予備教育課程として一定の形を迎えることができました。

2.3　日本国内予備教育

　韓国での予備教育終了後、学生は約1ヶ月間の準備期間を経て渡日し、毎年10月より当該年度末まで日本で予備教育を受けました。第2次第10期まで合計40大学での受け入れがありましたが（松田2019）、過去20年間で毎年受け入れのあった大学や、1期だけであった大学もあります。2004年10月より日韓プログラムの受験生を対象に「日韓プログラム留学推進フェア」が開催され、受験生に各大学を紹介する機会も設けられました。しかし、韓国内での知名度に偏りもあり、各大学の受け入れ人数には差が出たと言えます。

　日本国内の予備教育は韓国とは異なり、各大学の事情に応じて行われました。学生の受け入れ人数の規模により大学がグループ分けされたこともありましたが（安他2006）、このほかにも大学の所在地域や予備教育の運営形態等様々な枠組みも想定でき、また韓国内予備教育のように一律的な運営ではないため、公開されている資料等を元に概略を次に記します。

　日本国内の予備教育では、いずれの大学でも日本語教育と専門教育を扱い、英語が含まれる場合もありました。日本語教育では「大学生活の中で必要とされる科学読み物を読む・レポートを書く・講義形式のまとまりのある話を聴

く・ディスカッションをする等の能力を養うこと」（村上2009: 5）等、韓国内予備教育での学修に続く内容が扱われました。

専門教育は数学等の専門基礎科目が予備教育担当部局で提供されるほか、学生が学内の理系科目の講義を聴講する等様々な取り組みが見られました。しかし、受け入れ大学の事情により教員の確保の問題等も起こり、2003年の第1次第4期協議会（東京工業大学）で専門教育の扱い方が議題の1つとして取り上げられたり（門倉2003: 18–19）、また大学個別に報告されたこともあります（畑田谷2012）。

そのほか、ホームルーム形式による学生指導やアドバイス[6]、ホームステイや各地の名所見学等の学外プログラム等の事例もあり[7]、留学生活への適応や文化理解をする上でこれらの取り組みは事業全体にとっても重要な役割を果たしたと言えます。

2.4 予備教育の困難点と取り組み

日韓プログラムの学生の多くは高校を卒業して間もない状態で、これまでの受験勉強とは大きく異なる教育を受けることになりました。本章2.2で述べたとおり、韓国国内では集中教育が行われ、多くの学生が大学1年生と同じ年齢であるにもかかわらず、高校生活の延長線上にいるような感覚であったようです。その点で教員側は大学生に対する接し方と同時に高校生に接するような時もあり、時には学生の基本的な生活指導を行うこともありました。その影響もあり、韓国内予備教育では第1次第3期から学則が制定され、以降ほぼ毎年のように改定されていきました。

予備教育生という高校生とも大学生とも言えない状況の中、日々の指導が行われましたが、第1次第4期以降は韓国内予備教育の開始時点で留学先大学が決まっていたため、学修に対するモチベーションの維持が必要とされまし

た。そこで、学生の進学先予定大学より担当教員が韓国内予備教育期間に訪韓して学生面談を行ったり、必要な情報を共有する等、様々な形で日韓双方による教育活動の連携が行われました。

3 日韓プログラム第1次事業（2000～2009年度）

1998年11月に当時の文部省から国立大学に日韓プログラムへの参加が呼びかけられましたが（本章1.1参照）、同時に韓国内でも学生選抜等の準備が始まりました。韓国内予備教育は2000年3月から始まり、約1年の準備期間で予備教育課程の設計が行われました。予備教育は当時の国際教育振興院からの公募を通じて、慶熙大学に委託されることになりました。

また日韓プログラムの開始年から、日本の参加大学により協議会が開催されました。2000年3月6日と7日に琉球大学において「専門教育（学部）との連携について―日韓共同理工系学部留学生事業の実施を前に」というテーマで開催されたのをはじめ、同年5月には大阪大学で、そしてその後も毎年6月から8月の間に当番校が持ち回りで開催されました。毎回、文部科学省、韓国国立国際教育院、慶熙大学、日韓プログラム参加大学の関係者による事業内容の報告やパネル討論が行われ、2005年の第1次第6期の広島大学での協議会では中途退学者問題について取り上げられたこともあります。しかし、事業は概ね成果を挙げていたこともあり、2006年7月に金沢大学で開催された第1次第7期協議会では、事業評価と次の10年間の継続を求める声が出始めました。そして、2008年の第1次第9期の横浜国立大学での協議会では、関係者によるアンケート調査の発表（横浜国立大学留学生センター2009）や、それを受けた文部科学省の報告書も刊行されました（文部科学省2009）。

このアンケートには「日韓プログラム修了時（卒業時）の日韓生の学力レベル」を尋ねる項目があり、「学部長賞等の受賞学生がいる」という記述や、「概して向上心が高く、成績は優秀という評価が寄せられた」等、高評価の回答がありました。また、2007年に東京大学工学部物理工学科を卒業した第1次第3期生は、首席卒業、さらに学部・大学院を含めた全卒業生の中から総長賞を受賞したケースもあります。韓国籍者の首席卒業は東京大学初のケースとなり、韓国と日本で新聞にも取り上げられました[8]。また協議会のほか、2001年12月には日韓プログラムの専用メーリングリスト（日韓PML）が立ち上げられ[9]、担当者間による情報や意見交換が行われました。

　このように多くの関係者が日韓プログラムに携わる中、2008年の第1次第9期より通算12年間、韓国内予備教育の仕上げ段階となる8月中旬頃に日本国内予備教育を担当する有志により「教育参画」という活動が実施されました（太田2010: 23-32）。当初、渡日を前にした学生に日本留学に対する自覚を再認識させる機会を提供することから始められましたが、試みが本格化すると日本語教育と専門教育（数学、物理）も日本での予備教育を意識した形で行われるようになり、また科研費等の研究費も獲得して（太田2010, 2015）、教育・研究交流における日韓連携が試みられました。

4 ｜ 日韓プログラム第2次事業（2010 ～ 2019年度）

　教育的な観点から見れば、第2次事業の10年間はプログラムの質をより高め、修了生の進路や活躍の場に関する考察が行われた時期だったと言えます。それは、協議会で取り上げられた議題からも確認できます。「予備教育と学部教育の有機的連携」（第2期：熊本大学）と「日韓プログラムによる人材育成」（第3期：名古屋工業大学、第7期：千葉大

学、第9期：神戸大学、第10期：岡山大学）です。特に後者については、「人材育成を考える」（第3期）、「人材育成の成果と今後の課題」（第7期）、「人材育成の成果を考える」（第9期）、「人材育成の活用を考える」（第10期）と変遷し、プログラム修了生が実社会の中でどのように活躍するかを追跡しようとする傾向が顕著に表れています。

　また、第2次事業の期間中で挙げるべき話題として、（1）男子学生の兵役義務遂行を理由に大学を休学することが認められたこと、（2）日韓プログラムをめぐり日韓共同シンポジウムが開催されたこと、の2つを取り上げることができます。

　まず、（1）についてです。韓国人男性は大韓民国憲法第39条により、「国防の義務」を負って[10]、さらに兵役法により満18〜19歳の間に徴兵検査を受けた後、陸・海・空軍で多少期間は異なりますが、1年半〜2年程度軍務に就かなければなりません[11]。

　本章2.1で触れたように、日韓プログラムに参加する学生は毎年8〜9割が男子です。そのため、プログラムに参加する男子学生の多くは、日韓プログラムが開始した第1次第1期当初から「いつ兵役の義務を果たしたらいいのか」と、入隊の時期について心配していました。そして、その問題は第1次事業の協議会でたびたび指摘されましたが、正式に議題として取り上げられたのは、第2次第1期（2010年）の新潟大学主催の協議会の場です。

　韓国にいる男子大学生の場合、多くは1〜2年次に大学を休学して兵役を果たすようですが、本章1.2の特徴②に挙げたように、日韓プログラムは日本の文部科学省国費留学制度と同等の扱いをされているため、奨学金受給期間中に休学による学業の中断は認められませんでした。これが日韓プログラムに参加する男子学生の悩みの種だったのです。

　ところが、上記の新潟大学主催の協議会でこの問題が取

り上げられると、一気に解決方向へと進み、翌年の第2次
第2期の協議会（熊本大学）で、「現在学部に在学する第1次
第10期生を含め、今後学部に入学する日韓プログラム男子
学生の兵役を理由にした休学を認める」ことが発表されま
した。これは、日韓プログラムの長年の懸案の1つが一気
に解決した事例として、画期的な出来事だったと言えます。
　もう1つ、第2次事業の期間中に起こった出来事とし
て、第2次第5期（2014年）に日本側の科研費研究グルー
プ（太田2015）と韓国側予備教育機関の慶熙大学国際教育
院の共催による、「日韓共同シンポジウム―日韓共同理工
系学部留学生事業の過去・現在・未来―」（2014.4.19）を
指摘することができます（図1）。
　このシンポジウムの最後に行われた提言には、日韓プロ
グラム第3次事業へのさらなる延長へ向けて、「日韓双方
向で派遣・受入する事業に発展させる」ことや、「分野を
理工系から人文・社会科学系にも拡張する」こと等が盛り
込まれました（太田2015: 151）。そして、この提言は両国
政府間の教育政策立案に一定程度の役割を果たし、2019
年の第2次第10期協議会（岡山大学）の場で松田（2019）

図1　日韓共同シンポジウムの様子

により、第3次事業「日韓共同高等教育留学生交流事業」という形で公表されました。

5 | 日韓プログラムのこれから
──輩出された人材、日韓プログラムの意義、そして今後へ向けて

　次の表3は、徐（2018）で示された表を編集したものです。それによると、日韓プログラム第1次第1期から第2次第3期までの修了生1,303人の6割強に当たる793人（60.8%）が、日本か韓国の大学院へ進学したそうです。また、第1次事業プログラム修了生計1,024人（本章1.1参照）の中で、大学院修士課程以上を修了し職を得て社会へと羽ばたいていった例として、徐（2018）は19人の進路を匿名で紹介しています。内訳は、韓国大手企業の主任・先任・責任研究員や一般研究員が11人、課長や課長代理が2人、日本や韓国の大学の専任教員が3人、欧米の大学院博士課程に在籍する者が3人です。

表3　日韓プログラム修了直後の進路（第1次1期〜第2次第3期）　　　　単位：人（%）

卒業						第3国在留（就労・学業）	兵役	進路未定	期間内未卒業	合計
就労			大学院進学							
韓国	日本	小計	韓国	日本	小計					
5 (0.4)	15 (1.1)	**20 (1.5)**	22 (1.7)	771 (59.1)	**793 (60.8)**	55 (4.2)	113 (8.7)	47 (3.6)	276 (21.2)	**1,303 (100)**

　本章4で述べたように、協議会で日韓プログラム修了生の人材育成について考える動きが出てきただけでなく、修了生が在学中に身につけたであろう専門知識を活かしたキャリア形成が、すでに一定の割合で実現しているわけです。このことから見て、「日韓プログラム修了生のうち第1次第6期までは、2020年時点で40歳前後になっていて、企業や研究機関等の組織内において中間管理職レベルとして活躍し始めている」と総括することができるでしょう。

このことは、日韓プログラムの趣旨から見て大変重要です。本章1.2で挙げたプログラムの5つの特徴のうちの①が、「日韓パートナーシップのための青少年交流の一環としての役割を担う」ことだったからです。日韓プログラムとは何かを突き詰めて言うならば、日韓両国の予算を使って、「知日家で、理工系の専門知識とスキルを持った韓国人人材」を育成してきた20年間だったと言っても過言ではありません。ですから、今後はプログラム修了生が、日韓の知的交流や社会・経済活動の場でどれくらい活躍してくれるかが鍵になってくるものと思われます。

　第1次・第2次事業の日韓プログラムは、韓国から日本への一方通行的な留学プログラムでした。なぜそうなったかは、1998年前後の日韓の社会情勢からある程度推測できますが、今となっては確たる理由を突きとめることは困難です。ですが、本章4.の最後で触れた第3次事業「日韓共同高等教育留学生交流事業」（2020 〜 2029年度）では留学の流れが双方向となり、今後はその利点を生かすことが求められます。そして今度は、「韓国をよく知り、各々の専門分野の知識とスキルを持った日本人人材」の育成を同時に目指す目標を立てることが考えられます。

　「教育は国家百年の大計」とよく言われますが、教育の効果が実際に目に見える形で現れるには長い時間を要します。日韓プログラムでは、20年をかけて理工系の分野で韓国から日本への教育の流れが築かれ、ようやくその人材育成の成果が出始めています。そして、今、その反対方向である、日本から韓国への教育の流れを創設しようとしています。日本における韓国語学習者の増加が見られたのは、ワールドカップや韓流ブームが起きた2002年から2003年にかけてと言われますが（小栗2007: 52）、語学や文化だけでなく、より広範な分野での専門教育のため日本人の若者が韓国へと渡るような流れを創るには、日韓プログ

ラムが創設された1998年の日韓共同宣言に基づいて、国家レベルでの新たなてこ入れが必要なことは言うまでもありません。「日韓共同高等教育留学生交流事業」の今後に大きな期待を寄せるとともに、日韓の青少年交流がより一層進むことを祈念したいと思います。

注

[1] 『外交青書1999』（pp.311–315）に拠ります。なお、同宣言文は以下の外務省HP「会談・訪問」にも公開されています。https://www.mofa.go.jp/mofaj/kaidan/yojin/arc_98/k_sengen.html(2021.6.25最終参照)

[2] 「日本と朝鮮半島関係資料集」（DB『世界と日本』、政策研究大学院大学・東京大学東洋文化研究所）に拠ります。https://worldjpn.grips.ac.jp/documents/texts/JPKR/19981008.D1J.html(2021.6.25最終参照)

[3] https://www.mofa.go.jp/mofaj/area/korea/visit/0804_2_pr.html(外務省HP「会見・発表・公表」、2021.6.25最終参照)に拠ります。

[4] 安（2017）及び文部科学省（2009）に拠ります。

[5] 慶熙大学国際教育院『2019韓日共同理工系学部留学生国内予備教育課程』及び洪（2019）に拠ります。

[6] http://www-isc.ge.kanazawa-u.ac.jp/jp/program/J-K.T.Course/index.html（金沢大学国際機構留学生教育部HP「日韓共同理工系学部留学生コース」、2021.6.25最終参照）と、岡崎他（2007: 104）に拠ります。

[7] https://repo.lib.tokushima-u.ac.jp/106187（徳島大学留学生センター年報、2021.6.25最終参照）に拠ります。

[8] https://news.chosun.com/site/data/html_dir/2007/04/05/2007040500057.html（朝鮮日報「韓国人、東京大「総長賞」受賞」2007年4月5日付記事、2020.8.15 参照、原文：韓国語）及びhttps://www.mindan.org/old/front/newsDetail0177.html（在日本大韓民国民団「東京大学を首席卒業　チェ・ウンミさん」2007年4月11日付記事、2020.8.15 参照）に拠ります。

[9] 第1次第1期から第8期までは東京工業大学にメーリングリストが置かれましたが、第1次第9期から第2次事業を通じては金沢大学に管理が移行されました。

[10] http://www.law.go.kr/lsEfInfoP.do?lsiSeq=61603#(大韓民国国家法令情報センター「大韓民国憲法」（原文：韓国語、2021.6.25最終参照)

[11] https://ja.wikipedia.org/wiki/大韓民国国軍＃徴兵制度(2021.6.25最終参照)

参考文献

安性根（2017）「韓日共同理工系学部留学生派遣事業の支援方策について」『2017年度日韓共同理工系学部留学事業協議会資料』、2017年6月23日、名古屋大学

安龍洙・金重變・酒匂康裕・趙顯龍（2006）「日本における日韓理工系学部留学生事業の実施状況に関する報告—21大学を対象に実施したアンケート調査に基づいて」『茨城大学留学生センター紀要』4, pp.77–106．茨城大学留学生センター

畝田谷桂子（2012）「平成23（2011）年度日韓理工系学部留学生研修コース報告」『留学生センター年報 Annual Report』2011 ～ 2012、鹿児島大学留学生センター

太田亨（2010）『「日韓プログラムのシームレスな通年予備教育カリキュラムの開発研究」研究成果報告書』、平成19 ～ 21年度科学研究費補助金・基盤研究(B)：19320076

太田亨（2015）『「日韓プログラム予備教育における「日韓共同（協働）を教育」を目指す実践的研究」研究成果報告書』、平成24 ～ 26年度科学研究費補助金・基盤研究(B)：24320093

岡崎智己・太田和秀・スカリー悦子・柳原正治（2007）「日韓共同理工系学部留学生予備教育プログラム2006年度（7期生）実施報告」『九州大学留学生センター紀要』16, pp.103–107．九州大学留学生センター

小栗章（2007）「日本における韓国語教育の現在—大学等の調査に見られる現状と課題」『韓国語教育論講座』1, pp.51–68．くろしお出版

門倉正美（2003）「日韓共同理工系学部留学生事業協議会報告—「日韓プログラム」の特徴と「アカデミック・ジャパニーズ」の位置づけ」『専門日本語教育研究』5, pp.17–20．専門日本語教育学会

金重變・趙顯龍・柳志潤・安龍洙（2005）『韓日工科大学学部留学生派遣事業—評価及び運営方案研究』大韓民国教育人的資源部国際教育振興院助成金研究報告書（原文：韓国語）

徐希政（2018）「日韓共同理工系学部留学生事業の成果及び第3次事業の推進方向」『2018年度日韓共同理工系学部留学事業協議会資料』、2018年6月22日、神戸大学

洪允基（2019）「2019年（第2次10期）韓日共同理工系学部留学生韓国予備教育課程の現状」『2019年度日韓共同理工系学部留学生事業協議会資料』、2019年6月28日、岡山大学

松田直久（2019）「日韓共同高等教育留学事業（第3次日韓事業）」『2019年度日韓共同理工系学部留学事業協議会資料』、2019年6月28日、岡山大学

村上京子（2009）「名古屋大学における日韓共同理工系学部留学生の日本語能力の伸び—日本語診断試験と修了試験を通して見た推移」『名古屋大学留学生センター紀要』7, pp.5–12．名古屋大学留学生センター

文部科学省（2009）『日韓共同理工系学部留学生派遣事業評価報告書』外国人留学生の選考等に関する調査・研究協力者会議 日韓共同理工系学部留学生専門部会

横浜国立大学留学生センター（2009）『平成20年度日韓共同理工系学部
　　留学生派遣事業協議会　日韓共同理工系学部留学生派遣事業の意義と
　　将来』

第3章
マレーシア政府派遣予備教育の35年間

佐々木良造

1 はじめに

　　本章ではマレーシア政府派遣予備教育の35年を、予備教育機関における授業時間数の変遷と日本留学の可否を決める試験の変更という2つの観点から振り返り、今後の留学可否判定の試験のあり方およびマレーシア・日本の後期中等教育のシラバス比較の必要性について議論します。

2 マレーシア政府派遣留学生の始まりと留学プログラムについて

　　工業化と人材育成によってマレーシアの発展を企図したマハティール元首相は「東方政策」（Look East Policy）を提唱し、日本の労働倫理と経営哲学から学ぶことを目標に掲げました。そして、東方政策の一環として、人材育成のためのさまざまな渡日プログラムが始まりました。渡日プログラムには、大きく分けて学士（学部卒）の取得を目的とした長期のプログラムと、職業人を対象とした短期のそれの2つのプログラムがあります（石川2020）。学士の取得を目的とした留学プログラムは、以下の3つに分けられます。
　　（1）国立大学1年次入学プログラム
　　（2）国立工業高等専門学校（高専）3年次編入学プログラム

（3）国立・私立大学からなるコンソーシアム加盟大学
　　への3年次編入学プログラム

　（1）に該当する機関は、マラヤ大学と帝京マレーシア
日本語学院、（2）に該当する機関はマラ工科大学、（3）
に該当する機関はマレーシア日本高等教育プログラムで
す。

　本書は理工系留学生を対象としていること、本書第2章
第2節の太田・酒匂の論考が日本の大学の学部1年次に留
学する者を対象としていることから、本章でも学部1年次
入学のための予備教育機関を記述の対象とします。マラヤ
大学と帝京マレーシア日本語学院の予備教育機関がその対
象となりますが、35年にわたって予備教育を継続してい
る理工系留学生の送り出し機関として、マラヤ大学予備教
育部日本留学特別コースを取り上げます。このコースの学
生の特徴として、以下の3点があげられます。

　（ア）ほとんどがマレー系マレーシア人であること
　（イ）渡日前にマレーシアで日本語教育および数学・物
　　　　理・化学の教育を日本語で受けていること
　（ウ）渡日後、工学部、特に電気・電子、機械工学を学
　　　　ぶ学生が多いこと

　以下、本章ではマラヤ大学予備教育部日本留学特別コー
スにおける予備教育について論考を進めます。

3 ｜ マラヤ大学予備教育部日本留学特別コースについて

　マラヤ大学予備教育部日本留学特別コースは、コースの
施設である「日本文化研究館」のマレー語名Ambang
Asuhan Jepunの略称から通称AAJと呼ばれています。
以下、本章でもマラヤ大学予備教育部日本留学特別コース
をその略称であるAAJと記します。

　1981年に第4代首相に就任したマハティール氏は、翌

82年に東方政策を発表しました。当時、日本の首相であった福田赳夫は、東方政策に基づく日本留学のための予備教育機関設置の要請を受け、1982年にマラヤ大学予備教育部に日本留学特別コースが設立されました。

　1982年に設立されたAAJは1984年に第1期生39名を日本へ送り出し、爾来、2019年度に修了した第37期生まで計3903名が日本へ派遣されています（表1[1]）。

表1　マラヤ大学予備教育部日本留学特別コース修了生数（単位：人）

渡日年度	学生数	渡日年度	学生数	渡日年度	学生数	渡日年度	学生数
1984	39 (12)	1994	135 (28)	2004	147	2014	80
1985	45 (11)	1995	123 (31)	2005	172	2015	73
1986	64 (18)	1996	128 (21)	2006	163	2016	91
1987	79 (23)	1997	145 (27)	2007	134	2017	95
1988	81 (25)	1998	147 (29)	2008	140	2018	57
1989	84 (24)	1999	141 (23)	2009	132	2019	60
1990	81 (24)	2000	96	2010	108	2020	49
1991	88 (22)	2001	107	2011	121	2021	81*
1992	104 (31)	2002	149	2012	86	2022	65*
1993	114 (27)	2003	149	2013	98	合計	3903(376)

3.1　AAJの学生選抜について

　マレー系マレーシア人の場合、後期中等教育修了時に実施される全国共通の試験「マレーシア教育修了証（マレーシア語で"Sijil Pelajaran Malaysia"、以下SPM)」を受け、SPMの成績、本人の留学先希望国、面接の結果をもとにマレーシア政府の人事院が選抜をします。SPMの成績は自然科学系の科目の成績が重要視され、学生選抜に関して日本政府は関与していません（渡辺2003）。学生は複数の留学先が希望できますが、最終的な留学先・専攻は人事院が決定するため、本来日本留学を希望していなかった学生もいます。なかには、「目的意識の欠如している者、（中略）、あきらかに文系向きと思われる者」（榎本・奥野1987）

がコースに在籍することになり、AAJでの学習動機が低い原因ともなっています。また、日本留学プログラムのマレーシア国内での認知度の低さとそれに伴う広報活動の必要性、人事院の選考基準の一貫性のなさが指摘されています（国際開発高等教育機構2007）。

3.2　AAJにおける予備教育について

　人事院による選考を経てAAJに入学した学生は、約22か月間、数学・物理・化学（以下、数物化）の教育と日本語の教育を受けます。1年目は日本語の学習、2年目は数物化の学習に多くの時間を割きます。そして2年目の11月に日本留学試験（Examination for Japanese University Admission for International Students、以下EJU）、年が明けて1月にAAJの修了試験を受け、一定以上の成績を修めた学生が、日本の文部科学省によって日本各地の国立大学に配置されます。

　数物化の教育目標は、AAJ開始当初「学生のレベルを共通一次試験問題が解ける能力まで引き上げる」ことでした（遠藤1990）。その後、日本の理系の高校生が3年間で学ぶ内容をできる限りカバーすることが求められるようになりました。日本語の教育については「日本語能力試験の2級合格を目指したカリキュラムを作り指導」しています（渡辺2003）。

　数物化の教育にあたっては、1年目前期がマラヤ大学のマレーシア人教員、1年目後期と2年目は、日本の文部科学省から派遣された高校教員（以下、日本人教員）が担当します。2015年度から1年目前期授業の一部を日本人教員が担当しています。日本語の教育にあたっては、独立行政法人国際交流基金から派遣された日本語専門家とマラヤ大学のマレーシア人教員が担当しています。

3.2.1　授業時間数の変遷

　　表2[2] にAAJの2年間の授業時間数の変遷を示します。
1授業時間は50分です。

　　AAJ開設から2003年度まで授業時間数はほとんど変わ

表2　AAJの授業時間数（単位：時間）

年度	学年	日本語	数学	物理	化学	英語	日本事情	学生実験	学年計	計
1983	2	444	259	259	259	78	37	—	1336	2578
	1	522	210	210	210	90	0	—	1242	
1989	2	340	238	238	238	34	102	—	1190	2450
	1	560	196	196	196	84	28	—	1260	
1992	2	946	—	—	—	—	—	—	—	—
	1		—	—	—	—	—	—	—	
1995	2	320	800				—	1120	2390
	1	570	700				—	1270	
1999	2	1125	1577				—	—	2702
	1						—	—	
2000	2	352	830			—	—	1182	2212
	1	526	504			—	—	1030	
2001	2	380	740			45	1165	2375
	1	650	500			60	1210	
2003	2	380	215	215	215	63	29	—	1117	2518
	1	680	182	266	266	56	0	—	1450	
2004	2	330	194	194	194	60	29	—	1001	2077
	1	628	168	84	84	84	28	—	1076	
2005	2	357	204	205	204	64	27	—	1061	2234
	1	588	161	173	150	76	25	—	1173	
2007	2	492	330	150	150	—	—	—	1122	2434
	1	1057	90*	75*	60*	—	—	—	1282	
2014	2	—	—	—	—	—	—	—	1489	2843
	1	—	—	—	—	—	—	—	1354	
2015	2	568	345	252	240	57	27	0	1489	2941
	1	866	182**	138**	125**	99	0	42	1452	
2017	2	557	305	317	219	54	26	0	1478	2888
	1	846	168**	132**	120**	96	0	48	1410	

っていません（渡辺2003）。しかし、日本語の授業時間数、数物化の授業時間の割合、2014年度以降の総授業時間数、1年生の数物化の授業担当者に変化が見られます。

　海外で学ぶ非漢字圏の学生にとって1000時間で大学の勉学に対応できる日本語能力を身につけるのは困難であることから、2006年度から日本語の授業時間が500時間増加されることになりました（武井2006）。2005年度、日本語の授業時間数は計945時間であったのに対し、2007年度は計1549時間となっており、前述のとおり、約500時間増えました。その後、日本語の授業時間は1年生で約850時間、2年生で約550時間、合計で約1400時間になりました。日本語の授業時間数の問題は、当初から長らく指摘されていました（佐々木1989, 小川1995, 渡辺2003）が、開始から25年経ってようやく改善され、1983年度の966時間から2017年度の1403時間まで増えました。学生の日本語能力の到達レベルは、1990年代前半で旧日本語能力試験の「1.5級から2級」（小川1995）、2015年度はN2試験受験者53名中合格者35名（2016年9月22日マラヤ大学予備教育部日本留学特別コースにおけるインタビューから）で、2019年には卒業時の平均で日本語能力検定試験のN2レベルとなりました。

　数物化の授業時間数は2005年度まで3科目ともほぼ同じで、合計で1200時間でした。3科目の総時間数に変化はないものの、2007年度から数学の授業時間が物理・化学に比べて増え、2017年度は数学と物理が多く、化学が少なくなっています。

　マレーシアの後期中等教育の数学の学習内容は、日本の高校生が学ぶそれとの差異が大きいこと（佐々木・長谷川2020）、学生は物理を暗記科目だと思っていること（鴈野2006）を考えると、数学・物理の授業時間数は、その差異を埋めるために必然的に多くなります。

もうひとつの変化は、2007年度後期から数物化の授業担当者がマラヤ大学のマレーシア人教員から日本人教員に変わったことです。

　AAJは日本留学コースでありながら、マレーシアの大学に進学するための予備教育コースでもあります。日本に留学できなかった場合、AAJの学生はマレーシア国内の大学に進学します。マラヤ大学の授業を受けるのは、万一の場合、マレーシア国内の大学に進学できるようにするためです。1年生はマラヤ大学予備教育部の授業、2年生は日本人教員の授業というカリキュラムについて、吉村（1995）は1年目と2年目で物理の教育内容の難易度が逆転しているという問題点を指摘しています。こうしたシラバス・カリキュラムの検討の必要性をAAJの日本人教員は認識しているものの、マレーシア人教員と日本人教員との間の言語の問題や、日本人教員の任期（通例2年）の問題もあって解決できない状況でした（渡辺2003）。2007年度の後期から1年生の数物化の授業を日本人教員が日本語で実施していますが、上記の言語の問題や任期の問題が解決したわけではありません。

　日本人教員による数物化授業実施の早期化、日本語授業の500時間増といった変化は、日本への派遣の可否を判定する試験が、文部科学省（旧文部省）の作成する試験（以下、文科省試験）から、EJUに変わったことによります。では、なぜ文科省試験からEJUに変わったのでしょうか。そもそも文科省試験とはどんな試験なのでしょうか。

3.2.2　文科省試験からEJUへ

　文科省試験については「日本政府が実施する留学生試験問題について討議を重ね（以下、略）」（遠藤1990）、「文部省修了試験は日本の大学への派遣の可否を決定する試験で、毎年、1月中旬に行われている。試験問題は、文部省がこ

の試験のために特に作成したものである」(榊田1991)、「文部省試験は、この特別コースに直接関わっていない外部の人によって作られている」(吉村1995)、「学生は2年次の1月に文部科学省がAAJのために作成した試験を受験しなければなりません。この試験は文科省試験と呼ばれ、日本語と数学・物理・化学の3教科と英語の試験からなっています」(渡辺2003)という記述から、

　（a）文部科学省（あるいはAAJに直接関わっていない外部の人）が作成した試験
　（b）日本の大学への派遣の可否を決定する試験
　（c）実施時期はAAJ入学2年目の1月
　（d）科目は日本語、英語、数学、物理、化学の5科目

ということがわかります。そして、文科省試験はAAJの修了判定も兼ねていることから、「修了試験」とも呼ばれています（以下、修了試験と呼びます）。

　しかし、2003年度からAAJに派遣されていた教員らの報告によると「修了認定となっている文部科学省試験が1月始に行われ、留学の可否が判定される。問題は文部科学省で作成されるが、AAJにおける指導内容を確認するために、毎年作問委員との打合せが行われている」(根元ほか2005)、「修了試験は私たちAAJスタッフが問題作成から採点までを行います」(尾上2009)、「我々日本人教師団が作成する修了試験を受験し」(布施2010)という記述から、修了試験の問題作成が文部科学省からAAJへと移行され、「AAJにおける指導内容を確認するために」(根元ほか2005)という記述から、修了試験がAAJでの学習の到達度を測る試験であることがわかります。

　AAJ第2期入学生から第25期入学生までの修了試験合格率、つまり日本へ派遣された学生の割合は、修了試験受験者数の96%でした（表3[3] 参照）。この「余程のことがない限り、ほぼ全員が日本へ留学できるといったシステム」

表3 修了者・留学者数と合格率（EJU導入前）

渡日年度	修了者数 （人）	留学者数 （人）	合格率	渡日年数	修了者数 （人）	留学者数 （人）	合格率
1985	51	45	88%	1996	147	141	96%
1986	72	64	89%	1997	110	96	87%
1987	86	79	92%	1998	108	107	99%
1985	81	81	100%	1999	151	149	99%
1986	84	84	100%	2000	157	149	95%
1987	81	81	100%	2001	161	147	91%
1988	88	88	100%	2002	173	172	99%
1989	104	104	100%	2003	172	163	95%
1990	114	114	100%	2004	140	134	96%
1991	136	135	99%	2005	150	140	93%
1992	125	123	98%	2006	146	132	90%
1993	136	128	94%	2007	112	108	96%
1994	146	145	99%	2008	121	121	100%
1995	149	147	99%	計	3301	3177	96%

（布施2010）から送り出された留学生に対し、日本の大学での評価は、芳しいものではありませんでした（遠藤1990, 渡辺2003, 根元ほか2005）。

　こうした状況について、AAJの選抜を行っているマレーシアの人事院は「現行プログラムに懸念材料はない」と述べ、現状を維持していく方針を示しました。一方、在マレーシア日本国大使館は、学生の成績が総じて高いとは言えないこと、卒業生の専門能力が十分でないという日系企業からの指摘があること、暗記中心の勉強法のまま大学に進んだため自分で考えようとする態度に乏しいこと、という3つの理由から、AAJのカリキュラム改革としてEJUを導入しました（国際開発高等教育機構2007）。到達度テストとしての修了試験は「AAJにおける指導内容を確認するために、毎年作問委員との打合せが行われて」（根元ほか2005）いたため、数物化の修了試験の出題範囲はAAJで

学習した内容に限ることができました。しかし、EJU が導入されたことによって、日本の高等学校学習指導要領に記載された数物化のほとんどの範囲が、日本への派遣の可否を判定する試験の範囲となりました。EJU のもたらした影響によって、AAJ のカリキュラムが大幅に改訂され、授業時間数が大幅に増えました。

　2004年度に AAJ に入学した第23期生から、修了試験の受験資格として EJU の受験が課せられました。第23期生が2年生になった2005年度から EJU が日本への派遣の可否を判定する試験となり、修了試験から EJU への移行期間として、2009年度の2年生まで EJU と修了試験を併用することになり、2010年度からは EJU のみで日本への派遣の可否を判定することになりました（マラヤ大学予備教育センター日本人教師団2017）。判定の材料とするのは、当該年度の2回目の EJU で、移行期間の EJU の結果の一部は表4[4] のとおりです。

　文部科学省とマレーシアの人事院が、EJU の結果からどのように日本への派遣の可否を判定するか公表されていませんが、「今後、50点以上の学生が増えるように対策を考えなければなりません」、「今のままでは留学できない学生が40% 程度になってしまいます」（尾上2009）という記述や、「受験科目の4科目ともある一定基準に達しないと合格になりませんので、そうした意味での合格率は、AAJ全体で50% 程度でした」、「（2008年度の EJU の結果を受けて）

表4　EJU得点率50% 以上の学生の割合

受験年度	受験学生	日本語	数学	物理	化学	全体
2005	第25期生	―	―	36%	―	―
2006	第26期生	―	―	44%	―	―
2007	第27期生	70%	70%	61%	99%	50%程度
2008	第28期生	ほぼ前年	前年以下	65%	ほぼ前年	40%未満

全体の合格率はなんと40%を切ってしまったのです」（布施2010）という記述から、EJU各科目の得点率50%が1つの目安と考えられていることがわかります。

　得点率50%以上を満たす学生は、移行期間の段階で半数あるいはそれ以下でした。しかし、日本留学の可否判定がEJUに切り替わった第29期生から34期生までのデータを見ると、日本へ派遣された学生の割合はEJU受験者数の98%でした（表5[5]参照）。日本への派遣の可否を判定する試験が文科省試験からEJUに変わっても、ほぼ全員が日本へ留学できる状況に変わりはありません。移行期間の「合格率」が40%から50%であったのに対し、日本留学の可否判定がEJUに切り替わってからも合格率が98%であるのには理由があります。それは、日本留学の可否判定がEJUに完全に切り替わったわけではなく、修了試験も日本留学の可否判定の試験として、引き続き機能しているためです。

　AAJの学生は「EJUでは不合格だったけど、修了試験で合格した」と言うことがあります。これはEJUで日本への留学の可否を判定すると日本へ留学はできないが、修了試験での判定で日本への留学が認められたということです。移行期間の「合格率」とその後の合格率に大きな差があるものの、ほぼ全員が日本へ留学できるのは、修了試験という、一種のセーフティネットが働いているからと言えるでしょう（2016年9月22日マラヤ大学予備教育部日本留学特別コースにおけるインタビューから）。

表5　修了者・留学者数と合格率（EJU導入後）

渡日年度	修了者数（人）	留学者数（人）	合格率	渡日年度	修了者数（人）	留学者数（人）	合格率
2009	86	86	100%	2012	73	73	100%
2010	98	98	100%	2013	99	91	92%
2011	81	80	99%	2014	98	95	97%
				計	535	523	98%

ところで、EJUの各科目の得点率50%を1つの目安と考えた場合、50%の得点とはEJUの全受験者のなかで、相対的にどのぐらいの位置にいる学生でしょうか。EJUの実施結果の概要には、毎回、得点累積分布図が公開されています。2019年度第2回の実施結果の概要（日本学生支援機構2019）から表6を作成しました。ある学生の、日本語・数学・物理・化学の全ての得点率が50%だとしたら、日本語の得点は200点で、パーセンタイル順位は28です。パーセンタイル順位28とは「この学生の下には全受験者数の28%がいる」という意味で、パーセンタイル順位の数が小さいということは全体のなかでの順位が低いということを示します。同様に数学（コース2）の得点率が50%のパーセンタイル順位は31、物理の得点率が50%のパーセンタイル順位は50、化学の得点率が50%のパーセンタイル順位は40です。4科目を合計したパーセンタイル順位は公表されていないので推測の域を出ませんが、この学生の相対的な位置は「中の下」くらいでしょうか。「中の下」という相対的な位置は、AAJの学生を受け入れた大学において「マレーシア人留学生全体の学業を把握している留学生課担当者の意見を平均するならば、「全体でいうならば中の下くらい」」（国際開発高等教育機構2007）と同程度の評価とも言えます。

　EJUは「留学生が日本で優秀な成績をとり、期待される知識や技術を身につけられるようにする」という目的のも

表6　得点率50%の科目別パーセンタイル順位

科目	満点	得点率50%	パーセンタイル順位
日本語（聴解・聴読解、読解）	400	200	28
数学（コース2）	200	100	31
物理	100	50	50
化学	100	50	40

と、在マレーシア日本大使館によってAAJに導入されました（国際開発高等教育機構2007）。2010年にEJUが日本への派遣の可否を判定する試験として導入されてから10年が経ちます。在マレーシア日本大使館によるEJU導入の目的が達成されているかどうか、検証が必要ではないでしょうか。

3.2.3　マレーシアと日本のシラバス・カリキュラム比較の必要性

　予備教育には、マレーシアにおける後期中等教育と日本の大学教育をつなぐ役割が求められます。このことは、とりもなおさず、マレーシア・日本双方の政治・経済・教育の問題が複雑に関わることになります。マレーシアと日本をつなぐ予備教育機関で教育にあたるには、まず、双方のシラバス・カリキュラムの比較・検討をすることが必要です。

　数学については、マレーシアの後期中等教育と日本の高校1年・2年の数学の教科書を比較した佐々木・長谷川（2020）の研究があります。佐々木・長谷川（2020）によると、マレーシアの後期中等教育と日本の高校1年・2年の数学の教科書の共通部分は約40％でした。AAJでの予備教育が、日本の高校3年間で理系の学生が学ぶ内容をできる限りカバーすることであることを考えると、日本の高校1年・2年で学ぶ内容の非共通部分60％と高校3年で学ぶ「数学Ⅲ」の内容を、外国語である日本語を教授言語として1年程度で学ばなければならないことになります。

　物理については、過去AAJに派遣された物理の教員による教育実践の記録が残されており、それらの記録から、マレーシアの学生の特徴が見て取れます。

　AAJ第1期生の物理を担当した唐木ほか（1984）によると、AAJで物理の予備教育を開始するにあたり、マレー

シアの後期中等教育で使われている物理の教科書2冊で取り上げられている項目を調べ、「日本の学生が日本語により日本の高校で受けたと同じ物理教育」（唐木ほか1984）を指導するための授業項目を立てました。

　唐木ほか（1985）によると、学生は暗記中心の学習方法であること、また、A＝B, B＝Cのとき、A＝Cとなる思考手順が理解できず、「この壁を超えられない学生がいつも2～30％はいる」と述べています。1986年度に物理を担当した奥野・榎本（1987）も「思考過程や式の変形により結論を導きそのことから物理現象を考察するという学習は苦手」で、計算力の弱さを指摘しています。

　2003年度に派遣された根元ほか（2005）は、学生について上記のような特徴に加え「図形や空間に対する認識や把握する力が弱い者が見られる」、「論理を追う授業展開そのものに違和感を感じている学生達も見受けられる」と述べています。マレーシアのツイニングプログラムで物理を担当した鴈野（2006）は「自然現象に対する定性的知識は豊富であるが、物理の問題に対する数学的解決力・応用力には乏しい」傾向を指摘しています。このように、理工系留学生にとって主要な科目である数学と物理の教育内容は、マレーシアと日本の高校レベルで看過できない差異があります。

　マレーシアの中等教育は2017年度から新しいカリキュラムが実施されており、2022年度、AAJに入学する学生はマレーシアの新しいカリキュラムで学んだ学生であるため、佐々木・長谷川（2020）で行われたマレーシアと日本の高校数学の教科書比較も過去のものとなります。日本でも新しい学習指導要領が2020年度から小学校で始まり、高校では2022年度から新しい学習指導要領に基づいた教育が始まります。EJUの出題範囲は日本の高校の学習指導要領に準拠していることから、今後、EJUの試験内容が変

わることも考えられます。

　以上のことを踏まえると、マレーシアの後期中等教育から日本留学予備教育への円滑な接続のために、マレーシアと日本の高校レベルのシラバス・カリキュラム、特に数物化の教科書比較が喫緊の課題と言えるでしょう。

3.2.4　EJU再考

　日本留学の可否を判断する試験としてEJUを課すことは、理工学系学部、特に機械工学・電気電子を専攻するAAJの学生にとって専攻にあまり直結しない単元も勉強させることになり、学生にも教員にも過大な負担をかけることになります。表2の授業時間数で言えば、AAJ1年目、AAJ2年目とも従来の約1.5倍になっています。

　一方、AAJの学生の進路からEJUのシラバスを見てみます。例えば、工学部の機械系に進む学生にとって、物理の力学で学ぶ内容は専門分野を学ぶにあたって、十全な理解が求められます。しかし、化学で勉強するベンゼン環の反応の細かい化学式の知識を使うことはほとんどありません。EJUを受験し一定の成績を修めるためには、大学に入学してからも重要な事項である物理の力学も、専門分野によっては必ずしも必要とならない化学のベンゼン環の反応も、同じように時間を割いて勉強しなければなりません。

　AAJの学生は、日本の大学に留学してから学ぶ分野が限定されているにもかかわらず、EJUの出題範囲すなわち日本の高校の学習指導要領をまんべんなく学習しなければなりません。日本の大学の一般入試を受験する学生にとっては必要でしょうが、留学先が限定されているAAJの場合、日本留学可否を判断する試験としてEJUが真に適当か再考する余地があります。

4 | まとめと今後の展望

　まず、このプログラムの35年間の意義を考えてみます。最も大きな意義は、表1のとおり、3903名もの留学生を日本に送り出している点です。そして、留学生は4年間の大学生活を通じて日本語・日本文化・日本人の考え方を理解し、日系企業において日本の労働倫理を理解する者として、日本人労働者とマレーシア人労働者の間をつなぐ役割を果たしていることは、このプログラムの意義と言えるでしょう。

　そして、AAJがプログラムとして35年間継続しているということは、マレーシア側のステークホルダーと日本側のそれとの連携によるものであることは間違いありません。しかし、留学生にとってより良いプログラムとするために、いくつかの点でさらなる連携を進めることができます。

　図1は、国際開発高等教育機構（2007）が作成した東方政策プログラム相関図です[6]。まず、学生の選抜にあたって日本側のステークホルダーが関与する余地がありません。このプログラムはマレーシア政府のプログラムであるため日本側が関与することは難しいところですが、日本側から「期待する学生像」を示すなど、何らかの働きかけをすることができるのではないでしょうか。もう一点、連携改善が可能な点として予備教育機関と大学、大学と留学生の雇用側のように、図1の「供給側」の縦の連携があげられます。同窓会は、図1の「需要側」である学生同士のつながりを維持する組織であるため、「供給側」の縦の連携に関与しません。特にAAJと大学とを結ぶ縦の連携はなく、AAJが留学生の在籍大学や駐日マレーシア大使館から情報を得られない状況となっています。

　AAJの留学生の進学先大学に対して、AAJ教員が独自

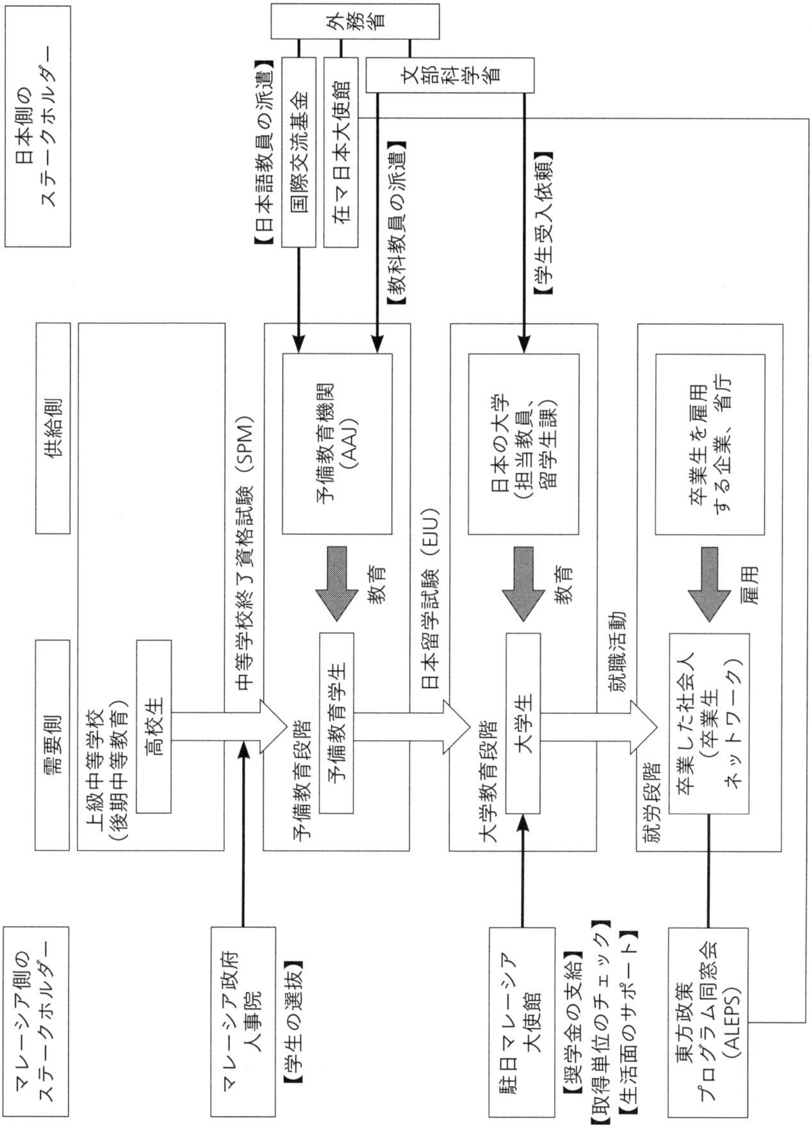

図1 東方政策プログラム相関図

にフォローアップを行っていますが、個々の学生に関する詳細なフィードバックまでは得られません。

　AAJの留学生は日本の大学を卒業した後、マレーシア政府機関に就職するなど進路に一定の条件があり、その条件を満たさない場合、奨学金返済の義務が生じるため、マレーシア政府人事院に大学卒業後の進路を報告していました。しかし、全対象者の情報を掌握しているわけではなく、また、奨学金が給付から貸与に変わったことから（執筆時は給付）、マレーシア政府人事院も卒業後の進路を把握できません。東方政策プログラムの同窓会であるALEPS (Alumni of Look East Policy Students) は加入任意の団体であるため同窓会組織に卒業後の進路に関する情報が集約されているわけではありません。近年、日本の文部科学省が留学生の母国での同窓会創設を奨励していますが、この同窓会組織は大学単位で組織される傾向にあるため、日本全国の国立大学に配置されるAAJの卒業生の進路を把握するのも難しいでしょう。情報の集約は困難でしょうが、AAJの成果として、AAJ在籍学生にとっての将来像として、卒業生の進路や社会での活躍に関する情報を集めることが求められます。

　1982年に入学定員75名で始まったAAJは、最も多い時期で180名（2003、2004年度）まで増えました。しかし、2005年度の定員は160名、2010年度120名、2016年度70名と減少し、2017年度からは100名となっています。マレーシア政府から給付されていた奨学金は2015年から貸与となり、日本へ送り出した学生数は2011年度に121名を派遣したのを最後に、派遣学生数は2桁となり、2020年度は49名と過去3番目に少ない数字となりました。

　マレーシア政府派遣の渡日前予備教育にとって、追い風が吹いている状況ではありませんが、かつてAAJで問題とされていた点は、改善されつつあります。小川（1995）

が重要な課題として取り上げた日本語の授業時間数は大幅に増えました。日本語科における「現地人教師の養成」も進みつつあり、AAJの学生が渡日前に日本人と接触する機会も増えています。

　2018年には、AAJを含む日本留学予備教育機関4機関に対し、日本留学の促進に寄与し、二国間関係の基盤作りに貢献してきているとして、日本の外務大臣から表彰されました。そして、AAJ6期生として留学し、広島大学で博士号を取得、現在、マレーシアイスラム科学大学で日本語教育に携わっているゾライダ・ムスタファ氏は、2019年に二国間の相互理解の促進、友好親善に貢献績したとして、日本の外務大臣から表彰されています。

　2018年11月にマハティール首相（当時）が来日した際、筑波大学にマレーシア分校の設立を要請しました。筑波大学はマレーシア分校の設置に関心を示し、設置場所やカリキュラムの検討が行われています（石川2020）。

　こうした動きからも、マレーシア政府派遣の留学のみならず、マレーシアと日本の高等教育に関する動向は、引き続き日本の大学関係者、留学生教育関係者の関心を集める話題となるでしょう。

注

[1] マラヤ大学予備教育センター日本人教師団（2017）、石川（2020）をもとに筆者が作成した。なお、第16期生までのカッコ内の数は社会科学・経営学コースの学生数で外数である。学生数に＊を付した第38・39期生は本章執筆時AAJ在籍中のため、修了者数に含めない。

[2] 佐々木（1989）、小川（1995）、謝（1995）、森（1999）、来嶋（2000）、渡辺（2003）、伊達（2006）、武井（2006）、マラヤ大学予備教育センター日本人教師団（2017）、成田（2016）から筆者が作成した。ハイフン（—）はデータの記載なし。1999年度までの社会科学・経営学コース、1992年度から1995年度までの生物コースの時間数は割愛した。表中の（＊）は1学年後半のみ、網掛け部分はマラヤ大学予備教育部教員のマレー語による授業。2015年度と2017年度の1学年数物化の授業の

一部にマラヤ大学予備教育部教員のマレー語による授業を含む。授業時間の総計は学生の立場で考えると、例えば「2003年度1年生1450時間、2004年度2年生1001時間、計2451時間」のように計算するべきであるが、隣接する年度のデータがそろっていないため、便宜上、当該年度の1年生と2年生の授業時間数の合計を授業時間数の総計とする。報告者によって英語や日本事情等の時間数を記載していないといった理由で授業時間数にばらつきがある。

[3] マラヤ大学予備教育センター日本人教師団（2017）から筆者作成。

[4] 尾上（2009）、布施（2010）から筆者作成。

[5] マラヤ大学予備教育センター日本人教師団（2017）から筆者作成。

[6] 国際開発高等教育機構（2007）から一部変更して掲載した。墨付き括弧（【 】）内はステークホルダーの役割を示す。「在マ大使館」は「在マレーシア日本大使館」の略。

参考文献

石川仙太郎（2020）「マレーシアの高等教育・留学事情―日本・マレーシア関係から見る教育」『留学交流』109, pp.23–29.　独立行政法人日本学生支援機構

榎本成巳・奥野信昭（1987）「マレーシアにおける対日留学生予備教育と物理習熟度別学習」『物理教育』35(4), pp.244–247.　日本物理教育学会

遠藤陽（1990）「第1回マレーシア政府派遣学部留学生の現地教育に参加して―第1回の参加者は開拓者である」『化学と教育』38(3), pp.279–282.　日本化学学会

小川誠（1995）「マラヤ大学予備教育課程における日本語教育」『日本語教育』85, pp.151–159.　日本語教育学会

奥野信昭・榎本成巳（1987）「マレーシアにおける留学生予備教育と物理習熟度別学習の実践について」『昭和62年度東京大会研究発表資料集』9, pp.2–5.　日本理化学協会

尾上博司（2009）「マラヤ大学予備教育部日本留学特別コースについて―マレーシアの学生が、日本の大学（学部）へ留学するための教育」『新潟物理教育』13, pp.24–28.　日本物理教育学会新潟支部

鴈野重之（2006）「マレーシアにおける高校物理の概観」『大学の物理教育』12(3), pp.169–172.　日本物理学会

唐木宏・権藤与志夫・飯利雄一（1984）「マレーシアの留学生に対する予備教育―物理の指導を通しての考察」『物理教育』32(2), pp.84–88.　日本物理教育学会

唐木宏・権藤与志夫・松下英世（1985）「物理の予備教育，学生はどんなところで戸惑うか―マレーシアでの波動の指導にもとづいて」『物理教育』33(1), pp.26–30.　日本物理教育学会

来嶋洋美（2000）「学部留学予備教育修了者のその後―マラヤ大学予備教育課程の概要」『第5回海外日本語教育研究会マレーシア』国際交流基金

国際開発高等教育機構（2007）「マレーシア東方政策プログラムに関する調査」

榊田清（1991）「マレーシア政府派遣学部学生予備教育について」『留学交流』3(2), pp.24–27.　ぎょうせい

佐々木瑞枝（1989）「マラヤ大学にて」『月刊日本語』2(12), pp.58–59.　アルク

佐々木良造・長谷川貴之（2020）「数学カリキュラムから見た専門教育・専門日本語教育の前提の見直しの必要性―マレーシアと日本の後期中等教育数学教科書の比較対照分析を通じて」『静岡大学国際連携推進機構紀要』2, pp.1–16.　静岡大学国際連携推進機構

謝漢（1995）「マレーシアの日本語教育」『世界の日本語教育 日本語教育事情報告編』2, pp.31–38.　国際交流基金日本語国際センター

武井康江（2006）「マレーシア・マラヤ大学予備教育部日本留学特別コースについて」『麗澤大学紀要』82, pp.313–318.　麗澤大学紀要編集委員会

谷口正昭（2006）「マレーシア・マラヤ大学予備教育部日本留学特別コースにおける日本語教育」『独立行政法人日本学生支援機構日本語教育研究センター紀要』2, pp.114–125.　日本学生支援機構

伊達久美子（2006）「マラヤ大学予備教育部2年次における作文と会話の連結授業の試み」『東京国際大学論叢 商学部編』74, pp.143–158.　東京国際大学

成田雅昭（2016）「マラヤ大学予備教育部における数学教育について」『研究会レポート発表一覧』pp.1–2.　北海道算数数学教育会高等学校部会研究部

日本学生支援機構（2019）「2019年度日本留学試験（第2回）実施結果の概要」『実施結果一覧』

根本和昭・菅野和弘・梶谷秀継・中村一治・丸茂克広・伊藤晋司（2005）「マレーシア政府派遣学部留学生に対する予備教育」『物理教育』53(1), pp.34–37.　日本物理教育学会

布施浩史（2010）「マレーシア・マラヤ大学予備教育部日本留学コース（RPKJ：通称AAJ）での物理教育実践報告」『新潟物理教育』14, pp.1–18.　日本物理教育学会新潟支部

マラヤ大学予備教育センター日本人教師団（2017）『マレーシア政府派遣学部留学生予備教育ガイドブック』

森由紀（1999）「マレーシア政府派遣留学生受入れの10年」『三重大学留学生センター紀要』1, pp.15–24.　三重大学留学生センター

吉村高男（1995）「マレーシア報告―マラヤ大学予備教育部に派遣されて」pp.32–35.　私家版

渡辺淳一（2003）「マレーシア政府派遣学部留学プログラム―現状、問題そして将来にむけて」文部省大学局学生課『大学と学生』470, pp.7–16.　第一法規出版

予備教育で何を学んだか、また何をもっと学ぶべきだったか

コラム①
ただ住んでいるだけが留学ではない

南歳光

　日本の大学生になった最初の日、今もその日が思い浮かびます。地元の遠い多くの日本人の新入生の場合、ここで友達が一人もいない私の状況と決して違っていないと思ったけれども、何故かほとんどの新入生が群れを成して学校生活を始めていました。少し先に金沢の生活を始めた私としては金沢の地域情報や日本の文化の話でやっと友達を作り始めた記憶があります。大学入学の6カ月前に金沢大学にきて、日本語や金沢（または日本）のことを知らないまま入学したら友達作りはもっと難しかったでしょう。

　日本に来る前に、母国韓国で日本語を習っていましたが、なかなか身につかなかったので、渡日してすぐのころはいつも見かける日本語を素早く理解するのが難しかったです。考えてみると、渡日前までは日本語を学ぶ3～4時間だけ集中すればよかったのに対して、渡日後からは24時間暇なく日本語に覆われたと言っても過言ではありません。その「いつも」の日本語の学習は韓国ではなかなか作れない環境で、日本での予備教育が始まってから出来上がったものと思われます。日本についてから毎晩余計に疲れてしまったのは、その「いつもの日本語学習」のせいです。

　この環境は授業で受動的だった私を能動的な学生に変え

る効果がありました。一日に行われる日本語授業の時間数を数えても大まかに言って4時間。残りの20時間で思い浮かぶ日本に関する質問は予備教育の一環として行われる日本語授業の先生に聞かざるを得ませんでした。言語の壁はあるものの、どうにか先生から答えを得ようとする学生の姿勢は授業をもっと活発に、そして効果的にしたと信じます。

その一方で、予備教育は日本語の授業を行うだけではなく、日本人との話を豊かにする活動も大変大事でした。今も予備教育担当の先生と訪問した数多くの場所が忘れられません。例えば、おそらく金沢にしかない醤油ソフトアイスクリームを食べたこと、金沢伝統酒の醸造所に行って日本酒を作る過程を見たこと、金沢伝統の芝居である能を体験してみたことなどは普段の日本人もなかなか体験できないことで、その経験は私が新入生と仲良くなるのに大きな役割を果たしたと思います。

私は日本以外にもアメリカとドイツで長期留学の経験があります。予備教育に当たる課程がなかったアメリカ、ドイツ留学について、私はそれに似たような課程があったら日本の留学生活よりもっと充実な学生生活ができたと信じます。それがあった日本留学は私に日本という国の細かなことまで知る機会を与えくれました。

このように、予備教育はただ単に留学生を日本で勉強させること以上の意味を持ちます。留学した土地で友達を作り、留学した国の文化を知り、それが留学生個人と日本、さらに学生本人の国と日本国の間の理解を深くするための最初の一歩だと思います。だから私は「ただ住んでいるだけが留学ではない」と言いたいです。

〔コラム〕予備教育で何を学んだか、また何をもっと学ぶべきだったか

コラム②

予備教育で何を学んだか、
また何をもっと学ぶべきだったか

金小靖

　私は日韓プログラム第6期生で千葉大学の卒業生です。予備教育を受けたのは今から15年前で、一人では当時のことを整理しきれなかったので、千葉大学の先輩・後輩及び他大学の同期生と話し合って、予備教育の経験と感想をまとめてみました。

　千葉大学の予備教育は「日本語教育」、「専門教育への準備」、「日本文化と交流」に分けられます。日本語教育は学部への入学に向けて授業場面を想定した聴読解、発表の練習、レポートの書き方などでした。そのような授業内容は入学後の学習に役に立ちましたが、学生によっては負担を感じる場合がありました。私は漢字学習の重要性を強く感じました。漢字は中華圏の言語や韓国語にも影響しており、卒業後日本語を使わなくなった場合でも役に立つことが結構ありましたので、予備教育の間にもっとしっかり勉強しておけばよかったと思いました。

　専門教育への準備は高校の数学や科学の教科書に基づいて授業及び小テストを受ける形式で行われました。しかし、高校の教科書より入学してから実際に学ぶ内容を予め味わえる教材がよりためになったのではないか、という意見がありました。千葉大学では小テストの監督を日韓プログラムの先輩たちが担当していたので、先輩と定期的に交流できる機会にもなったため好評でした。先輩との交流、情報交換は慣れない留学生活において大きな支えになりました。

　日本文化と交流プログラムでは日本文化の体験、日本人

61

学生のチューターとの交流、ホームステイが行われました。着物、茶道などの伝統文化の体験は日本人を間接的に理解する手がかりになりました。また、チューターとの交流を通じて日本の若者文化を知りました。一人暮らしの家に招待されて料理を作って一緒に食べたり、ボーリングに行ったり、キャンパスライフについて教えてもらったりして、学部入学前に学生生活に少し馴染むことができました。ホームステイは日本の家庭を訪問し、一般家庭の家の構造から食事、接客に至るまで日本人の生活様式を経験できる貴重な機会でした。私は今までもホストファミリーと交流が続いており、草の根外交におけるホームステイの力を実感しています。

今回、同期生と話し合いながら新たに知ったことは、大学によって予備教育の運営に差があることです。他大学の予備教育も千葉大学と同じく日本語教育と専門教育への準備、日本文化と交流で構成されていましたが、日韓プログラムに対して関心の低い大学や日韓生が少ない大学は予備教育に対する満足度が下がると思いました。

卒業生の観点から顧みた予備教育は、日本に来たばかりの留学生が初めて触れる日本の文化と生活、及び、それらに対する印象に深く係わる重要な教育課程だと感じます。充実した予備教育は、在学中はもちろん卒業後にも日本との絆を深め続けるとともに、日本の文化に対する理解と興味を深める切っ掛けになると思います。

マラヤ大学の日本語予備学校（AAJ）

Muhammad Izaaz Hazmii

　マラヤ大学のAmbang Asuhan Jepun（AAJ）という日本語予備学校は大変難しい印象と言われています。しかし、自分の経験から言うと、難しいというよりも普通のマレーシアの大学生より忙しいです。平日の午前8時から午後6時まで授業を受ける必要があります。AAJの過密スケジュールのせいで、遊ぶ時間が削られてストレスがたまりやすい生活を送らないといけません。AAJでは最初の6カ月間は日本語の基本と英語で大学レベルの理系科目を学びます。6カ月が経つと、大ていのAAJの学生は日常会話ができるようになります。

　その後、AAJの第2学期は理系の科目も日本語で学ぶことになります。普段の日本語の授業も行われますが、聴解力・読解力・表現力の改善が中心となります。この時点になると、理系科目の日本語の説明が理解できない学生が増えます。日本の高校と同様レベルの理系科目を学ぶ必要があり、AAJの第2学期は最も難しいかもしれません。しかし、AAJの学生は毎日日本人の先生と日本語での会話をしていくことによって、話が伝わるようになり、その伝わりの喜びによって難度の高い科目でも突破できるようになります。

　AAJを終了した後で、いよいよ日本の大学の学部生活が始まります。大学の授業は難しくて、日本の生活に困難を感じる学生が多くなるはずです。どうしてかというと、日本語の普通形（タメ口・タメ語）に慣れていない学生は、友達を作るのが大変難しいからです。ただし、留学生だから日本語はまだまだだろうと思ってくれる日本人学生もご

くわずかだけれどいます。なので、学部1年生は最も大変な時期だけど、AAJで学べない日本語の言葉のニュアンスを学ぶなど、成長する機会とも考えられます。

　また、AAJは日本での理工系の授業の準備を完全にするのでなくて、理工系の基本知識を身につけるコースです。ですから、AAJの学生が日本での授業を受けても、理解できないことがある可能性も高いです。でもAAJでは、学生に理工系の基本を知っておいてもらって、大学で受けた授業で分からない点を授業の先生（教授）に伝えることができるようになるのが目的です。そのスキルを身につけたAAJの学生なら、大学の学部を無事に卒業できると思います。

〔コラム〕予備教育で何を学んだか、また何をもっと学ぶべきだったか

第2部
理工系留学生に必要な
専門分野の
基礎知識・情報

第**4**章
理工系留学生が
大学の数学で求められる
基礎知識・学び方・考え方

菊池和徳

1 | はじめに

　日本の大学での理工系留学生、特に理学部や工学部の初年級（学部1〜2年次）の留学生が、大学の数学で求められる基礎知識や学び方、考え方について述べていきたいと思います。

　大学の数学には大きく分けて2つの側面があります。専門的な学問、いわば経糸（たていと）としての数学と、専門的な学問すべてに共通する学問の基礎（言語や道具）、いわば緯糸（よこいと）としての数学です。これから述べていくのは後者、すなわち諸学問（経糸）の基礎（緯糸）としての数学に関する基礎知識や学び方、考え方です。以下、「大学の数学」は、諸学問（経糸）の基礎（緯糸）としての数学を意味するものとします。

　日本の大学の数学教員は、専門（経糸）としての数学を独自に研究する傍ら、諸学問（経糸）の基礎（緯糸）としての数学に関する全学的な科目の講義も担当しています。そういう立場から、諸学問（経糸）の基礎（緯糸）としての数学に関する基礎知識や学び方、考え方のうち、特に理工系留学生に求められると筆者が考えるものについて述べていきます。

67

2 大学の数学についての基礎知識

2.1 必修科目

　大学の数学のうち必修科目は、通常の場合、微積分から発展した「解析学」、およびベクトルと行列に関係する「線形代数学」（ただし、どちらも基礎（緯糸）的な部分）が2本の柱となっています。以下、特に断らない限り、大学の数学、すなわち諸学問（経糸）の基礎（緯糸）としての数学とは、必修科目としての「解析学」および「線形代数学」を意味するものとします。

　「解析学」および「線形代数学」はそれぞれ独立した科目というわけではなく、20世紀以降の現代数学の基礎（緯糸）的な部分を支える2本の柱として互いに深く関係しています。一方の多くの概念が他方の概念を使わないとうまく表現できなかったり、一方の問題が他方の方法を援用することによって明快に解けたりするからです。

　「解析学」の概念が「線形代数学」の概念により表現される例、および、「線形代数学」の問題が「解析学」により明快に解ける例を、それぞれ1つずつ挙げてみましょう。

　「解析学」の概念が「線形代数学」の概念により表現される例としては、関数の微分があります。「解析学」では、3つの変数 x, y, z による2つの関数 $f(x, y, z) = x^2+y^3+z^4$ と $g(x, y, z) = x^2 y^3 z^4$ を、組としてまとめて

$$F(x, y, z) = \begin{pmatrix} f(x, y, z) \\ g(x, y, z) \end{pmatrix} = \begin{pmatrix} x^2+y^3+z^4 \\ x^2 y^3 z^4 \end{pmatrix}$$

と書くことがあります。この関数 $F(x, y, z)$ の微分 $F'(x, y, z)$ は、関数 $f(x, y, z)$ の変数 x による微分 $f_x(x, y, z)$、変数 y による微分 $f_y(x, y, z)$、変数 z による微分 $f_z(x, y, z)$ を関数 $f(x, y, z)$ の行に横に並べ、関数 $g(x, y, z)$ の変数 x による微分 $g_x(x, y, z)$、変数 y による微分 $g_y(x, y, z)$、変数 z による微分 $g_z(x, y, z)$ を関数 $g(x, y, z)$ の行に横に並べたもの

$$F'(x, y, z) = \begin{pmatrix} f_x(x,y,z) & f_y(x,y,z) & f_z(x,y,z) \\ g_x(x,y,z) & g_y(x,y,z) & g_z(x,y,z) \end{pmatrix}$$

$$= \begin{pmatrix} 2x & 3y^2 & 4z^3 \\ 2xy^3z^4 & 3x^2y^2z^4 & 4x^2y^3z^3 \end{pmatrix}$$

になります。このように、関数とその微分という「解析学」の概念は、どちらも行列という「線形代数学」の概念により表現されるのです。

「線形代数学」の問題が「解析学」により明快に解ける例としては、平面において点と直線の距離を求める問題があります。xy平面の点$P(a, b)$と直線$2x+3y=4$の距離は$|2a+3b-4|/\sqrt{2^2+3^2}$で求められると高校数学で学んだと思いますが、点$P(a, b)$から直線$2x+3y=4$へ下ろした垂線の長さを求める考えは難しくないものの、その計算にはちょっとした推論力と計算力が必要だったと思います。直線$2x+3y=4$の式の左辺を$f(x, y)$とおいて2変数関数$f(x, y) = 2x+3y$を考えると、「解析学」により次のことが分かります。①平面は$f(x, y)$の値により平行な直線に分かれる。②①の平行な直線に対し$f(x, y)$の勾配ベクトル$(2, 3)$は垂直である。③②の勾配ベクトル$(2, 3)$方向に距離1だけ進むと①の$f(x, y)$の値は$\sqrt{2^2+3^2}$だけ大きくなる。よって、①の平行線同士の距離は①の$f(x, y)$の値の差の$1/\sqrt{2^2+3^2}$倍であると分かります。ゆえに、点$P(a, b)$と直線$2x+3y=4$の距離は、値$f(a, b) = 2a+3b$と$f(x, y) = 4$の差$|(2a+3b)-(4)|$の$1/\sqrt{2^2+3^2}$倍なので、$|(2a+3b)-(4)|/\sqrt{2^2+3^2}$と求められるわけです。このように、平面において点と直線の距離を求める「線形代数学」の問題は、多変数1次関数の値と勾配ベクトルの性質という「解析学」の知識により明快に解けるのです。

　以上の例のように、諸学問（経糸）の基礎（緯糸）としての「解析学」と「線形代数学」は互いに深く関係しており、両者は理工系の専門（経糸）になくてはならない言語

や道具になるものですから、両者ともおろそかにならないように学習しなければなりません。

　ところで、理工系ではもちろん、社会科学では以前から、人文系でも昨今、ほぼ必修科目になりつつあるものに「統計学」があります。「統計学」は本章における「大学の数学」というよりは、「大学の数学」の応用です。したがって、「統計学」も「解析学」と「線形代数学」を土台としたものであることを意識しながら学習するとよいでしょう。

2.2　体系的であること

　大学の数学は、公理（証明せずに真と認める命題）的な仮定、約束や定義などを出発点として、正しい推論規則のみに従い、演繹的に真なる新たな（公式などを含む）命題、定理や系を導いていく（公理的）体系をなしています。このことは、高校までの数学でも暗示的にはそうでした。より易しいものを土台にして、新しいレンガを1つ1つ積み上げるようにして、より複雑なものを構築してきたのです。大学の数学では、すでに積み上げたどの部分の上に新たな部分をどう積み上げるかという体系を明示的に示しながら進んでいくことが普通ですから、体系を意識しながら学習する必要があります。

　大学の数学科目の教科書も、その科目を担当する数学教員による講義も、体系的に進んでいきます。体系的な進み方は、同じ数学科目なら大まかにはどれも同じようではあるのですが、困ったことに、同じ数学科目でも細かくは教科書や数学教員によって進み方が異なる点が少なくないので、注意する必要があります。

　最も注意しなければならないのは、どの仮定とどの命題からどの定理を導いたかというような積み上げ方が、教科書や担当教員によって異なる場合です。例えば、ある教科

書Tが定理A、定理B、定理Cという順に導いているのに対し、別の教科書Rは定理C、定理B、定理Aという順に導いていて、どちらの教科書にも定理Bの直後に同じ練習問題Eがあるとしましょう。すると、練習問題Eを解くのに、Tが教科書なら定理Aと定理Bは使えるが定理Cは使えないのに対し、Rが教科書なら定理Cと定理Bは使えるが定理Aは使えないのです。したがって、練習問題Eを解くのに、Tを教科書として学んでいる学生は、TにはないがRにはある解答例をそのまま参考にはできないというようなことが起こり得るのです。

とは言え、数学科目は、全体としては教科書や数学教員によらず、ほぼ同じ知識や情報を含みますから、上に述べた注意は別の教科書をも参考にしながら意欲的に学習する学生のためのものと考えてください。

また、教科書や担当教員によって、記号や定義が異なったりすることがよくありますが、こうした点は履修している科目のやり方に慣れればよいだけなので、それほど注意する必要はないでしょう。むしろ、記号や定義が統一されていた高校までの数学のほうこそ例外的であり、大学の数学でも、専門課程で使う数学でも、科目や専門や研究者によって、同じ概念を表す記号などが異なることが普通であるというようなことは、数学に限らず、大学生の常識とすべきことと思われます。

2.3 演習や試験における注意

大学の数学には講義に対し演習や演義などという問題演習の時間が併設されていることが多いと思います。高校の数学にも問題演習の時間があったとは思いますが、大学の数学では高校の数学ほど問題演習の時間が多くはありません。したがって、課題などがなくても、学生が自主的に問題演習などを行う必要があります。

問題演習、ひいては試験においては、大学の数学が体系的であることにより、答案の書き方に注意すべきことが大きくは2つあります。1つは、論理的な説明が、証明問題に限らず計算問題にも、高校までよりもかなり多く求められるということです。体系的（理論的）な理解と具体的な計算技術の習得は大学の数学学習において車の両輪だからです。もう1つは、問題演習の時点で既習の定理などは使ってもよいけれども、未習のことは証明せずには使うことはできないということです。大学の数学は体系的なので、まだ積み上っていない部分については積み上げないと利用できないからです。

　以上のように、大学の数学での答案の書き方においては、初学者（初年級）であるがゆえに、大学の数学が体系的であることを理解しないことによる失敗が少なくないので、注意すべきことがあるのです。

3 ｜ 実践したい大学の数学の学び方

3.1　学び方を変える必要性

　数学に限らず、大学での専門（経糸）における、最先端の研究を想像してみてください。参考にできるものはあるかもしれませんが、教科書などないでしょう。解きたい問題はあるかもしれませんが、その問題の解き方はまだ誰も知らないでしょう。もしかしたら解明したい目標もまだ定かとは言えないかもしれません。

　留学生に限らず、大学で学ぶということは、好むと好まざるとにかかわらず、そのような最先端の研究に近づいていくことを意味しています。教科書も、解法も、解くべき問題さえ与えられていないこともあるようなところで、どう学ぶか？　そういうことに気づいた筆者の学生の1人が「ギアチェンジする必要がある」とつぶやいたのを耳にし

たことがあります。そう、大学での学び方を高校までとは
異なるものに変えていく必要があるのです。

　大学の数学の学習も例外ではあり得ません。高校までの
数学の勉強方法を意識的に変えていく必要があるのです。
以下、大学の数学の学び方を変えていくための筆者なりの
ヒントを述べていきます。

3.2　体系として学び直すこと

　大学の数学は体系的ですから、初学者（大学初年級）であ
ることを自覚して、高校までに学んだことも新たに体系の
一部として学び直すように学習することが求められます。

　「解析学」で最初に学ぶのは「実数（数直線の1点）とは何
か」という場合が少なくありません。よく分かっているつ
もりの概念などでさえ、体系的に組み立て直すわけです。

　「線形代数学」もそうで、線形代数の萌芽として、中学
の数学での連立1次方程式の解法のメカニズムから体系的
に組み立て直すことが多いと思います。そのように組み立
て直すことによって、3式3元連立1次方程式を解こうと
して中学生のときのように失敗することもなく、何十式何
百元の連立1次方程式でも原理的に解けるレベルまで、そ
のメカニズムを深く理解することができるようになります。

3.3　暗記から理解・納得へ

　高校までの数学では、典型的な問題の解法パターンを暗
記する勉強が中心だった学生が大多数でしょう。しかし、
最先端の数学研究にもつながる大学の数学では、そのよう
な勉強法は、発見とは無縁で、忘れてしまう可能性も高
く、非効率的です。

　大学の数学では、問題集を探すより講義を十分に理解す
ることを勧めます。教科書や講義ノートの疑問点を解消し
ながら解読することにより、理解し納得するような学び方

に変えていきましょう。そのような学び方は、自分が気に
なった疑問点を1つ1つ自分でつぶしながら納得していく
ので、独自の発見につながり易く、納得の度合が大きいほ
ど忘れ難く、体感・実感した知識として蓄積されるものと
思われます。機会があれば、同じ講義を履修している学生
仲間で問題を解き合うようなことも大変有効です。仲間に
分かってもらえるように工夫して説明することや、仲間と
議論して自分と異なる視点からの意見に耳を傾けること
も、そうして納得した知識を構成し直す良い方法となるで
しょう。

3.4　狭い解法から広い考え方へ

　高校までの数学の勉強では、1つの問題パターンには1
つの解法パターンと決めてしまい他の解き方を考えないこ
とが多かったと思います。しかし、そのような勉強法で
は、視野が狭すぎて大学の専門（経糸）での発見などにつ
ながるとは到底思えません。

　専門（経糸）でも使える言語・道具（緯糸）としての数学
は多ければ多いほど「望ましい」はずです。したがって、
大学の数学の学習では、専門（経糸）に近づき易いよう
に、高校までの勉強法とは真逆に、視野や考え方を広くす
る習慣を身に付けなければなりません。そういう感覚に早
いうちから少しずつでも慣れていくことを勧めます。

4 ｜ 身に付けたい大学の数学の考え方

4.1　文章としての数学

　数学は文章です。日本語が「漢字・仮名」交じり文から
なることと全く同じように、数学は「数式・自然言語」交
じり文からなる文章です。数式は漢字熟語に相当し、それ
ら自体を対象にしたり変形したり組み換えたりすることが

できるようになっています。自然言語は仮名に相当し、仮名が漢字熟語と漢字熟語の関係をつないでいくのと同様に、自然言語は数式と数式の関係をつないでいきます。漢字熟語ばかりの日本語が読みにくく意味が取りにくいように、数式ばかりの答案が読みにくく採点者に意図が伝わりにくいということを認識してください。

　漢字熟語が仮名より意味が凝縮しているのと全く同じように、数式は自然言語より意味が凝縮しているユニットと見なせます。そのように見なした上で、数式を漢字熟語のようにパーツごとに解読してみましょう。数式に関し新たな発見があるかもしれません。例えば、関数 $w=f(x)$, $x=g(y)$, $y=h(z)$ の合成関数 $w(z)=f(g(h(z)))$ の微分公式を見てみましょう。ニュートン流では

$$w'(z)=f'(g(h(z)))g'(h(z))h'(z)$$

と書けます。ライプニッツ流では

$$\frac{dw}{dz}=\frac{dw}{dx}\frac{dx}{dy}\frac{dy}{dz}$$

と書けます。こうして並べて見ると、ニュートン流は外側の関数から順に微分した積という作業の手順が分かり易いのに微分のそれぞれが何の何に対する微分なのか読み取りにくい、ライプニッツ流は逆に何の何に対する微分かは明快なのに作業としての微分の手順が読み取りにくい、という違いが分かると思います。

4.2　推論による文章読解・構成力としての「論理的思考力」[1]

　ほとんど論理的であることなどない thinking と、thinking を踏まえた推論による論理的な reasoning とを区別しましょう。前者 thinking は、「本質的に、方法のないところに方法を見出すこと」（野矢 2002: 88）であり、中には論理的な作業も一部は含むものの、「核心的な飛躍が訪れるのを（中略）待つ（中略）全過程」（野矢 2002: 88）です。後者 reasoning は、「論理では捉えきれないジャンプによって摑

みとった結論を（中略）飛躍を要求することなく他人に説明する（中略）論理的な表現」（野矢 2002: 89）です。そのように区別した上で、大学の数学学習で肝腎なのは、前者により獲得したものを後者により再構成する力、すなわち、推論による文章読解・構成力であると考えます。

　そういう意味での「論理的思考力」（太田・菊池 2019: 45）を鍛えるためには、3.3 小節で述べたように、講義を理解するために「教科書や講義ノートの疑問点を解消しながら解読することにより、理解し納得するような学習」を意識的に行うことを勧めます。そうすることにより、大学の数学に対する理解が深まるだけでなく、その内容を「体系的に組み立て直す」（3.2 小節）ことが学習者の認識の中で繰り返し行われるために、「論理的思考力」を自然に培うことになると考えるからです。

4.3　意味・仕組・関係を意識すること

　4.1 小節で述べたように数学は「数式・自然言語」交じり文からなる文章ですから、まずは文章の意味を読み取らないことには始まりません。文章の意味が読み取れたら、その中の数式や定理などの仕組がどうなっているかできる限り把握しましょう。それらの仕組が把握できたら、自分の知識の範囲内でつながりがありそうなものとの関係がどうなっているか、自分の理解を整理するために、関係があると思われる数式や定理などの概念同士を線で結んだ概念地図を描いてみましょう。そしてできたら、概念地図に描いた1つ1つの関係を表す線について、体系としてどちらがより根源的でどちらがより派生的か、より根源的なほうからより派生的なほうへ矢印を加えてみてください。加えた矢印が多くなればなるほど、体系全体の積み上げられ方がよりすっきりと見えてくると思います。

　このように、大学の数学をより深く理解するために、意

味・仕組・関係を意識することを実践していきましょう。

4.4 解法の暗記から現象の観照へ[2]

次のような高校数学でよく見かける問題があります。

問題 xy 平面上を、直線 $y=tx-t^2$ が動く。t が全実数を動くときこの直線の通り得る範囲 W を求めよ。
（問題おわり）

この問題に対し次のような典型的な解法が日本では広くよく知られています。

解法 t の2次方程式 $t^2-xt+y=0$ が実数解を持つ条件を考えればよい。判別式を考え $x^2-4y \geq 0$、すなわち $y \leq \frac{1}{4}x^2$ を得る。したがって、W は放物線 $y=\frac{1}{4}x^2$ より下の、境界も含む部分である。（解法おわり）

実は、この解法は、答は合っているものの、日本の大学のほとんどの数学教員が零点にしたいものなのです。なぜなら、動く直線が通り得る範囲 W を求める問題に対して、解法では1行目の条件をみたす点を集めた範囲 W' という別のものを求めているのにもかかわらず、両者が等しいこと $W=W'$ を全く説明していないからです。両者が等しいこと $W=W'$ は正しいのですが、それを丁寧に証明するには少なくとも10行ほどかかります。それほどまでに肝腎な証明を全く書いていないので、上記の解法は零点にしたいというのがほとんどの数学教員の考えであると思います。

しかし筆者は、上記の解法にはそれ以上の問題点があると考えています。上記の解法の問題点は、そのままでは数

学的にどういうことが起こっているのかという現象が見えてこない点です。現象が見えなければ、どういうアイデアで解答の方針を立てたのかが分かりません。アイデアが分からなければ、将来参考にすることもできないでしょう。

　筆者なら、問題が求めているものを変えずに、問題の設定において数学的に何が起こっているのか、現象を見ようとします。詳細は読者が考える楽しみのために端折りますが、以下ヒントを述べます。問題の直線は、式変形と少しの考察だけで、放物線 $y=\frac{1}{4}x^2$ の点 $(x, y)=(2t, t^2)$ を接点 $P(t)$ とする接線 $l(t)$ であると分かります。放物線 $y=\frac{1}{4}x^2$ は下に凸で、接線 $l(t)$ は直線ですから、接線 $l(t)$ は接点 $P(t)$ のみ放物線 $y=\frac{1}{4}x^2$ 上にあり、接点 $P(t)$ 以外は放物線 $y=\frac{1}{4}x^2$ より下にあることが分かります。逆に、再び放物線が下に凸であることから、放物線 $y=\frac{1}{4}x^2$ 上の点 P または放物線より下にある点 Q から放物線 $y=\frac{1}{4}x^2$ に接線 $l(t)$ が引けることも分かります。こうして、解法と同じ答 $y \leq \frac{1}{4}x^2$ を得ると同時に、放物線 $y=\frac{1}{4}x^2$ 上を接線 $l(t)$ が接点 $P(t)$ をスライドさせながら滑っていくという、問題が提示している現象も見ることができるのです。

　この問題を作った人は、おそらく、動く直線が範囲 W を滑りながら範囲 W 全体を掃いていくと同時に、真っ直ぐな直線が動くことからはすぐには予想しにくい曲がった放物線が範囲 W の境界として浮かび上がって見えてくる現象が面白いと思ったからこそ、こういう問題を作ったのだろうと思います。問題が提示している現象を見ようとしたことにより作題者の想いを知ることができたと思えたとき、筆者は自分の解答の正しさを確信すると同時に、深い達成感を覚えたのでした。

　手がかりが全くないときなどには、問題の解法に頼ることも悪くはないと思いますが、現象を見ずに解法を暗記するだけでは、つまらないでしょう。せっかく数学を学ぶの

ですから、作題者は何が面白くてこういう問題を作ったの
か、現象を見て推測してみてください。作題者と時空を超
えた対話ができたような気分になりますよ！

5 | 留学生が気をつけたい大学の数学を学習する上での困難

大学の数学を学習する上で、以下に列挙するように、留
学生特有の困難が観察されることもいくつかあるようで
す。

★高校までの数学のレベルに母国と日本でギャップがあ
ること
母国で受けた数学教育の内容や密度によってギャップ
は様々です。
日本の高校で学ぶ数学の内容を（長谷川 2019a, b などを
参考に）正確に知ることから始めることを強く勧めま
す。

この問題★は深刻なので、早期に解決する必要がありま
す。
以下の問題＊は慣れの問題なので、意識して注意し続け
るぐらいでよいでしょう。

＊日本語の数学記号、数学用語や数学表現になかなか慣
れないこと（長谷川 2019a, b などを参照してください）
日本／日本以外でよく使われる記号が異なることがあ
る。
（例）$\leqq$／$\leq$、$\fallingdotseq$／$\approx$ など、${}_nC_k$／$\binom{n}{k}$ など。
日本語に特有な造語的訳語なども多い。
（例）saddle point に対する「峠点」など。

日本語による数学の接続表現で古語や漢文訓読由来のものが多い。

（例）「ゆえに」、「よって」、「〜より」など。

＊母語から日本語への直訳による間違いに気づかないこと

（例）「0」のことを「ない」などと書いてしまう。

＊数学「方言」で「「気づかない」専門日本語語彙」があること

（例）「次の公式が<u>従う</u>」。　　　　　　（佐藤・花薗2009）

（例）「この値をkと<u>おく</u>」。　　　　　（佐藤・花薗2010）

（例）「次の定理を<u>得る</u>」。　　　　　　（佐藤・花薗2011）

（例）「Xは3で上から<u>押さえられる</u>」。

　　　　　　　　　　　　　　　　　　　　（佐藤・花薗2012）

（例）「Aは、Bから<u>出る</u>」。　　　　　（佐藤・花薗2013）

6 ｜ おわりに

　以上見てきたように、大学の数学で求められる基礎知識・学び方・考え方は留学生に限らないことがほとんどです。このことは、大学の数学が実質的に世界共通の普遍言語となっていることが大きいように思われます。大学の数学においては、留学生か否かにかかわらず、高校までの数学との違い、特に体系性（2.2小節）および体系性による学び方の違い（3節）を理解することのほうが大切なのでしょう。そういう高大間の数学の違いに比べれば、留学生に特有のこと（5節）は、高校までに学習した内容のギャップの問題を除けば、総じて慣れの問題に帰着されるかと思われます。

　慣れの問題を解決するには、慣れないものに工夫して浸

るしかないように思われます。

　諸学問（経糸）の基礎としての大学の数学（緯糸）に浸るには、例えばスポーツ選手にとって諸スポーツ（経糸）の基礎としてストレッチや筋トレ（緯糸）が必須なことをイメージして、準備運動として習慣化させるように取り組んでみてはいかがでしょうか。そのためには、例えば、意味・仕組・関係を意識（4.3小節）して数学の教科書や講義ノートを解読（3.3小節）したり、数学の考え方（4節）を知ることができる本（フォミーン・ゲンキン・イテンベルク2012a–cなど）を読んだりするなど、いろいろと工夫してみるとよいでしょう。

　日本の大学への理工系留学生として、大学での勉学の前に実際の日本語や日本での生活に慣れるように、専門に進むための準備として大学の数学にも慣れて、専門（経糸）での言語や道具（緯糸）となるものを習得してほしいと思います。日本の大学で経糸と緯糸をバランス良く織り込み、経線緯線の織りなす世界で活躍してほしいと願っています。

注　　　　　［1］この小節は野矢（2002）に触発されたところ大です。また、太田・菊池（2019）、太田・菊池（2022）にも関連する節があります。
　　　　　　［2］この小節は古川（1998: 77–78）によって得られた知識を自分なりに膨らませ、大学で担当する高大接続的な基礎教養講義で定番のトピックにしているものを下敷きにしています。

参考文献　　太田亨・菊池和徳（2019）「論理的思考力養成を目指した日本語教育と数学教育の連携授業—日韓プログラム予備教育の事例から」『専門日本語教育研究』21, pp.45–52.　専門日本語教育学会
　　　　　　太田亨・菊池和徳（2022）「理工系留学生に求められる日本語による論理的思考力」本書第8章、pp.139–156.　ココ出版
　　　　　　佐藤宏孝・花薗悟（2009）「数学における動詞「従う」の意味・用法—

「気づかない」専門日本語語彙の研究にむけて」『東京外国語大学留学生日本語教育センター論集』35, pp.17–29.

佐藤宏孝・花薗悟（2010）「数学における動詞「おく」の意味・用法―「気づかない」専門日本語語彙の研究にむけて（2）」『東京外国語大学留学生日本語教育センター論集』36, pp.45–55.

佐藤宏孝・花薗悟（2011）「数学における動詞「得る」の意味・用法―「気づかない」専門日本語語彙の研究にむけて（3）」『東京外国語大学留学生日本語教育センター論集』37, pp.1–13.

佐藤宏孝・花薗悟（2012）「数学における動詞「おさえる」の意味・用法―「気づかない」専門日本語語彙の研究にむけて（4）」『東京外国語大学留学生日本語教育センター論集』38, pp.57–72.

佐藤宏孝・花薗悟（2013）「数学における動詞「出る」の意味・用法―「気づかない」専門日本語語彙の研究にむけて（5）」『東京外国語大学留学生日本語教育センター論集』39, pp.49–63.

野矢茂樹（2002）「ジョン・ロックへ、あるいは論理学の答案の余白に恨み言を書きつけてきた学生へ」『数学の教育をつくろう 数学セミナー増刊』pp.86–92.　日本評論社

長谷川貴之（2019a）『国語式数学Ⅰ――歩進んだ高校数学』サイエンティスト社

長谷川貴之（2019b）『国語式数学Ⅱ――歩進んだ高校数学』サイエンティスト社

フォミーン・ゲンキン・イテンベルク（志賀浩二・田中紀子訳）（2012a）『やわらかな思考を育てる数学問題集1』岩波現代文庫

フォミーン・ゲンキン・イテンベルク（志賀浩二・田中紀子訳）（2012b）『やわらかな思考を育てる数学問題集2』岩波現代文庫

フォミーン・ゲンキン・イテンベルク（志賀浩二・田中紀子訳）（2012c）『やわらかな思考を育てる数学問題集3』岩波現代文庫

古川昭夫（1998）「子供たちを数学嫌いにしたのは誰だ？―それは大人たちに決まっている！」『数学のたのしみ』6, pp.75–81.　日本評論社

第5章
大学で物理を学ぶ際に求められる日本語能力とその学習法

喜古正士

1 はじめに

　　大学の理工系学部に留学する学生にとって、日本語の専門語を習得することは重要ですが困難なことでもあります。加えて、専門分野の学習をはじめる段階で、どのような知識が要求されるのかを知ることも簡単ではありません。特に物理は数学と並び、工学系科目の基礎として必要不可欠ですが、その習得は決して容易ではありません。本章では、これまであまり注目されてこなかった、物理の日本語表現の特徴について言及し、専門分野でコミュニケーションを行うに際して必要な知識・表現を学習する方法について述べていきたいと思います。

2 大学で学ぶ物理の素養

2.1 基本法則に対する考え方

　　大学で学ぶ物理のカリキュラムが、どのような方針で作られているのかを少しだけ見てみましょう。そのためには、日本学術会議による「大学教育の分野別品質保証のための教育課程編成上の参照基準」という一連の報告書が参考になります。そこには、この学問分野の基本的な背景が、次のように書いてあります。

「自然現象は数学によって表現される法則によって記述される」という基本哲学がある。物理学の精神は「可能な限り少数の単純な基本法則によって自然界を統一的に説明すること」にあると言って良いだろう。

（日本学術会議2016: 2）

　つまり物理の基本法則は、広く自然界で成り立つ普遍法則であり、その法則が支配する物理量で自然現象が定量的に予測できることを期待しています。また、「基本法則は、ほとんどの場合、微分方程式の形に書かれている」（日本学術会議2016: 5）とあることからも、数学的な扱いを非常に重視していることが窺えます。

2.2　言語としての数学
　ただし、数学を駆使する必要があると言っても、自然界を説明する"言語"として用いるわけですから、自ずとその利用範囲は限定されます。具体的には「微分積分学、微分方程式、ベクトル解析、線形代数、統計学、複素数の使用（複素関数論）、フーリエ解析、群論等」（日本学術会議2016: 12）の分野から、物理で必要な内容を抜き出して学ぶことを求めています。

2.3　自然現象のモデル化
　物理におけるもう1つの重要な特性として、対象とする現象を単純化してから考察する"モデル化"と呼ばれる手法があります。これは先に述べた"物理量"とも関係しますが、例えばボールの運動を記述する際に、形や大きさといったことにはいったん目をつぶって、"質量"と"速度"といった量だけを考えるという理想化のことです。そして、理想化した記述（方程式）と実験結果との一致を定量的に比較しながら、実際の現象を理解しようとするので

す。報告書にも「モデル化された現象と実験（観測）している現象との間を振り子のように行き来して、自然現象を理解する」（日本学術会議2016: 6）とあります。

2.4 理工系にとっての物理とは

　では、物理を"利用"する理工系の学生は、大学で、どのように物理を学ぶのでしょうか。報告書では、学士課程物理学教育を「教養教育・理科系教育・物理学専門課程教育」の3つに分類していますが、

> 理科系教育に関しては、教育内容が幾重にも階層構造を形成していることに注意を払う必要がある。例えば、工学において物理学は基盤として位置づけられているが、多くの場合、教科書は、直接対象とする問題に適用できるように書き換えられている場合が多い。
> （日本学術会議2016: 10）

とあるように、基本的科目「力学、熱力学、統計力学、電磁気学、特殊相対論、量子力学」（日本学術会議2016: iii）やそこで用いる数学を、順序だてて学ぶというよりは、より実践的な例に即して学んで欲しいのです。

　もう1つの切り口、技術者教育という視点からは、

> 「物理学的考え方」に対応する能力とは、事実に即した論理的な思考過程に基づき「複雑な現象から本質を見抜く能力」と、例えば述べることができそうである。
> （佐藤2015: 59）

とあるように、自然現象を"モデル化"する能力が期待されています。

3 | 大学で物理を学ぶために

3.1 大学入試における物理の出題範囲

　大学で学ぶ際に必要な知識を調べるために、入試問題を見ることも1つのやり方でしょう。先に見た6つの基本的科目のうち、高校までの学習範囲にも含まれるのは、「力学、熱力学、電磁気学」の3つです。加えて、日本の高校教科書では「波」という項目を別に立てますが、これはおおよそ「力学（振動）、熱力学（音）、電磁気学（光）」で用いる数学的な部分を抜き出したものに対応していますので、3つの主要範囲のうちと考えておきましょう。すると実際、大学入試センター試験の問題のうち、設問の約90%がこの範囲に入ります[1]。この3分野が重要なことは明らかですから、入学前はまずこの「力学・熱力学・電磁気学」分野に絞って履修項目の確認が必要です。

　ただし、学生の出身国と日本とのカリキュラムの違いを比較研究する際は、カリキュラム編成上の指針の異なりを調査してきちんと評価することも必要です。例えば、

> 「日本の教科書」が式を中心とした公式集のような構成（中略）「ミャンマーの教科書」では、"概念図"を用いたり意味や定義の確認を中心といった違いがあります。そのため、学習分野で比較した従来の研究に対し、教科書で扱う「式・図・表」を用いた細目ベースの比較を行うと、未履修項目割合が倍にも膨れ上がる[2]ことがあります。

（喜古・田辺2018: 27）

3.2 留学生にとっての物理の難しさ

　では、母国語で物理の既習事項が多ければ何も問題はないのでしょうか。EJU（日本留学試験）を受ける留学生にと

って、「物理」の試験問題は難しいとよく言われていますが、これは必ずしも物理の概念的難しさにのみ起因しているわけではなさそうです。次の図を見てください。

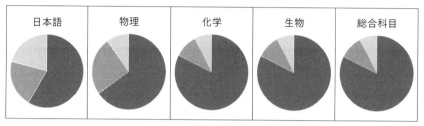

図1　EJU品詞構成比率（喜古2015）

　図1は、EJUの科目別に問題文中の自立語[3]を「体・用・相・その他」[4]の4類に分け、「見出し語」の数による[5]その4類の百分率（品詞構成比率）を順に表したものです。"その他"の比率は1％未満なのでこの図では見えませんが、体・用・相の順に比率が小さくなっています。ここで目を引くのは、「物理」の品詞構成比率が「化学・生物・総合科目」のそれよりも「日本語」に近いという点です。一般的に、用・相の類が多くなると、文の表現が豊かで複雑になる傾向があります。

　次に、同じテキストの「単語（形態素）」の数による品詞構成比率を見てみましょう。すると、図2で「化学・生物・総合科目」は体の類が占める割合が減少したのに対して、「日本語・物理」はあまり比率が変化していません。

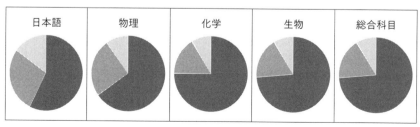

図2　EJU品詞構成比率（喜古2015）

これは、同一「語」の繰り返しや定型句が少ないという、試験問題としては特異な傾向を示しています。

つまり、EJU「物理」の試験問題が難しいのは、そもそも問題文の日本語が難しいことも影響している可能性があるのです。

3.3　物理の試験問題の日本語

では、「物理」の問題文の日本語が"難しい"という傾向は他の試験からも言えることなのでしょうか。EJUと同様に、大学入試センター試験の問題文に対する分析[6] も見てみましょう。

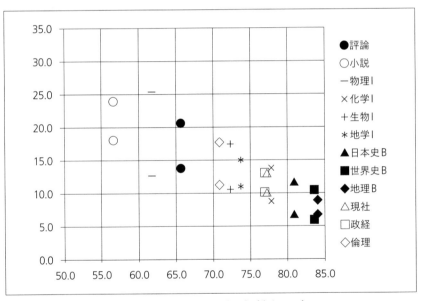

図3　センター試験品詞構成比率（喜古2016）

図3は、科目毎の「見出し語」による品詞構成比率を表したもので、横軸に「体の類」の百分率を取り、「用・相の類」それぞれの百分率を縦軸に取った散布図です。上側に並んでいるのが「用の類」、下側に並んでいるのが「相

の類」で、それぞれの類を表す点が、おおよそ一直線上に並んでいます。3類を合計するとほぼ100%となることから、そのうち2つの割合が決まれば自ずと残りの割合も決まる道理ですが、一直線上に並ぶということは、その3つの間に相関があり1つを決めれば他が決まるということです。散布図の点が2直線上に並ぶはずと仮定して図3をもう一度眺めれば、確かに「体の類」の割合（横軸の位置）に応じて「用・相の類」それぞれの比率（縦軸の位置）が決まるように考えられるでしょう。これは「大野－水谷の法則」として知られる、文章のジャンル分け（文体）を反映した振る舞い[7]と一致しています。センター試験という"目的"が同一である12分野のテキスト間において、体の類で約57 ～ 84%という広範囲での相関が見られるのはとても興味深いことです。

　ここでもまた、「物理」の品詞構成比率は「小説」と「評論」の中間という特異な位置を占めており、その"文体"が特徴的であることが見て取れます。

3.4　"モデル化"と物理の試験問題に表れる日本語表現

　では、この品詞構成比率の特異性はどこからきているのでしょうか。

> 試験問題等では、問題となる"状況を限定"し、出題者と回答者が共有することを主目的としている。そのため、条件を表す修飾語句が多く現れると考えられる。
>
> （喜古2013: 19）

というのが1つです。この"状況を限定"するという過程で、物理固有の"日常語"を用いた多彩な表現が表れてくるのです。"モデル化"する能力は、物理の重要な特性であり技術的な応用といった点からも重視されています。ど

うやら、この能力を育むために、「日本語による自然現象の描写を読み解く」ことが試されているということが見えてきました。

　ここで出てきた、"状況を限定する日常語"という視点に関しては、「ロボットは東大に入れるか」というプロジェクトの「物理」の研究グループも、

> 物理問題では、日常的な場面が設定され、そこでの物理現象について出題されるものがある。このような問題の解答では、まず書かれている状況をいわゆる物理問題の世界、とも呼べる抽象的な状況として解釈する必要がある。　　　　　　　（新井・東中 編 2018: 226–227）

と述べています。もちろん、第二言語習得と自然言語処理開発を同列に扱うことはできませんから、その結果を一概には援用できませんが、面白い見解の一致です。

4 ｜ 物理の日本語

4.1　物理の語彙の構造

　ここまで、共通の"目的"を有する試験の科目間比較を通して、物理の試験問題の日本語を難しくしているのは「自然現象の"モデル化"に伴う言語活動」ではないかということを見てきました。では、同じ物理の日本語でも、"目的"を異にする場合はどうなるでしょうか。次の図4は、物理の高校教科書・傍用問題集、EJU、大学入試センター試験の分析[8]（喜古 2018）に加え、早稲田大学入試問題（理工）について分析[9]（喜古 2021）したものです。

　この図4も、テキスト毎の「見出し語」による品詞構成比率を表したもので、横軸に「体の類」の百分率を取り、「用・相の類」の百分率を縦軸に取った散布図です。早稲

田理工の振る舞いは少し極端ですが、そのほかの点が一直線上に並ぶことは、先の図と同様、「体の類」の割合に応じて他の構成比率が決まることを示しています。科目を固定した"目的"が異なる5つのテキストについても、体の類が約62〜73%という広範囲にわたる相関が見られるのはとても興味深いことです。そして、各テキストにおいて「体の類」が減少すると、それに応じてテキストの難度が上がる傾向にあります。

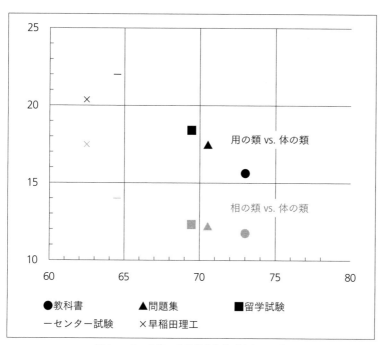

図4　テキスト毎の品詞構成比率（喜古2021）

　では、この「語彙の構造」の異なりは、テキストのどのような"目的"の異なりを反映したものなのでしょうか。教科書と試験問題の扱う内容の異なりとして、

第5章　大学で物理を学ぶ際に求められる日本語能力とその学習法

教科書は新しい"概念"を、既習概念を用いて説明しようと展開する。しかし、試験問題等では、問題となる"状況を限定"し、出題者と回答者が共有することを主目的としている。 （喜古2014: 34）

という点が挙げられます。加えて、物理の試験問題の難易度に関わる本質的な語句として、「体の類以外」の語句が果たす役割があることが示唆されます。

ここまでの考察より、場面描写を通して扱う状況を限定する表現が、問題文には多いと考えられました。そこで以下では、問題文に現れる"モデル化"を促すような修飾語句から物理の"文体"の特徴を見ていくことにしましょう。

4.2　物理の試験問題の特徴語

ここでは、試験問題文（問題集・EJU・センター試験・早稲田理工）の特徴語[10]のうち、いわゆる修飾語句に対応する「相の類」のもの（見出し語で77語）を取り出し、3つ以上のテキストに共通する29語を、原文での使われ方に応じて3クラスに分類しました。

表1　問題文の「相の類」特徴語（BCCWJ比）（喜古2021）

| I【設問に特徴的な一般語】 |
| それぞれ　適当　正しい　（とき） |
| II【物理問題に特徴的な一般語】 |
| 速い*　大きい*　等しい　平板　（一定）　（間）　（毎秒）（時刻）　（絶対） |
| III【物理問題の文脈で専門的な働きをする一般語】 |
| 鉛直　水平　垂直　平行　一様　十分　長い　高い　軽い小さい　滑らか　粗い　静か　ゆっくり　（定常）　（無限） |

＊印をつけたものは連語で特別な意味を持つことがある
（　）の語はセンター試験の用例において全て名詞であった

クラスⅠは、設問であるために用いる語。クラスⅡは、問題設定に関わる"一般語"。クラスⅢ、は問題文中で"専門的な働きをする語"です[11]。それでは、クラスⅢの語について、具体的にどのような働きをするのかを例文で見ていきましょう。

　例

（1）棒が**鉛直**になったとき
　　　（重力の向きに対して平行）

（2）長さ1.0mの**水平**な棒
　　　（重力の向きに対して垂直）

（3）斜面に**垂直**な方向
　　　（何かの向きに対して直角をなす）

（4）斜面に**平行**な力
　　　（何かの向きに対して交わらない）

（5）a.空気は**一様**で風はなく
　　　　（何かの分布が変わらない）

　　　b.**一様**な磁場の中に
　　　　（何かの向きがそろっている）

（6）**十分**に時間が経過した
　　　（何かの変化による影響がない）

（7）**長い**ガラス管の中に
　　　（何かの途中を観察する）

（8）**高い**塔の上から
　　　（落下最中を考える）

（9）**軽い**糸でつるし
　　　（重さを無視できる）

（10）あけられた**小さい**穴
　　　（大きさを無視できる）

（11）**なめらか**に動くピストン
　　　（摩擦を考えない）

（12）面が**あらい**場合

（摩擦を考える）

（13）おもりを**静か**に放す

（初速度が0）

（14）板を**ゆっくり**傾けていく

（釣り合いを保ちながら）

（例文は、数研出版『三訂版リードα物理I・II』より）

　これらの例から分かるように、クラスIIIの語は、問題文中の場面描写を自然な日本語で行いつつも、扱う状況を限定し、物理問題として成立させるための重要な役割を担っていることが分かります。

4.3　文脈依存する専門語と専門的コミュニケーション

　このように、クラスIIIの語彙（物理問題の文脈で専門的な働きをする一般語）は"物理"を考える上では重要な役割を担っていることが分かりました。しかし、その定義にもある通り、その用法を一般的な国語辞書で調べることはできません[11]。さらに、専門語としては取り上げられない傾向にあり、用語集などを用いて調べることも困難です[12]。これは、それらの語彙が細分化された分野の"超専門語"であるからというわけではなく、辞典（や索引）には「名詞（句）」以外の専門語が現れにくい[13]ためです。

　この「文脈依存する専門語」は、"専門家"には専門語と認識されておらず、"日常的"とも言い難く国語辞書に使い分けが現れません。しかし、教育の現場では繰り返し用いられるため、学校教育の中で学ばされているというのが現実です。そして、同じ教育課程を経た人々には暗黙知として共有されているからこそ、講義や議論の場でも頻繁に用いられるのです。ですから、「文脈依存する専門語」は、留学生が"理工系"というコミュニティに所属し、周

囲の人たちと円滑に専門的コミュニケーションを図るために必要な、隠れた"専門語彙"なのです。

4.4　教授言語としての日本語を目指して

　現状、留学生には予備教育などを通して、物理の日本語に少しずつ慣れてもらうことが多いでしょう。しかし、"日本語で生活"することを保障するために「やさしい日本語」（庵・イ・森 編2013）が必要なように、"日本語で学ぶ"ということを保障するためには「まなびの日本語」が必要なはずです。しかしながら、その点の研究に関してはまだ十分とは言えません[14]。だからといって、そこで手をこまねいているわけにもいきませんので、

　　　確かに日本語全体から見たときに"日常的"とは言い
　　　難い存在かもしれないが、教育の現場で暗黙知として
　　　語られている言語の姿を切り出すことも、多様性の時
　　　代に向けた国語辞書の課題ではないかと考える。

　　　　　　　　　　　　　　　　　　　　　　　（喜古2017: 10）

との提案をし、新しい大型辞書の語義（松村 編2020）では、これらの成果を反映させる試みを行っています。"物理"以外の教科にもあるはずの、コミュニティに隠された専門語彙・表現を明らかにしていく必要があります。

5 ┃ 理工系留学生のための"物理"の効果的な学習法

5.1　問題集の積極的活用

　ここまでの話をふまえて、理工系の学部へ留学する学生が押さえておくべき学習方法をまとめましょう。まず、新しい分野を学ぶとき、普通は「教科書」を使いたくなりますが、特に留学生が自習する場合は注意が必要です。教科

95

書は「概念」の伝達に重きを置くので、現象の“モデル化”に必要な「状況描写」が少なくなりがちです。加えて特に日本の物理教科書は、式を中心とした公式集のような構成になっています。

　ですから、物理の日本語に不慣れな留学生には、是非とも「実際の問題設定に即して」学習して欲しいと思います。その際、物理の基本的科目とそこで使う範囲の数学を押さえるために、まずは「力学・熱力学・電磁気学」の分野に絞って、日本の高校生向け問題集の既習・未習分野を整理することが必要です。物理で使う数学に慣れるという意味では「波」の範囲を取り上げて学習することも効果的でしょう。

5.2　既習分野の問題文で物理の日本語を確認する

　“モデル化”する能力は、物理の重要な特性であり技術的な応用といった点からも重視されています。これには、「日本語による自然現象の描写を読み解く」能力も多分に含まれています。ですから、まずは既習の問題設定がどのような日本語で表現されているかをよく学習し、その状況を物理の式に“モデル化”できることを確認します。実際に後期予備教育を受けている学生に対する調査でも、

　　細い管でつなぐという意味が、“細い管の体積を考慮しない”という事に気づいた学生の割合は25％であった。（中略）問題演習を多数こなした学生には平易に理解することができるが、（中略）専門科目の問題に記載される表現は、日常生活で使われる表現と異なる事に気づかないケースがある。

（太田・佐藤・藤田・金2018）

という報告がなされており、日本語で状況を読み解くことは困難であることが、明確に示されています。

もし文法能力が一定以上であれば、どのような修飾構造が条件として働いているかに注意すると、理解が深まるはずです。

5.3 未習分野も問題集に即して確認する

　未習分野の概要をつかむためには、問題集の該当する箇所から、明らかな専門用語を抜き出します。理工系学部に留学しようと考えている学生は、高校までの理科教育で多かれ少なかれ"物理"に関することがらを学んできているはずですから、専門用語に対応する「概念」やそれが属する「分野」（例えば「力学」なのか「電磁気学」なのか）を調べることができれば、何を話題にしているのか全く見当がつかないということはないはずです。そこを手掛かりに、理解できる範囲を広げていくのが良いでしょう。

6 おわりに

　本章では、理工系の留学生が大学初年度の物理課程を、効果的に学習するための指針を与えることを目指しました。そのために、"物理"というコミュニティの中で円滑にコミュニケーションが進められるよう、より"対話的"であると考えられる「問題文」というテキストに含まれる特徴的な構造に注目しました。ですが、「教科書」には特異な表現が含まれていないのかと言えば、そんなことはありません。例えば、バネの"自然長"という専門用語を説明する段で、「自然"の"長さ」と書いてあるものがありますが、これはきっと"文法"的に特異な表現でしょう。学習者のための「物理の日本語」の概形を描くだけでも、まだまだたくさんの研究が必要です。

　専門教育と日本語教育のより一層の連携によって、「まなびの日本語」が日本語をより開かれたものにしてくれることを願います。

【付記】本研究は科研費18K00697の助成を受けています

注

[1] JC教育研究所の『センターTen 2015』の小問全レコード785件中、「力学・熱力学・電磁気学・波」に関する問が688件。

[2] これは項目ベースの比較であり、内容としては応用問題に位置づけられる範囲も含まれるため、学習者の未履修による影響の大きさを評価するにはさらなる研究が必要。

[3] 分析対象テキストは凡人社の『平成26年度日本留学試験（第1回）試験問題』・『平成26年度日本留学試験（第2回）試験問題』により、自立語は（延べ語数：13,201、異なり語数：5,458）。数学は日本語の割合が非常に少なく比較が難しいため除外した。

[4] 体、用、相はそれぞれ「名詞」、「動詞」、「形容詞・形容動詞（語幹）・副詞（可能）」の集まり。

[5] 後述の大野－水谷の法則から、文のジャンル分けを行うことを念頭に採用。

[6] 分析対象テキストはJC教育研究所の『センターTen 2015』収録の本試験（'07～'13）により、自立語は（延べ語数：208,861、異なり語数：37,140）。数学は日本語の割合が非常に少なく比較が難しいため除外した。

[7] 大野（1956）は古典作品群の索引に基づき、名詞比率の減少に伴う動詞・形容詞・形容動詞の比率増加の傾向を図示し、見出し語による品詞構成比率がテキストのジャンル毎に一定であるという経験則を提示しました。それに対し水谷（1965）は、任意の3テキストに対して名詞比率を変数とし、その他の品詞比率がそれぞれ一直線上に並ぶという近似公式を示し、『雑誌九十種』の標本値にも適応させ現代語（体の類で訳72～79％の範囲）においてもそのジャンル分けの傾向が成立することを確認しました。水谷（1965）は「大野の法則」と名付けたのですが、その論文において現象の定式化が行われ、現代語においても蓋然的に成立することが示されたため、「「大野・水谷の法則」と呼ばれるべき」（計量国語学会 編 2009: 96）とも言われます。

[8] 『改訂版高等学校物理I・II』・『三訂版リードα物理I・II』（数研出版）、「日本留学試験（物理）2011～2014」（凡人社）はOCRの結果を校正、「大学入試センター試験本試験（物理）2007～2013」は『センターTen 2015』（JC教育研究所）のデータを利用し、各テキストの自立語（延べ語数、異なり語数）は、教科書（35,850、2864）、問題集（27,539、1,716）、EJU（10,431、1,026）、センター試験（7,676、1,716）。図3の物理Iとの差異は、用いた解析方法の違いによる。

[9] 「早稲田大学入学試験物理（理工）2007～2013」は『Xam2007～2013』（JC教育研究所）のデータを利用し、テキストの自立語は（延べ語数：6,699、異なり語数：764）。

[10] 『現代日本語書き言葉均衡コーパス語彙表』の「図書館・書籍レジスター」を対照コーパスとして、各テキストにおいて、有意水準0.5%の対数尤度比検定で特徴語を決定。

[11] ここでは、"一般語"はその意味が国語辞書に掲出されており、辞書的な意味で用いられるもの、"専門的な働き"とは文脈上の特別な意味を持ちその用法が国語辞書に掲出されていないもの。

[12] 「学習語」（バトラー2011）や「学術共通語彙」（松下2011）は、「Academic Word List」（Coxhead 2000）と同じく学校で選択的に用いられる語の集まりであるが、辞書的な意味・用法であり、狭いコンテクスト毎に意味が深まる「文脈依存する専門語」とは異なる。"なめらか"は数学では異なる意味であったり、"一様"は科目内でも異なるなど、他所で定義された「専門語の借用」では説明できない。

[13] 「専門語（術語）辞典は、見出し語の説明ではなくて、見出し語によってあらわされるものの説明に重点をおく」（国立国語研究所1981: 163）、「国語辞典は単語の意味を説明するが、専門語辞典や百科事典は、その単語のさししめす対象（もの、こと）の説明をする」（宮島1994: 75）。

[14] 例えば、"英語を用いた"教育の現状調査（Darden 2014）や、"英語を用いた"授業で必要とされるスキルの科目ごとの異なりの調査（Moe 2015）といった幅広い議論が日本語に対しても必要となる。

参考文献　新井紀子・東中竜一郎（編）（2018）『人工知能プロジェクト「ロボットは東大に入れるか」―第三次AIブームの到達点と限界』東京大学出版会

庵功雄・イヨンスク・森篤嗣（編）（2013）『「やさしい日本語」は何を目指すか―多文化共生社会を実現するために』ココ出版

太田亨・佐藤尚子・藤田清士・金蘭美（2018）「専門科目（物理）と漢字のコラボレーション授業―物理の文脈を利用した漢字と専門語彙の教育・学習の必要性を考える」『金沢大学留学生センター紀要』21, pp.1–14.　金沢大学留学生センター

大野晋（1956）「基本語彙に関する二三の研究」『国語学』24, pp.34–46.

喜古正士（2013）「物理"専門語"の教材作成に向けて―一般語の専門文脈における用法を考える」『日本語教育センター紀要』9, pp.16–27.　日本学生支援機構

喜古正士（2014）「教科書と問題集で使われる日本語は同じか―専門語教育の観点から」『第8回日本語実用言語学国際会議録』pp.34–35.　国立国語研究所

喜古正士（2015）「物理の日本語は難しいか？―専門教育への円滑な導入を目指して」『平成27年度日本語学校教育研究大会予稿集』pp.17–20.　日本語教育振興協会

喜古正士（2016）「物理の日本語」『早稲田：研究と実践』37, pp.23–33.　早稲田中・高等学校

喜古正士（2017）「日本語の基準としての国語辞書」『語彙・辞書研究会 第52回研究発表会予稿集』p.10. 語彙・辞書研究会

喜古正士（2018）「物理分野における語彙の構造─テキスト別に見る品詞構成とその特徴」『第20回専門日本語教育学会研究討論会誌』pp.18–19. 専門日本語教育学会

喜古正士（2021）「試験問題から見る物理専門語」『日本教育方法研究会誌』28(1), pp.2–3. 日本語教育方法研究会

喜古正士・田辺直之（2018）「ミャンマーの国定物理教科書の分析─力学分野の日本の検定教科書との比較」『日本語教育センター紀要』14, pp.23–32. 日本学生支援機構

計量国語学会 編（2009）『計量国語学事典』朝倉出版

国立国語研究所（1981）『専門語の諸問題（国立国語研究所報告 68）』秀英出版

佐藤恵一（2015）「大学における工学・技術者教育の方向と物理学─金沢工業大学の視点から」『大学の物理教育』21, pp.57–60. 日本物理学会

日本学術会議（2016）『大学教育の分野別品質保証のための教育課程編成上の参照基準 物理学・天文学分野』日本学術会議

バトラー後藤裕子（2011）『学習言語とは何か─教科学習に必要な言語能力』三省堂

松下達彦（2011）「日本語の学術共通語彙の抽出と妥当性の検証」『2011年度日本語教育学会春季大会予稿集』pp.244–249. 日本語教育学会

松村明 編（2020）『大辞林 第四版』三省堂

水谷静夫（1965）「大野の語彙法則について」『計量国語学』35, pp.1–13.

宮島達夫（1994）『語彙論研究』むぎ書房

Coxhead, Averil. (2000) A New Academic Word List. *TESOL Quarterly, 32*(2): pp.213–238.

Dearden, Julie. (2015) *English as a medium of instruction*. UK: British Council

Moe, Eli. et al. (2015) *Language skills for successful subject learning*. France: Council of Europe.

第6章

理工系留学生が
工学分野で求められる
基礎知識・情報

森下信

1 工学系学問の概要

　「工学 (Engineering)」といってもどのようなことを学ぶ学問分野なのか、日本の大学入学を目指す留学生も含めて、大学入学前の学生の皆さんには理解が難しいかもしれません。これは特に学生に限らず、世間一般の方も同様なのです。数学、物理、化学、生物などといった、大学入学以前の教育の中で履修した名前が入っている分野ならば、新しい学問分野に関してもある程度は内容について予想がつきます。しかし、一般に初等中等教育には工学が含まれていないことが多いのが実情です。そこで本章では、工学の主な分野についてそれらの概要に関する情報を提供し、さらに工学について学ぶための基礎知識に関して説明します。

　他の分野と同様に、工学という学問の内部には様々な分野が確立され、それぞれの分野で特色ある教育と研究が行われています。主な分野としては、機械工学、金属工学、材料工学、化学工学、土木工学、建築学、電気電子工学、情報工学、航空宇宙工学などがあります。日本の大学では、最近は学科の名称は古典的な名称とは異なる奇抜さが持てはやされ、分野の融合も行われているので、学生の立場からはわかりにくいかもしれませんが、学問分野としての基本は変わりません。

工学を学ぶために必要な基礎知識は分野ごとに異なる場合もありますが、ほぼ全ての分野で必要なものとしては、コンピュータに関する知識です。できればコンピュータのハードウエア、ソフトウエアに関する両方の基礎知識があるとよいと思います。ソフトウエア（プログラミング）の知識の基盤は数学です。また近年は国際的に活躍できる人材が求められているので、英語も必須です。

　これらの工学は、現代の社会活動を支える重要な分野であり、その卒業生はあらゆる産業分野に就職して、社会に貢献する仕事に従事することが可能です。

2 社会の基盤となる工学への招待

　ここでは、いくつかの代表的な工学分野について紹介します。伝統的な分野ではあるのですが、工学の基盤を形成する分野として、将来的にも重要な工学分野です。

2.1　機械工学

　機械工学（Mechanical Engineering）とは何を対象にするのか、まず明確にする必要があります。「機械」という対象を思い浮かべるとき、自動車、ロボットなどを想像する方もいるし、洗濯機や掃除機、エアコンなどの家電製品を思い浮かべる方もいるでしょう。社会的には、具体的な「機械」に対する認知度が低いのが実情です。実際のところ、身の回りにある人工的に製作されたもので、素材を除く多くの製品は機械に分類されます。情報のやりとりに使用されるコンピュータやスマートフォンも機械であり、家の中にある時計やオーブンレンジも、さらには生活を支える電力を生み出す発電機も、移動手段としての船や航空機も機械です。機械工学ではこれらを全て対象としており、あらゆる分野に関わりがある総合工学という意味を持って

いて、機械工学では機械に関する広い知識を学ぶことになります。

　このような様々な機械を製作するために、機械工学では、材料力学、流体力学、熱力学、機械力学という4つの力学を基礎に学問体系が確立しています。材料力学は材料の強さに関係する力学であり、機械を安全に壊れないように使うための材質や形状を決めるための力学です。流体力学は水や空気に代表される流体の流れに関係する力学で、流体の抵抗や流れの強さなどを検討する学問です。熱力学は他の3つの力学とは原理的に異なるのですが、伝熱や拡散に関係する力学として知られています。機械力学は振動学と機構学が中心の力学で、機械の構造、制御などを扱い、時間とともに変化する状態を推定することができます。

　近年はロボットに関する教育研究分野の需要が高くなっているので、独立した分野としてロボット工学が認められることが多くなっています。ロボット工学は機械工学や後述する電気電子工学分野と密接な関係があり、ロボットを動かすための制御系、特に人工知能（Artificial Intelligence; AI）に関する知識も必要とされます。

　これらの力学および機械工学関連科目を理解するためには、大学入学前までに、物理学および数学の基礎知識はもちろんですが、化学、生物学、コンピュータ科学の基礎知識も必要です。機械工学はほとんど全ての製造業に関わりますので、将来的に製造業で働くことに関心のある学生の皆さんが修得するとよい分野です。

2.2　基礎化学・応用化学

　工学における化学分野（Chemistry, Chemical Engineering）は大きく2つに分かれています。ひとつは、基礎化学と一般に呼ばれ、物質が持つ性質、機能や反応、さらには生命現象などを根源的に追求する化学分野で、理学系に近い化

学分野の学問領域です。もうひとつは応用化学と呼ばれ、化学の知識を駆使して分子や結晶を制御し、新しい物質や機能性材料の開発を目指す化学分野で、工学的な内容が多いとされています。

　基礎化学では機能や現象を理論的に支える物理化学、物質の性質などを定性的、定量的に捉える分析化学などが教育の中心になります。一方で、応用化学では、プラスチック、医薬品、農薬などを扱う有機化学、セラミックスや金属を扱う無機化学、いろいろな化学が融合した電子材料や触媒材料などを扱う材料化学などが教育の中心におかれます。

　大学入学前に準備しておく基礎知識としては、化学に加えて、生物学、物理学などがあるとよいと思います。また、化学データベースを中心にコンピュータの利用も高度に進んでいますので、コンピュータ科学や情報学の知識も備えておくとよいと思います。化学分野は将来的にも重要になる新しい物質や材料の開発に関心のある学生の皆さんにお勧めの分野です。

2.3　土木工学・建築学

　土木工学が学問として対象にするのは、人が住む街や都市であり、道路、橋、建物、ダムなどの、いわゆるインフラストラクチャーです。これらを設計し、建造し、保守管理を行う学問分野と考えればよいと思います。土木工学という名称は日本の大学の学科名から次第に少なくなってきており、社会基盤工学、社会環境工学などへの名称変更がされている学科が多いようです。英文名称は古くからCivil Engineeringであるので、社会基盤工学の名称のほうが中身を的確に表しています。

　土木工学が対象にするものは、他分野が対象にするものと比較して特段に長い間使い続けるものです。橋や建物は

50年や100年利用するものが多いですし、その長い期間、安定して、安全に利用し続けることが求められます。人間の一生より長いこともしばしばあります。しかもそれらが都市の構造の礎となり、生活に直結しているといえます。特に日本では地震や台風などの自然災害も数多く予想されるので、それらに耐える必要もあります。

　これらの安全性を確保するために必要な学問は力学であり、構造力学、コンクリート構造学、水理学、土質力学、交通工学などが中心となります。これらの力学に加えて、都市計画の素養も必要なので、環境学、防災学、社会学、地域経済学なども専門基礎科目として、文化的および社会科学的知識も修得を求められます。大学入学前に物理学、数学は基礎知識として必要ですが、さらに地理、歴史、政治経済などの社会系科目にも興味を持っておく必要があると思います。

　建築学は上記の建築に関わる構造知識に加えて、意匠設計（デザイン）が大きな割合を占めることが多いとされています。人間が使うものは単に使いやすければよいというものではなく、文化に裏打ちされた高度で斬新なデザインが常に要求されます。建築学の意匠設計の分野は芸術の領域に極めて近く、実力を養うために設計事務所などに所属して社会での活躍の場を探すことになります。

2.4　電気電子工学

　電気工学（Electrical Engineering）と電子工学（Electronic Engineering）は名前だけでは同じような分野に見えます。しかし、実際には内容は大きく異なっていて、電気工学は電気や磁気、およびそれらの応用分野を扱う工学であり、電子工学は真空中や固体中での電子の振る舞いを解明して応用する学問分野と位置づけられています。日本では、これらを統合してひとつの学科を形成する大学が多いのが実

情です。その中では、電力や制御システムに関する分野、集積回路や半導体、磁性体、超伝導体に関する分野、情報通信ネットワークに関する分野などの教育研究が行われています。このように電気、電子に加えて情報工学もひとまとめにした学科で教育研究が行われてきました。しかし、近年は特に情報ネットワークの利用が盛んになっているので、情報工学については独立した学科、学問分野として扱われるようになっています。

　電力やその制御システムに関する分野では、インフラストラクチャーとしての電力網の構築について教育研究を行っています。電気は私たちの生活になくてはならないものになっていますので、その安定供給は大切な課題です。発電所の設計、設置場所、システム設計および電力網の整備などは社会生活維持に直接関わる事項です。安定的な電力供給、停電のない電力網整備などはスマートグリッドなどと呼ばれて、整備が進められています。

　集積回路、半導体、磁性体、超伝導体などの分野では新規の材料開発と大きな関わりのある分野です。磁気工学分野では磁気を利用した被侵襲的画像診断技術への応用、情報の磁気記録、新たな磁気センサーによる物質状態の推定などに応用が期待されています。また、超伝導体は電気抵抗がゼロになるので、電気を無駄なく送り、また使える電気機器が実現できる可能性がありますし、大きな電流を流せるので強力な磁場を作ることができます。

　これらの電気電子工学を学ぶために、物理学や数学を中心に、電磁気学、情報学、コンピュータ科学などの基礎知識が必要です。

　集積回路および情報通信ネットワークに関する分野については次の2.5で説明します。

2.5 情報工学

　情報工学はInformation Engineering、Computer Science などと英訳されています。理学的な要素も含まれるので、工学と理学の領域に跨っていると解釈されています。そのため、情報工学だけではなく、情報科学、計算機科学、情報学など、様々な呼称があります。それぞれ意味合いが多少異なるのですが、ここではそれらを同様に扱うこととして説明しましょう。この分野は、コンピュータそのものを設計してハードウエアとしてのコンピュータシステムを構築する分野、コンピュータを動かすためのプログラミングやソフトウエア開発を行う分野、情報の収集、蓄積、分類などを扱う分野などに大別されます。また特に近年は、情報ネットワークの発達により私たちの生活の中に情報工学が組み入れられていますので、個人情報を守る観点から、情報セキュリティ分野の益々の重要性が認識されているところです。

　コンピュータシステムは処理速度が速ければ短時間で結果を得ることができます。そのために、集積回路や半導体の処理速度を向上させる多くの努力がなされています。集積回路の密度を上げれば、電子の通る道程を短くできますので処理速度は向上します。また新たな半導体材料の開発も必要です。コンピュータの中心部分は中央演算処理装置（CPU）ですが、この設計も情報工学の一部です。スーパーコンピュータという名称で開発され、世界中で処理速度の競争が行われています。現在は10万を超えるノードを3次元的に接続して並列処理を行うことによって処理速度を上げているのに加えて、単独のノードの処理速度向上も図られています。

　現在一般的に使われているコンピュータを動かすにはプログラムが必要です。これは1940年から1950年代に現在のコンピュータが開発されてからずっとこの形式です。

新しいプログラム言語の開発、大規模プログラムを開発するためのプログラム構造化などが中心ですが、近年急速に開発が進んでいるAIも新たなプログラムです。AIがさらに進展すると、人間の脳の情報処理の一端が明らかになるかもしれません。

　情報セキュリティに関しては、情報ネットワークの発達に伴って、今後さらに重要性が増す分野です。世の中では「アナログからディジタルへ」変革が進んでいます。様々な情報をディジタルに変換すると、ネットワーク上にその情報が載りますので、公にできる情報以外は秘匿性を保つ必要が生じます。これが情報セキュリティです。秘匿性をいくら高めても、それを破る技術が開発されますので、「いたちごっこ」の状態ですが、暗号処理を含めて様々な技術が開発されています。

　以上で説明した情報工学を学ぶためには、数学、コンピュータ科学などの基礎知識が必要です。

　情報の収集、蓄積、分類に関しては、最近、データサイエンスという分野で注目されていますので、次節で説明しましょう。

3 ｜ 新しい工学分野への招待

　これまで継続的に発達してきた基盤的な工学分野の主なものを紹介しましたが、ここでは、今後益々発展が期待される、比較的新しい工学について2分野を紹介します。

3.1　データサイエンス

　サイエンス（科学）といいながら、工学とくに情報工学との関係が近いという意味で、ここではデータサイエンスについて説明します。世の中はディジタル化されたデータに溢れており、そのデータを駆使して利益に繋がるイノベ

ーションを求めるのは企業としては当然のことです。客観的なデータによる今後の予測をするために、データは多く持っているに超したことはないのですが、あまりに多くのデータが集まってしまったので、そのまとまりは「ビッグデータ（Big data）」と名付けられました。ところが、データの量や種類が多くなると、その扱いは複雑となり、そのデータを分析して扱う技術が体系化される必要がでてきます。この体系化するための技術をデータサイエンス（Data Science）と呼んでいます。

　体系化の中身は、データ収集、データのモデリング・予測、有益な情報抽出の3段階からなっています。目的を定め、俯瞰的に状況を判断してデータの収集を行い、統計学を含む様々な数学的知識によりモデリングおよび予測を行うことによって、目的に叶う有益な情報を抽出するという一貫した流れを辿る学問です。この分野は、データに基づく分析が重要性を増すことから今後さらに発達が見込まれており、将来的に多くの人材不足が生じることが予測されています。

　このデータサイエンスを学ぶためには、数学、確率・統計学、コンピュータ科学を中心とした基礎知識が必要です。

3.2　医工学

　医学は、病を患った方々の健康を回復するための学問分野ですが、現代の医学は医学的な知識だけではなく様々な検査や道具を駆使して成り立っています。そのために、工学の補助なくして成立しない医学分野が多くあります。特に、手術が必要な医学分野では工学の進出が著しく、手術に多様な医療用機械が導入されています。

　医学と工学の接点といえば、昔は人工心臓の開発程度しかみられなかったのですが、近年では医者の手術を支援するための数多くの機械が開発されています。ダビンチ（da

Vinci) と呼ばれる手術支援ロボットはその代表例です。全世界で4,500台、我が国でも300台導入されている実績があります。このロボットを利用すると、医者は画面を見ながらマニピュレータの操作をすることになります。このように考えると、患者さんと医者は同じ場所にいる必要がなく、例えば遠隔地での手術なども可能になるとされています。

さらに、我が国では医療現場で装着用ロボットの普及が進んでいます。装着用ロボットは、元々は人間の本来持つ機能の拡張を狙ったものでしたが、リハビリに適用することで、患者さんの負担を徐々に変化させながら、早期の社会復帰を果たす手伝いになっています。

以上は支援ロボットの話ですが、生物工学や化学工学との連携により再生医学の進歩を誘発し、さらに医学の高度化を期待することができます。これらの学問分野に必要な基礎知識は生物、物理、化学などであることは間違いありませんが、医学は人間を相手にしているので、力学的、工学的素養だけでは十分ではありません。心理学、社会学など広範な人文科学、社会科学などの基礎知識が求められます。

4 おわりに

物事を理解するには、対象を部品に分解して、それぞれの部品の働きを理解することが大切です。これは西洋の科学哲学の基本であり、この分解する過程を「解析（Analysis）」と呼んでいます。この考え方に則り、学生の皆さんは知識を分野に分割して科目ごとに修得することに取り組んできました。しかし、このままでは知識が縦割りになり、本来あるべき分野間の連携が途切れてしまい、知識としては各分野で修得した内容を十分に役立てることが

できません。そこで必要なのは知識の「統合 (Synthesis)」です。統合のしかたは個人により異なり、従って、全く同じ科目を履修して理解したとしても、個人によって知識は異なっていることになります。統合の方法については明確に示された手引きなどは現在はありません。ひとつの分野を理解する際に、他の分野の知識も利用しながら理解することで、統合の方法が身につくのではないかと考えます。

　例えば、物理学の中では微分方程式など数多くの数式が使われますが、工学で使われる数式には物理的な意味があります。単に数式を解くだけではなく、物理的考え方と照らし合わせながら理解してみてください。また、生物学を学ぶためには生物の長い歴史の中での変化を、その生物が暮らしている地理的環境とともに理解することも大切です。そこでは生物学と歴史学さらには地理学との接点がみつかると思います。さらに、語学を学ぶ際にも、地理的および歴史的な経緯と併せて言葉を理解すると、語学に対する興味が一層と深まると思います。是非、このような学問分野の垣根を低くする考え方を実践して、大学教育の中で実りある知識を身につけてほしいと思います。

　本章では理工系留学生のために、という名目で代表的な工学分野について解説を行いました。しかし、社会にでてみればわかることですが、理工系、文系などと知識の色分けをする必要は全くありません。初等中等教育で履修した科目に分割された縦割りの知識は、社会生活を送る上で、また文化的生活を送る上で、どれも必要な事柄なのです。ひとつの学問分野を修得したら、その隣の分野も、また少し離れた分野も一緒に考えて、知識として役立てていただくことを期待しています。

参考文献　アスプレイ，ウイリアム（1995）『ノイマンとコンピュータの起源』産業
　　　　　　図書
　　　　上ノ山周・相原雅彦・岡野・馬越大・佐藤智司（2016）『化学工学の基礎』
　　　　　　朝倉書店
　　　　高見沢実（2000）『初学者のための都市工学入門』鹿島出版会
　　　　日本機械学会（編）（2005）『機械工学総論（JSMEテキストシリーズ）』
　　　　　　日本機械学会
　　　　日本機械学会（編）（2014）『機械工学便覧』日本機械学会
　　　　日本機械学会（編）（2014）『知って納得！ 機械のしくみ』朝倉書店
　　　　日本建築学会（編）（2020）『建築雑誌作品選集』日本建築学会
　　　　藤野陽三他（2015）『巨大構造物ヘルスモニタリング』エヌティーエス
　　　　横浜市立大学データサイエンス学部HP、https://www.yokohama-cu.ac.jp/
　　　　　　academics/ds/index.html（2020年8月31日）
　　　　Cyberdyne社HP, https://www.cyberdyne.jp/products/HAL/index.html
　　　　　　（2020/8/31）

第2部　理工系留学生に必要な専門分野の基礎知識・情報

理工系留学生にとって専門分野の学修に必要な「教養」とは何か、どのようにそうした「教養」を身につけたか

「分子力学シミュレーションの父」の探究心

Acep Purqon

　私は2005年から2008年まで金沢大学で博士課程を過ごし、その後2011年まで京都大学でポスドクとなりました。今は母国インドネシアのバンドン工科大学（IBT）の物理研究所で職に就くことができました。

　私の専門はコンピュータ・バイオ化学ですが、留学した当時は最先端の研究領域でした。博士課程在学中の４年間に30回以上の発表を日本内外で行いましたが、この経験がその後の私のキャリアに大変役に立ちました。特に、インドネシアでは私の専門である、高性能コンピュータを駆使した研究はまだ未開拓で、その後のインドネシア国内での普及に貢献することができました。

　私の博士論文は、自己集合体を形成するバイオ・ナノクラスターに関するものでしたが、最近はノーベル化学賞を受賞した研究者の研究に触発され、集合体を単体として使い、さらにそれらをつなぎ合わせて、その動きをファジー理論を使って分析しています。

現在までのところ、生物複合体にはまだ謎が多くて、複合した流動体の力学は古典的なニュートン力学や非線形理論では説明できません。そこで現れた新しいツールが、コンピュータ科学によるアプローチです。21世紀にはこの新しい手法によって、生物システムのダイナミズムが明らかになることでしょう。

　私の博士課程の指導教授は、コンピュータ・シミュレーションのパイオニアでした。教授からはたくさんのことを学びましたが、とりわけ分子力学（MD）シミュレーションの父と呼ばれるベルニー・オルダー先生と教授が親しかったことが幸いしました。オルダー先生の共同研究である、物理学における個体・液体の境界移行の発生の研究は、その後、様々な分野の研究へと影響を与え、物理学だけでなく、流体力学、経済学、地震学、そしてゴシップがどうやって広まるかを理論的に説明するのにも応用されました。

　私は今勤務校であるIBTで、このMDシミュレーションを教えています。この研究はかつては近づきがたい領域でしたが、今ではコンピュータを使って容易にアクセスすることができます。

　2007年に私が日本に留学していた時、私はこの伝説的な先生とお会いする機会を得ました。私の指導教授の先生の退職のお祝いにオルダー先生が金沢にやって来られたのです。しかし、退職のお祝いのはずだったのが、なんとオルダー先生の移行理論の50周年記念の講演会に変わってしまったのです。

　オルダー先生は議論をするのが大好きで、特にすでに定ってしまった事象について再議論をして、新しい知見が得られるのが好きなのだそうです。そのように、いつも学生だったころの探究心を持って議論を続けられた結果得られたのが、コンピュータによる数式解だったそうです。考え

てみてください。ある現象がその数式シミュレーションで観察できるのです！

　さあ、大きなモチベーションと夢を持ちましょう。そして、大きな遺産を未来に残そうではありませんか！

私の経験から考えた、専門分野の学習に必要な教養について

張娟姫

　私は韓国の大学在学中に日本の大学に1年間交換留学し、韓国に戻って学部を卒業した後、再び来日して大学院で数学の研究をしました。

　数学に限らず、専門分野の学修においてまず重要なのは言語、特に日本語と英語だと思います。私の場合、日本語は来日前に日本語教室に通いながら勉強して、地元で開かれた国際イベントでボランティア活動をしたり、日本からきた留学生のお手伝いをしたりしました。英語はずっと苦手でしたが、大学院に入って国際学会に参加するようになった頃に、英会話教室に通い始めました。必要に迫られて勉強して、実際使う場面が増えると、段々身についてきて、苦手だった英語が面白いとさえ思えるようになりました。

　また、専門用語や数学で使われる独特な言い回し等を日本語で覚えるのも大変でした。専門用語は辞書で調べることも難しく、大学院の講義やセミナーは学部までで学んだことを前提に行われるので、最初は苦労しました。交換留学中にもいくつか数学の授業は受けましたが、大学院でも学部の講義を聴講して、韓国で習ったことと比べながら勉強しました。また、大学院在学中に日韓理工系学部留学生予備教育の講師を務めましたが、私自身もその経験を通じて、日本の高校で学ぶ用語や内容等を知ることができました。

　もう一つ重要な教養として、コミュニケーション能力を挙げたいと思います。もちろん講義や本、論文から学べる

ことも多いですが、最先端の研究についていくには、人とのコミュニケーションを通じて知識を得て、情報交換することも必要です。実際、研究成果を研究会等で発表して、そこで頂いたコメントや質問、また他の研究者と議論したことが次の研究につながる、という経験をこれまでたくさんしてきました。最初は伝え方がよく分からず、また緊張のせいでうまくいかないこともありましたが、プレゼンテーション前に台本を作って先生に見ていただいたり、鏡に映った自分を相手に話す練習を重ねることで少しずつ慣れました。また、TAや非常勤講師としての仕事に加え、オープンキャンパスで来場者に話をしたり、地域の児童生徒に韓国について紹介するボランティア活動に参加した経験も、コミュニケーション能力の向上に役立ちました。

　また、研究を進めていくには、問題を発見し、解決する能力も必要です。私は元指導教員からのアドバイスを受けて「問題ノート」を作って活用しました。思いついたことや気になることをノートに書いておいて、時々まとめたり、それらの問題について考えたりしました。最初は分からなったことが暫く経って見返すと分かるようになったこともあり、ぼんやり考えるよりも文字に起こして整理することでより考えやすくなりました。さらに、他の人の話を聴く時にも常に問題ノートを意識しながら聴くことで、一見関係のなさそうな話からヒントを得ることもありました。

　以上が、私が専門分野の学修に必要だと思う教養です。

私の経験から考えた、専門分野の学習に必要な教養について

第3部
理工系留学生に必要な
アカデミック日本語教育の
必要性

佐藤尚子・金蘭美

第7章
理工系留学生に必要な語彙と漢字の理解・運用能力の養成

1 はじめに

　　佐々木・長谷川（2020: 1）は「専門教育と日本語教育の連携における最も基本的かつ重要な作業のひとつとして、専門語の効率的・効果的な学習支援を挙げることができる」と指摘しています。また、松下（2016）では、学術的な文章に特徴的な語彙の約7割は漢語であると述べています。これらの点から、専門科目で用いられる語彙（以下、専門語彙）の習得には漢字の学習が欠かせません。

　　本章では、まず、「数学語彙表」[1] および『日・韓・英物理学関連用語集（2013 版）』[2]（以下、「物理学用語集」）の語彙にどのような漢字が使用されているかを明らかにし[3]、次に、筆者2名が実施した漢字の授業について報告します。

2 数学と物理の専門語彙に使われている漢字

2.1 「数学語彙表」の漢字

　　「数学語彙表」は、数研出版と啓林館が出版するそれぞれ5冊の数学の検定教科書に現れる語彙についてまとめたものです（佐々木・長谷川2020）。

　　この「数学語彙表」に掲載されている語のうち、漢語だけではなく1字でも漢字を用いて表記されている883語を

対象に、どのような漢字が使われているかを筆者のひとりである佐藤が調査をしました。その結果、異なりで385字、延べで2,539字が使われていました。章末の表6に異なり385字をレベル別に示しました[4]。 初級108字、中級188字、上級76字、採用外2字、常用外11字でした。初級・中級・上級の漢字の記載順は、佐藤・佐々木（2014,2017, 2018）に、採用外・常用外漢字の記載は出現順によるものです。

　異なり漢字（385字）のうち、初級・中級の漢字（296字）が76.9%を占めていました。また、延べ漢字2,539字のうち、初級が783字（30.8%）、中級が1,513字（59.6%）で、初中級の漢字で90.4%を占めていました。出現頻度が高い上位20字を表1に示しました。このように、「数学語彙表」に現れる語では、初中級の漢字が異なりで70%以上、延べで90%を占めていることが明らかになりました。

表1　「数学語彙表」で出現頻度が高い漢字

漢字	頻度
数（中級）	148
分（初級）	87
線（中級）	52
式（中級）、角（中級）	50
関（中級）	44
定（中級）	43
法（中級）	40
形（中級）	38
理（初級）	33
方（初級）	31
面（中級）	29
積（中級）	28
平（中級）	27
合（初級）、対（中級）	26
等（中級）、列（中級）、値（中級）	25
二（初級）	23

2.2 「物理学用語集」で使われている漢字

「物理学用語集」に掲載されている語のうち、数学と同様、漢語だけではなく1字でも漢字を用いて表記されている語587語を対象にどのような漢字が使われているかを調べ、章末の表7に示しました。異なりで初級93字、中級194字、上級93字、採用外1字、常用外3字、計384字でした。初中級の漢字（287字）で異なりの74.5%を占めていました。また、延べ漢字1,590字のうち、初級が539字（33.9%）、中級784字（49.3%）で、初中級の漢字で83.2%を占めていました。「物理学用語集」で出現頻度が高い上位20字を表2に示しました。「物理学用語集」では、数学と同様、初中級の漢字が異なりで70%以上を占めていました。

表2 「物理学用語集」で出現頻度が高い漢字

漢字	頻度
電（初級）	87
力（初級）	49
磁（上級）	46
子（初級）	36
動（初級）	34
熱（中級）	30
気（初級）、流（中級）	26
体（初級）	25
振（上級）	23
性（中級）	22
分（初級）、位（中級）	19
定（中級）	18
量（中級）、導（中級）、波（中級）	16
度（初級）、線（中級）、数（中級）	15

2.3 「数学語彙表」と「物理学用語集」に出現する漢字の重なり

「関数」「定理」「法則」など、数学と物理の両分野で使われている語もあります。漢字の面から見て共通して使わ

れている漢字はどの程度あるのでしょうか。

　共通している漢字は、初級67字、中級115字、上級23字、計205字でした。章末の表6と表7で□で囲んだものが共通している漢字です。

　表3に数学と物理に共通している漢字とそれぞれの分野にのみ現れる漢字の数をレベル別に示しました。初中級においては、出現する異なり漢字の半数以上が数学と物理に共通しており、初中級の漢字を覚えれば多くの語に対応できると言えます。また、今回、分析の対象とした数学と物理の専門語彙に使われている漢字について言えば、初級300字の半数程度、中級700字の40％弱で、それほど多いとは言えません。

表3　数学と物理に共通して現れる漢字と数学と物理のそれぞれの分野にのみ現れる漢字の数

	数学と物理の専門語彙に共通して現れる漢字	数学語彙表のみに現れる漢字	物理学用語集のみに現れる漢字	計
初級	67	41	26	134
中級	115	73	79	267
上級	23	53	70	146
採用外	0	2	1	3
常用外	0	11	3	14
計	205	180	179	564

2.4　漢字学習を苦手としている学習者へのアドバイス

　漢字を苦手としている学習者からは、専門の漢字は難しいので、先に日常生活で使われる漢字を学習すべきだという声が寄せられています（太田ほか2018, 2019, 2020）。しかし、今回、調査した「数学語彙表」「物理学用語集」を見ると、出現する漢字の数は多くなく、また、初中級の漢字で、異なりの場合70％以上、延べの場合は80〜90％を占めており、日常生活で使われる漢字に比べ、専門語彙に使われる漢字が、特に、難しいわけではないこと、日常生活のことも考え、初級300字、中級700字、計1000字をし

っかり習得すれば、日常生活にも専門語彙にも対応できることを学習者に知らせることが重要であると言えます。

3 | 教育参画における専門語彙と漢字教育の実践

3.1　実践の概要

　　本章では2017年から2019年の3年間にわたり「日韓プログラム」の予備教育生を対象に実施した教育参画[5]で行われた日本語（漢字）と専門科目（物理）のコラボレーション授業のうち、専門語彙と漢字に関する授業について概観し、実践から見えてきたことについて述べます。表4に実践の概要を示しました。

表4　実践の概要

	2017年	2018年	2019年
期間	8月16日〜17日	8月13日〜14日	8月21日〜22日
対象・人数	第2次第8期生 98名	第2次第9期生 99名	第2次第10期生 100名
場所	慶熙大学校国際教育院（所在地：韓国・ソウル）		
方法	80分1コマの授業をレベル別に三つのグループに分け実施。授業内容はいずれのクラスも同じである。		
取り組みの内容および狙い	物理の文脈を利用した日本語（主に漢字表記の語彙）の授業 ①から⑥の順で行った。		
	①専門語彙の習得の必要性について知る（日本人学生の実験ノート） ②一般語彙・学術共通語彙・専門語彙の違いについて知る（12の漢語） ③専門語彙の学習に韓国語の知識を利用する有効性について気付く（韓国の物理教科書） ④専門科目の文脈の中で専門語彙の読みを知る（過去の大学入試物理問題） ⑤順番が混ざっている「車の形」に関する説明文を見せ、適切な順番に並べ替え、一つの文章にまとめる（東京農工大学の教材） ⑥漢字の書き方の注意喚起（活字体と筆記体）および質疑応答		

　　本実践については①③⑥を韓国人教師が、②④⑤を日本人教師がそれぞれ担当しました。
　　今回の一連の実践には大きく二つの狙いがありました。

一つ目は予備教育生たちが専門語彙および漢字を学習する必要性に気付くこと、二つ目は専門語彙および漢字をどのように学習すればよいかを知る、ということです。

3.2 専門語彙学習の必要性への気付き

表4の①の作業では、A大学理工学部日本人学生が2年生の時に実際に授業で作成した実験ノートを予備教育生たちに見てもらいました。実験ノートを見せる目的としては、予備教育生たちに専門語彙を学習する必要性に気付かせることです。

本実践では毎回専門語彙の学習に関するアンケートを実施していました。その結果によれば、「漢字の学習において一般的な語彙だけを勉強するより専門科目に関連した語彙を勉強する方が有益だと思いますか」という質問に、「そう思わない」という者は2017年20%、2018年29%、2019年度20%と、予備教育生の中には専門語彙の学習の必要性をあまり感じず、有益ではないと思う人が毎年一定数見られています（太田ほか2018, 2019, 2020）。さらに、教育参画の際に実施したアンケートでは「一般的な語彙より専門科目に関連した語彙の方が覚えやすいですか」という質問に「いいえ」と答えた人が、2017年は36％、2018年は24％、2019年は36％となっており、専門語彙に苦手意識を持っている学生が少なくないことも分かりました。

一方、その理由としては「一般語彙の学習を優先すべきである」、もしくは、「漢字そのものが難しいためどのようなアプローチでも難しさは変わらない」など専門語彙の学習の必要性をあまり感じておらず、漢字そのものに対する苦手意識ともとられる回答が見られました（太田ほか2018, 2019, 2020）。このような結果から、予備教育生の一部は漢字学習の難しさに加え専門語彙を覚える余裕がなく、さらに接する機会がないことから専門語彙の漢字の学習を後回

しにしていることがうかがえました。

　一方、彼らが学部生になると専門語彙を知らなければ、授業についていくことは難しいでしょう。韓国での予備教育課程では、数学や物理など専門科目の授業は韓国語で行われており、教科書は英語で書かれたものを使用しているため、日本語の専門語彙を接する機会があまりありません。しかし、日本の大学の授業では、授業中の課題やテストなどで手書きを求められることが少なくありません。したがって、専門語彙が含まれた文章を読む、書く能力というのは必要不可欠と言えますが、それに気付くのは学部生になってからとなります。

　そこで、予備教育の段階で日本人学生が作成した実験ノートを見せることで、学部生になると実際にどれぐらいのレベルの漢字を使えるようにならなければいけないのかを間接的に体験してもらい、専門語彙学習の必要性に気付くことで予備教育期間中の漢字学習の動機付けができるのではないかと考えました。

　次に、語彙には種類があることを知るための作業を行いました。

　②の漢語を種類別に分ける作業については、以下の12の漢語を提示し（表5）、「一般語彙」、多くの授業で共通的に使われる「学術共通語彙」（松下2011）、物理で使われる「専門語彙」の三つのグループに分ける作業を予備教育生に行ってもらいました。

表5　分類作業のために提示した12の漢語

| （1）店員　（2）定義　（3）論述　（4）逆数　（5）位相　（6）屋上 |
| （7）要旨　（8）銀行　（9）編著　（10）塑性　（11）出発　（12）法線 |

　この作業の狙いは、前述したように漢字の中でも大学で学ぶための語彙があることやその実態を知ってもらうことです。3回の実践すべてにおいて、一般語彙と学術共通語

第7章　理工系留学生に必要な語彙と漢字の理解・運用能力の養成

彙・専門語彙の区別はある程度できていたものの、予備教育生たちは学術共通語彙と専門語彙の区別はあまりできておらず、特に専門語彙を意識して学習しているわけではない様子がうかがえました。しかし、専門語彙は一般語彙のように日常生活の中で自然に接したり、覚えたりする機会があるわけではないため、意識して学習する必要がありますが、予備教育の段階ではそのような機会が十分とは言えません。漢語を分類する単純な作業ではありましたが、予備教育生たちには、日常の中で接する機会があまりない語を意識して学習する必要があることを知ってもらうきっかけとなったと思います。

　以上、本実践で行った専門語彙学習の必要性に気付いてもらうための試みについて述べました。次の3.3では、専門語彙の学習を効果的に行うため、意識してほしいこととは何かに焦点を当てた実践について述べます。

3.3　専門語彙および漢字をより効果的に学習するための工夫

　専門科目（本実践では物理）で使用される専門語彙はどのように学習すれば効果的なのでしょうか。その方法を探るために、次の二つのことを念頭に③と④の実践を行いました。

　一つ目は、予備教育生たちの母語である韓国語の知識を利用すること、もう一つは、物理の文脈の中から覚えるということです。一つ目の彼らの母語の知識を利用するということに関しては、物理の文脈の中で覚えることにもつながっていると言えます。それは、予備教育生たちにはすでに母語による物理科目の知識があるので、それを日本語に結びつけ、覚えることは非常に有効な方法であると言えるからです。韓国語と日本語の漢字語は類似しており、特に専門語彙には日本語由来の語彙が多い（金2005など）ことから[6]、韓国語を母語とする予備教育生たちには韓国語の知識を活用することは専門語彙学習においてメリットとなります。

また、③については物理の専門語彙を身近なものとして捉えてもらうという狙いもありました。方法としては、彼らがすでに韓国語による物理関連専門語彙の知識があるということを気付かせるため、韓国語の物理教科書の中にどの程度漢語が使用されているかを探してもらう作業を行いました。まず、韓国語の物理の教科書の一部を使い、その中から漢語を拾い出す作業を行いました[7]。あわせて、漢字表記とその読みも書いてもらいました。本実践で使用した「瞬間速度と瞬間速力」の説明は、時間配分などを考慮し、短めのものを選んでいます。しかし、使用されている漢語は2文字のものがほとんどではありましたが、3文字の漢語や漢字1文字＋「hada（日本語の「する」に当たる韓国語）動詞」のものがあり、日本語と同様の漢字を使い、同じ意味を表す漢語が全体の語彙数の5割以上を占めていることが分かりました[8]。資料1は本実践で使用した韓国の物理教科書の説明文の一部です。下線を引いた箇所が日本語と同じ漢字を使用する語で、（）の中はそれに対応する日本語の漢字ですが、その数の多さは一目瞭然です（下線および（）の中の漢字は執筆者による）。この下線を引く作業を通して学生たちが視覚的にも日本語と韓国語の語彙の類似性について気付くことができると考えました。

資料1　③の韓国の物理教科書の抜粋「瞬間速度と瞬間速力」

순간 (瞬間) 속도 (速度) 와 순간 (瞬間) 속력 (速力)
물체 (物体) 가 얼마나 빨리 움직이는가를 기술 (記述) 하는 두 가지 방법 (方法) 을 배웠다. 평균 (平均) 속도 (速度) 와 평균 (平均) 속력 (速力) 은 모두 시간간격 (時間間隔) ⊿t동안 측정 (測定) 된 값이다. 그러나 "얼마나 빨리" 라는 말은 입자 (粒子) 가 주어진 순간 (瞬間) 에 얼마나 빨리 움직이고 있는가를 나타내는 것이 일반적 (一般的) 이다. 이때의 입자 (粒子) 의 속도 (速度) 를 순간 (瞬間) 속도 (速度) (간단 (簡単) 히 속도 (速度) ν 라한다. (後略)

　実際に予備教育生たちに韓国語の物理教科書の説明から漢語を拾い出す作業を行ってもらったところ、中位・上位

クラス[9]の学生たちは、作業速度が早く、漢語由来の語を把握している様子でした。一方、下位クラスの学生はどこに下線を引けばよいか迷っている人が多く見受けられ、教師とともに下線を引いていく時は、漢語由来の語の多さに驚いていました。一連の作業を通して彼らがすでに知っている物理用語の多くが漢語に由来しており、韓国語と日本語の専門語彙が深く関係していることを実感してもらうことができたと思います。また、韓国語から類推可能な語が多いことに気付くことで日本語の専門語彙の学習に韓国語の知識を利用することが有効であることを感じてもらうこともできました。

　次に、④の日本の大学入試問題を用いた実践について述べます。①～③については2017年度から2019年度の実践ですべて同じ教材を用いて実施していましたが、④については、1回目は2012年度新潟大学入試問題、2回目は2018年度佐賀大学入試問題、3回目は2019年度佐賀大学入試問題を使用しました。いずれも物理科目で、教育参画2日目の物理・漢字のコラボレーション授業で教材として使用するものを取り入れています。具体的には、それぞれの入試問題に表れる漢語、または漢字が使われている語を抽出し、その読みや意味を尋ねるためのシートを作成し、授業ではそのシートに読みと意味を記入してもらいました。その後、全員で読みの確認を行い、入試問題の音読をしました。抽出語の詳細については以下の資料2をご覧ください。抽出語の数は3回とも50語ずつです。

　この作業では、シートに記入する時間、音読の出来ともに日本語レベルによって毎年差が見られていますが、中位と上位ではそれほど差が見られないのに対して下位クラスでは時間も音読の出来も他のクラスとは差が見られました。この作業では、語別に「意味を知っていたら〇、知らなかったら×を書きなさい」、「読みをひらがなで書きなさ

●1回目（2012年度新潟大学入試問題）
地球／半径／質量／球（音読み）／考える／図／地表／小物体／速さ／鉛直方向／上向き／打ち上げる／万有引力定数／以下／問い／答える／自転／公転／効果／大気／空気抵抗／無視／高さ／位置／到達／動く／受ける／大きさ／求める／最高点／達する／瞬間／外力／分裂／お互い／反対／運動／対する／垂直／分裂前／和／等しい／分裂後／周り／等速円運動／飛び去る／無限／遠方／設問／用いる

●2回目（2018年度佐賀大学入試問題）
平行板／電気容量／表される／極板／面積／間隔／極板間／物質／誘電率／十分に（広く）／広く／端部／影響／無視／真空／図／閉じて／充電／極板上／一様に／電荷／分布／単位面積／電気量／以下／問い／答えよ／電場／大きさ／求めよ／蓄えられた／静電／距離／正に（帯電する）／帯電／固定／条件／誘電体／出し入れ／満たした／時間／（時間が）経った／（経った）後の／その後／（スイッチを）開いて／取り除いた／変化／考えて／要した／仕事

●3回目（2019年度佐賀大学入試問題）
図／金属／間隔／離れて／平行／置かれ／起電力／電池／電気抵抗／接続／磁束密度／一様な／磁場／紙面／垂直／裏から表の（向きに）／（表の）向きに／導体棒／保って／レール上を／移動する／速度／矢印／摩擦／空気／抵抗／以外／回路／流れる／電流／無視／問い／必要な／用いて／答えよ／生じる／誘導／求めよ／左回り／反時計回り／受ける／変化／加速度／正か負か／一定の／場合／外力／仕事率／発生する／ジュール熱／供給する

い」と指示しているのですが、入試問題レベルの物理の語彙を知っているかどうかを確認するという狙いと、読めないのはどのような種類の語彙なのかを把握するという狙いがあります。そこから見えてきたのは、学生たちがあまり正しく読めない語の特徴です。一つは物理の文脈でなければ接する機会がないもの（上向き・遠方・正に・蓄えられた・磁場・保って、など）で、もう一つは韓国語で類推できない漢字、例えば韓国では使わない語（取り除いた・用いる・正か負かなど）はいくら初中級レベルの漢字であっても正しく読めず、意味が分からない人が多く見られました（太田ほか2018, 2019, 2020）[10]。

　予備教育生たちの中には、漢字を見て意味が類推できれば事足りると考えている人もいましたが、このような作業

を通して類推だけでは正しく読み、理解することは難しい
ことや、専門語彙については文脈の中で覚えることが有効
であることに気付いてもらうことができたと思います。

3.4　その他の活動

　ここでは、理工系の文章の書き方、特に話し言葉と書き
言葉の違いに気付かせるための作業（表4の⑤）と活字体と
筆記体による漢字の違いについての気付きを得るために行
った実践（表4の⑥）について述べます。

　⑤については、東京農工大学の教員が作成した教材[11] を
利用しました。車の形が現在のような形に至るまでの流れ
を抵抗の原理をもとに説明しているもので、順不同の8つ
の説明文を順番に並べ替える作業とそれらを合わせて一つ
の文章にまとめる作業を行ってもらいました。この作業を
通してアカデミックな文章を書くためには、語彙のレベル
においても話し言葉、書き言葉の違いを理解し、特に文章
の論理的な展開のためには接続詞や接続助詞についても気
を付ける必要があることを知ってもらうことができました。

　本実践の最後では、間違えやすい漢字について、形が似
ている部首の例（「しんにょう」と「えんにょう」）と活字体と
筆記体の字体の違いが分かりやすい漢字（「冷」と「冷」な
ど）を取り上げ、注意喚起をしました。特に活字体と筆記
体の違いについては、知らなかったという反応がかなりあ
りました。最近では日本人でも手書きで漢字を書く機会は
減ってはいますが、大学では試験や授業中のリアクション
ペーパーなど、手書きで漢字を書かなければいけない場面
がまだあります。そのため、このような字体の違いに気付
くというのは彼らにとって必要なことで、今後漢字を書
き、習得していく際に字体についても意識を向けさせるよ
い機会になったのではないかと思います。

4 おわりに

　漢字学習は日常生活に使われる一般語彙を中心に学ぶのが普通ですが、大学での学びに必要な学術的な文脈に頻出する漢字や専門語彙に使われている漢字に重点を置いて、学習を進めることによって漢字学習に対する動機付けが高まるのではないかと考え、本実践を行いました。

　また、その前提として、専門語彙に使われている漢字を明らかにし、どれだけの漢字を習得すれば、専門語彙の習得に困らないかを示すことが重要だと考え、数学と物理の専門語彙に使われている漢字の調査を行いました。

　苦手であっても、日本語で専門の教育を受ける場合、漢字から逃れることはできません。幸い、韓国語母語話者は母語を有効に活用して、漢字・漢語の理解を進めることができます。今後も、漢字の習得に有効な学習方法を考えていきたいと思います。

表6 「数学語彙表」に使用されている漢字

レベル	漢字
初級 （108字）	子、上、甲、下、左、右、明、一、二、三、四、五、六、八、十、円、黄、水、金、 行、帰、始、終、強、族、母、主、内、事、学、時、分、間、半、方、食、何、音、 写、真、立、座、待、度、本、字、発、大、小、高、多、少、正、長、短、重、弱、 元、有、同、切、利、不、意、計、和、代、持、引、特、別、集、開、閉、物、場、 図、近、部、広、界、外、道、区、体、足、心、乗、降、自、転、動、通、入、出、 番、号、台、回、作、知、題、試、合、理、用、空、全
中級 （188字）	級、予、定、表、復、初、第、組、解、次、線、最、例、形、変、式、直、記、点、 数、余、速、単、狭、球、化、象、向、像、介、的、結、独、配、箱、折、続、割、 曲、増、減、片、交、差、役、公、角、符、算、面、換、側、付、常、非、階、準、 求、固、量、等、包、巻、示、成、信、列、移、除、能、接、補、放、囲、似、末、 誤、連、束、底、張、格、様、順、平、返、頂、相、商、法、無、確、収、領、布、 値、央、両、関、査、性、効、飛、然、想、未、整、係、捨、置、挟、任、導、可、 要、必、類、簡、期、限、進、葉、対、絶、程、加、指、約、命、共、調、実、否、 基、則、規、論、幅、横、境、逆、率、比、較、均、傾、件、条、仮、倍、環、判、 背、積、虫、群、根、返、散、含、域、星、周、極、裏、測、零、展、原、因、反、 位、優、頼、負、団、型、標、複、純、般、完、柱、被、乱、律、総、互
上級 （76字）	証、偽、抽、属、義、偶、離、納、桁、項、概、析、盤、系、従、称、振、虚、推、 既、括、為、掛、弓、扇、跡、殊、端、鉛、縦、距、鋭、鈍、仰、峰、臓、循、剰、 偏、陰、樹、垂、範、瞬、密、傍、累、劣、径、弦、幾、素、微、双、繁、昇、頻、 覆、排、斜、恒、媒、単、撃、矛、盾、弧、序、軌、懸、錯、軸、焦、奇、渦、漸
採用外 （2字）	凸、凹
常用外 （11字）	俯、錐、楕、鳩、菱、又、巾、謬、螺、篩、芒

注：□で囲んだ漢字は数学と物理に共通して使われている漢字である。

第3部　理工系留学生に必要なアカデミック日本語教育の必要性

表7 「物理学用語集」に使用されている漢字

レベル	漢字
初級 （93字）	子、車、申、下、一、二、三、万、円、黒、火、水、行、帰、起、強、主、内、仕、事、生、学、時、分、間、半、方、花、真、立、座、度、送、本、発、大、高、正、長、短、重、元、気、有、同、親、利、不、質、問、計、池、和、引、特、開、閉、遠、物、場、図、近、地、界、外、国、道、区、所、体、目、力、心、乗、止、電、直、転、動、運、入、出、回、作、業、題、験、合、理、用、空、全、説
中級 （194字）	定、表、復、初、欠、板、解、消、次、線、当、形、変、式、直、点、数、速、遅、単、静、温、熱、球、化、象、石、由、管、向、像、留、的、結、配、器、果、落、並、折、続、流、渡、曲、過、増、減、残、交、差、公、容、角、算、面、換、路、受、付、常、非、階、準、固、量、等、成、存、保、列、移、能、接、娘、経、伝、慣、干、久、連、束、底、張、迎、得、状、格、様、平、御、相、法、達、超、無、収、領、布、値、際、到、荷、関、検、機、性、効、羽、永、突、感、想、整、係、現、断、触、置、担、導、在、可、簡、期、限、進、価、対、絶、程、歴、加、浴、指、命、共、調、実、構、基、則、論、幅、横、境、逆、率、比、均、傾、仮、環、吸、帯、節、蒸、浮、積、液、根、針、散、種、皮、鳴、域、星、陽、周、極、光、測、圧、並、捕、原、因、反、位、秒、負、失、型、標、制、層、造、完、損、乱、応、総、放、互
上級 （93字）	影、態、旋、離、履、折、系、称、護、振、励、融、揚、漏、疎、滑、統、臨、射、岐、源、鎖、還、跡、衰、唯、剛、端、弾、縦、釣、距、腹、循、抗、剰、偏、寿、陰、縮、粘、模、甚、縛、陥、密、衝、搬、隔、衡、摩、擦、跳、網、径、潜、屈、素、微、双、壊、透、核、獲、緩、斜、滴、鏡、蓄、殻、裂、恒、媒、誘、撃、勾、磁、軌、己、塑、渉、縁、軸、崩、飽、孤、惑、粒、渦、抵、斥、膨、躍
採用外 （1字）	孔
常用外 （3字）	閾、縞、歪

注：□で囲んだ漢字は数学と物理に共通して使われている漢字である。

注　　　　　［1］2020年8月31日現在、未公開です。内容については佐々木・長谷川（2020）をご参照ください。

［2］内容については畝田谷（2013）を参照してください。

［3］今回は出現する漢字に注目し、「読み」については検討していません。

［4］佐藤・佐々木（2014・2017・2018）のレベル分けを適用し、「初級」「中級」「上級」としています。改訂常用漢字表内で、佐藤・佐々木（2018）に採用されていない漢字を「採用外」、改定常用漢字表外の漢字を「常用外」としています。また、該当する漢字が配置されているレベルで示しており、数学語彙で用いられている「読み」を学習しているわけではありません。例えば、「仰角」で用いられている「仰」は上級の漢字で、読みとしては「コウ」「あおぐ」を学びますが、「ギョウ」は学びません。しかし、文字を上級で学ぶため、上級に分類しています。

［5］詳細については、第2章をご参照ください。

［6］韓国語の専門語彙における日本語の影響について、金（2005: 124）では、「韓国・朝鮮語の専門用語にいわゆる日本語式の用語が多いのは、近代の文明と科学技術の多数が日本を経由して朝鮮に入ったため、専門用語の多くが日本の専門語彙の影響を受けたのであり、これらの専門用語は普通の生活用語より代替用語が見つかりにくいため、長い期間そのまま使われている」とあります。成（2012）や宋（2014）なども韓国語の専門語彙における日本語の影響について言及しています。

［7］D. Halliday, R. Resnick, J. Walker 著（慶尚大学校ほか6大学物理学科訳）（2015）『일반물리학』改定7版, 第1巻, p.21.

［8］延べ語数：157語、日本語と同じ漢字を使用する漢語の延べ語数：80語。

［9］韓国での前半期予備教育では、日本語能力によって六つの班に分けられており、1班が日本語能力の最も低いグループで、6班が日本語能力の最も高いグループです。ただし、教育参画のクラスは時間割編成の都合上、1班と2班で1組、3班と4班で2組、5班と6班で3組の合同クラスにより授業を実施しました（太田ほか2018）。本章では1組を下位クラス、2組を中位クラス、3組を上位クラスとしています。

［10］例に挙げている語は3回の実践において正しく読めた学生が少なかった語1位〜3位に含まれているものです。

［11］2016年当時、インターネット上に公開されていたものをダウンロードし、使用しました。現在は公開されていません。

参考文献　　　D. Halliday, R. Resnick, J. Walker 著（慶尚大学校ほか6大学物理学科訳）（2015）『일반물리학』改定7版, 第1巻, 범한서적

畝田谷桂子（2013）「日韓共同理工系学部留学生のための日・韓・英物理関連用語集（2013版）─意味推論の難易度による語分類の試み」『鹿

児島大学留学生センター紀要（Web版）』1, pp.1–7.

太田亨・門倉正美・菊池和徳（2008）「日韓プログラム「通年予備教育カリキュラム」のための前半期予備教育シラバス試案検証へ向けた「教育参画」実践について」『金沢大学留学生センター紀要』12, pp.9–23.

太田亨・佐藤尚子・藤田清士・金蘭美（2018）「専門教科（物理）と漢字のコラボレーション授業—物理の文脈を利用した漢字と専門語彙の教育・学習の必要性を考える」『金沢大学留学生センター紀要』21, pp.1–14

太田亨・佐藤尚子・藤田清士・金蘭美（2019）「専門科目（物理）と漢字のコラボレーション授業—物理の文脈を利用した漢字と専門語彙・表現学習の重要性」『金沢大学国際機構紀要』1, pp.1–14.

太田亨・佐藤尚子・藤田清士・金蘭美（2020）「専門科目（物理）と漢字のコラボレーション授業：物理の文脈を利用した漢字学習の有効性」『金沢大学国際機構紀要』1, pp.1–17.

金光林（2005）「近現代の中国語、韓国・朝鮮語における日本語の影響—日本の漢字語の移入を中心に」『新潟産業大学人文学部紀要』17, pp.111–128.

佐々木良造・長谷川貴之（2020）「数学カリキュラムから見た専門教育・専門日本語教育の前提の見直しの必要性—マレーシアと日本の後期中等教育数学教科書の比較対照分析を通じて」『静岡大学国際連携推進機構紀要』2, pp.1–16.

佐藤尚子・佐々木仁子（2014）『留学生のための漢字の教科書初級300［改訂版］』国書刊行会

佐藤尚子・佐々木仁子（2017）『留学生のための漢字の教科書中級700［改訂版］』国書刊行会

佐藤尚子・佐々木仁子（2018）『留学生のための漢字の教科書上級1000［改訂版］』国書刊行会

成明珍（2012）「日中韓三国の化学専門用語について—漢字・漢語使用上の特徴を中心に」『早稲田日本語研究』21, pp.51–62.

宋永彬（2014）「韓国語における専門用語の平易化の試み—医学と物理学」『日本語学』33(3), pp.44–57.　明治書院

松下達彦（2011）「日本語の学術共通語彙（アカデミック・ワード）の抽出と妥当性の検証」『2011年度日本語 教育学会春季大会予稿集』pp.244–249.

松下達彦（2016）「第三章 コーパス出現頻度から見た語彙シラバス」『ニーズを踏まえた語彙シラバス』（森篤嗣（著））pp.53–77.　くろしお出版

第8章

理工系留学生に求められる日本語による論理的思考力

太田亨・菊池和徳

1 はじめに

　　日本の大学の理工系学部へ入学する留学生にとって、数学科目の履修は必須と言えます。大学により科目の内容や名称の違いは見られますが、ベクトルと行列に関係する「線形代数学」、微積分から発展した「解析学」の2科目の履修は、特に欠かすことができません。

　　これらを履修するに当たっては、「和文」（日本語の文章）と「数文」（数式と論理記号、どちらも新井2009による）を交えた「推論を行う」ことが随所で求められます。また推論の過程においては、「論理的」に記述しなければならないわけですが、その際の基礎となるのが、次節で述べる「論理的思考力」です。本章では、そうした論理的思考力の養成が理工系の学生にとっていかに重要か[1]、ということについて述べていきたいと思います。

2 「論理的思考力」とは何か

　　理工系の留学生に論証問題を解かせると、世界共通である数文や公式を羅列したり、図を描くだけであったり、あるいは和文で記述するにしても1文で終わってしまうような解答が散見されます。例えば、設問「公園に子供たちが

139

集まっています。男の子も女の子もいます。よく観察すると、帽子をかぶっていない子供は女の子です。そして、スニーカーを履いている男の子は一人もいません、という報告から、（1）男の子はみんな帽子をかぶっている、（2）帽子をかぶっている女の子はいない、（3）帽子をかぶっていて、しかもスニーカーを履いている子供は一人もいない、という3つの命題の真偽と、そのように判断した理由をそれぞれ問う。」[2]（以下、「大学基本調査問題」）に対して、日韓共同理工系学部留学生事業（太田・酒勾2022）で渡日する直前の韓国人予備教育学生の書いた解答例が図1です。

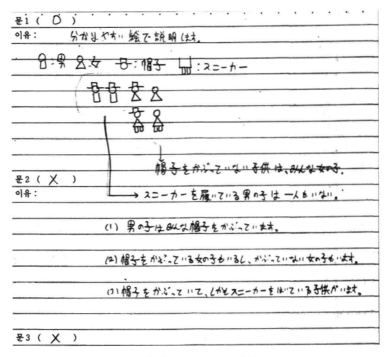

図1　韓国人予備教育学生の解答例

「分かりやすい絵で説明します。」という、出だしの発想自体はよいのですが、絵についての説明がないだけでな

く、和文による説明文と絵の間にも、また判断の理由と絵の間にも説明がまったくないため、それらの接続関係が読み取りにくくなっています。さらに、説明文の並べ方にも工夫がないことから、このままでは論証というよりは単なるメモ書き程度にしかなりません。

　通常の和文のみの文章にとって、文と文、段落と段落をつなぐのに、接続詞や指示詞のような接続表現が必要なのと同様に、論証における数文と数文、和文と数文・図などの間にも、それらがどのようにつながっていくかを示すために、和文表現を挟むことが必要不可欠なのです。

　本章では、太田・菊池（2019: 45）にもとづいて、「和文と数文を交えた論証や計算を、理工系留学生自身が自力で精確に読み解き、かつ表現できる力」を、彼ら・彼女らにとっての「論理的思考力」と定義し、そのような思考力を養成する過程で、図式によって状況の全体像を視覚化し、一義的に把握する力の養成もあわせて必要であることを、実例を通して示していきたいと思います。

3 ｜ 和文・数文・図式間の「同値性」

3.1 「和文 ↔ 数文 ↔ 図式」

　論証問題を解く過程では、論理的思考力によって和文と数文を交えた推論や計算を行うことになるわけですが、ある数文を同じ意味内容の「同値な」和文で表現することは可能ですし（数文和訳）、反対に和文で書かれた命題を数文で書くことも可能です（和文数訳、どちらも新井2009）。例えば次の表1は、大学基本調査問題における、3つの基本的な性質や状態、前提条件1〜4（報告部分）、命題（1）〜（3）をそれぞれ和文数訳したものです[3]。

表1　大学基本調査問題の内容を和文数訳したもの

	「子どもたちの性質や状態」に関する和文	数文
和文 1/1 の否定	男の子である。／ 女の子である。 （＝男の子ではない。）	B/¬B
和文 1/1 の否定	帽子をかぶっている。／帽子をかぶっていない。	C/¬C
和文 1/1 の否定	スニーカーを履いている。／ スニーカーを履いていない。	S/¬S
前提条件1 [a]	公園に子供たちが集まっています。	$\{B \vee (¬B)\} \neq \phi$
前提条件2 [b]	男の子も女の子もいます。	$(\{B\} \neq \phi) \vee (\{¬B\}) \neq \phi)$
前提条件3 [c]	帽子をかぶっていない子供は女の子です。	$¬C \rightarrow ¬B$
前提条件4 [d]	スニーカーを履いている男の子は 一人もいません。	$S \rightarrow ¬B$
命題（1）[1]	男の子はみんな帽子をかぶっている。	$B \rightarrow C$
命題（2）[2]	帽子をかぶっている女の子はいない。	$C \rightarrow ¬(¬B)[\leftrightarrow (C \rightarrow B)]$
命題（3）[3]	帽子をかぶっていて、しかもスニーカーを履いている子供は一人もいない。	$¬(C \wedge S)[\leftrightarrow (C \rightarrow ¬S)]$

　同値な関係性、すなわち「同値性」は数文間ではよく見られます。例えば、次の表1の命題（2）の数文「C→¬(¬B)」は「¬(¬B)」が二重否定であることから、「C→B」という同値な数文に容易に変換することができます（野矢2006a: 58-60）。これを数文和訳すると、「帽子をかぶっている子供はすべて男の子である。」となりますが、今度は命題（2）の和文「帽子をかぶっている女の子はいない。」と同値な関係にあることが分かります。つまり、同値性は数文間、和文間、そして和文と数文の間に成り立つのです。

　さらにこれらに加えて、同値性は命題を図式化したものとの間にも成立します。そのような図式の中で最もよく知られているのは、集合で用いられるベン図やオイラー図式でしょう。例えば、次の図2は、部分集合（PとQ）の数nが2の場合のベン図（左図）と、それと同値な関係にあるオイラー図式（右図）です。

　ベン図もオイラー図式もそれぞれ特長があります。図2

「P→Q」

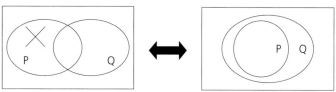

図2 n=2の場合のベン図とオイラー図式

　左図のベン図では、「P→Q」（PならばQ）という関係が、Pのうち Q と重なった中央の紡錘形の部分しか可能性がないため、左隣の P だけの部分に×印をつけて表すことができます。ですが、n が大きくなって部分集合の囲みが増えると、図が描きにくくなるという難点があります。その一方、オイラー図式は、部分集合の間にきれいな包含関係があるときなどに威力を発揮します。例えば、図2右図のオイラー図式は、「P である部分が、Q である部分に包まれる」という包含関係が「P→Q」を表します。

　次に、これらと同値な関係にある図式として、太田・菊池（2019: 47）で詳述した「奴豆腐」（大西・菊池2009）を紹介しましょう（図3）。奴豆腐とは、論理演算と同等の図式のことです。部分集合がn個（nは自然数）のベン図を、nが偶数の場合には正方形の表1個、nが奇数の場合には正方形の表2個分の形にし、2^n個のマス目に分割して、全体を俯瞰的に視覚化して効率的に示したものです。図3の左図はn=2の場合、右図はn=3の場合の奴豆腐を表します。

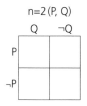

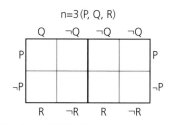

図3 n=2とn=3の場合の「奴豆腐」

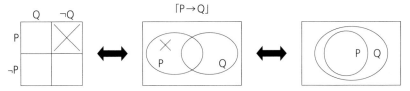

図4 n=2の場合の奴豆腐、ベン図、オイラー図式

ベン図では、部分集合の数が増えると描きにくくなると先ほど言いましたが、奴豆腐ならnが大きくなって豆腐の2等分割がいくら増えても、すっきりと描きやすいという特長があります。

　また、奴豆腐を使って図2の「P→Q」（PならばQ）と同値な関係を表したものが図4です。図4の左図は、「Pという上の2マスだけに注目してみるならば、Qという左上のマスしか可能性はなく、¬Q（Qでない）という右上のマスの可能性はない」という意味で、これを右上のマスの中に×印をつけることで表します。

　これら奴豆腐などの図式が優れているのは、どの図式も同値な数文をただ1つの図で表すことができるという点です。例えば、図4の右図のオイラー図式を、「P→Q」の場合の逆方向である、外側から内側へとながめれば、「¬Q→¬P」（QでないならばPでない）と解釈することができます。これは、「P→Q」の対偶関係に当たる、「Qでない部分がPでない部分に包まれる」と同値な包含関係とも読み取ることができるのです。

　これらの事実から、奴豆腐などの図式に対する直観的な理解のしやすさは、数文とは比べものにならない、と言うことができるでしょう。なぜなら、奴豆腐などの図式では同値な図がただ1つに決まるのに対して、数文は和文による命題よりは簡潔に表現できますが、それでもかなり多くの同値な表現形式が存在しえるからです[4]。

3.2 大学基本調査問題をオイラー図式的に読み解く

表1では、大学基本調査問題の和文を数訳して表しました。それでは、今度はそれらの数文を同値となる図式で表してみたいと思います。

次の図5の上図[E]は、大学基本調査問題の前提条件となる4つの報告文をまとめて表した奴豆腐です。それに対して、図5の下図[1]〜[3]は、問題文の命題（1）〜（3）を表す数文[1]〜[3]（表1も参照）と、それぞれに対応する奴豆腐です。

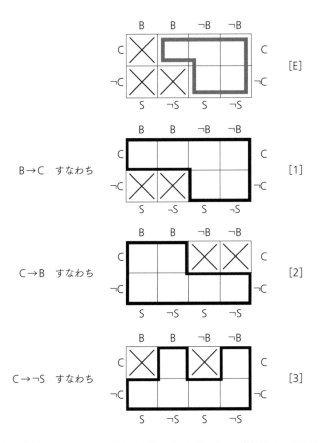

図5　大学基本調査問題の前提条件を表す奴豆腐、命題（1）〜（3）を表す数文と奴豆腐

そして、これらの関係をオイラー図式的に重ねて見たものが、続く図6です。同図で、報告文の奴豆腐の白マス全体が、問題文の奴豆腐の白マス全体にすっぽり包まれるような包含関係があれば、報告文から問題文が導出されるということで、つまり答えは「真」となります。逆に、そのような包含関係がなければ、報告文から問題文は導き出せないということになり、つまり答えは「偽」となります。すると、図6の（1）では、包含関係が成立しているの対して、（2）と（3）では、右側の「¬B」（Bでない）側のマス目の中に×印がついている箇所がそれぞれあって、包含関係が成り立ちません。図式によれば、このような関係がひと目で分かるのです。

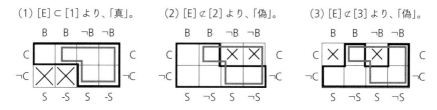

図5の奴豆腐をオイラー図式的に見ることにより、以下の解答を得る：

（1）[E]⊂[1]より、「真」。　　（2）[E]⊄[2]より、「偽」。　　（3）[E]⊄[3]より、「偽」。

図6　大学基本調査問題の前提条件と命題（1）〜（3）の包含関係を
オイラー図式的に見た解答[5]

4 ｜ 和文と数文を使って「論証する」

　ここまでで、大学基本調査問題の命題を和文数訳したり、オイラー図式を使って問題の全体像を捉えるということをしてきました。ですが、大学基本調査問題は本来、「3つの命題の真偽と、そのように判断した理由をそれぞれ問う。」というものでした。真偽については、図6によって答えの見通しが立ちましたが、まだ後半の「そのように判断した理由をそれぞれ問う」の部分が残されています。そ

れには、図式による全体像の把握に加えて、真偽とその判断理由を論証することが求められます。そして、論証に欠かせないのが、和文と数文、さらにそれらをつないで接続関係を明確に示すための基礎となる論理的思考力です（本章の第2節を参照）。野矢（2002: 91）の言葉を借りれば、「論理力を伸ばす実によいトレーニングになるのは、人に伝わるように証明を書くということである。そしてその際に、たんに式を羅列するのではなく、作文を書くような感覚で」証明を書くという作業なのです。

3.2の図6では、オイラー図式を使って結論までの過程を確認しながら、数文を経て最終的な解答を導き出しましたが、今度は和文と数文を交えた論証を行って記述していきます。ただし、本章では紙幅の関係上、命題（1）と（2）を中心に扱うことにします[6]。

まず、命題（1）の論証からです。表1により、大学基本調査問題の命題に関する数文はすでに出そろっています。ことに、前提条件3の数文「¬C→¬B」と、命題（1）の数文「B→C」を比べれば、両者が対偶関係にあることがひと目でわかります。論理学を学ぶとすぐに習うことですが、対偶関係にある命題同士は真理値が必ず一致し同値です（野矢2006a: 125–128）。ですからこの場合も、前提条件が成り立つ以上、命題（1）の真理値も「真」と言えます。ですが、これではまだ「論証した」ことにはなりません。図6の奴豆腐をオイラー図式的に見て包含関係があることを視覚的に認識し、前提条件3の数文と命題（1）の数文が対偶関係にあることが分かった上で、さらに図7のように、①～④の4行にわたる記述を行って、初めて「論証した」と言えるのです[7]。

では、次に命題（2）の場合の論証に移ります。この問題の真理値は「偽」であることが、図6の（2）で確認されています。また表1から、命題（2）の数文は「C→¬(¬B)」

① 仮定 [E] = [a] ∧ [b] ∧ [c] ∧ [d] と [E] → [c] より、[c]。
② 対偶 [c] ↔ [1] より、特に [c] → [1]。
③ ①[c] と、②[c] → [1] より、[1]。
④ 以上により、[E] → [1] が示された。

図7　命題（1）が「真」であるという論証解答例

で、これは「C→B」と同値でした。ですが、前提条件1～4の数文をあれこれ変換操作しても、これと同値な数文は導き出せません。また、論理学で言われるように、「C→Bは、前提条件3と「裏」の関係だからとか、命題（2）の数文は命題（1）の数文の「逆」だからといった理由で答えは『偽』になる。」（野矢2006a: 126）とも主張したくなりますが、それでもやはり「論証した」とはまだ言えません。論証にはきちんとした筋道を立てることが大事です。

　では、その筋道とは何でしょうか。それは、図6の（2）のオイラー図式的な見方から分かった「[E]⊄[2]」の関係、つまり数文でいう「¬([E]→[2])」が成り立つことを証明するということです。ここで数文「¬([E]→[2])」を和訳すれば、例えば「[E]であるのに、[2]でないことがある。」となりますが、これは図6の（2）のオイラー図式中の×印がついた2つのマスの存在を指しています。そして、それを論証した解答例が図8です。

　図8の論証ではまず、数文による準備段階「0º：示すべき数文☆の準備」として、数文「¬([E]→[2])」を、同値な「¬★『¬[∀X{(X→[E])→(X→[2])}]』」という全称文の否定の形で表し、ド・モルガンの法則（野矢2006a: 94–98）を使って、存在文「☆『∃Y[(Y→[E])∧{¬(Y→[2])}]』」に変換します（本章注3の⑥・⑦）。次に、「1º：Yの選択」では、図6の（2）で×印をつけた2つのマスのうち左側の1マスを選択して、「Y=(¬B)∧C∧S」と数文で表します。今度は、☆印の存在文中の連言記号「∧」（本章注3の③）で結

148

第3部　理工系留学生に必要なアカデミック日本語教育の必要性

0° 示すべき数文☆の準備

(2) の答は「『[E]ならば[2]』でない」＝「¬『[E]→[2]』」だが、『[E]→[2]』を数文的に表すと

★『∀X{(X→[E])→(X→[2])}』

と同値になる。

したがって、「¬『[E]→[2]』」を示すには「★の否定」＝「¬★」を示せばよい。

「¬★」は

☆「∃Y[(Y→[E])∧{¬(Y→[2])}]」

1° ☆のYの選択

例えば、奴豆腐の右半分の左上のマスをY=(¬B)∧C∧Sとしよう。

2° ☆のY→の[E]の証明

Y=(¬B)∧C∧Sに対し、Y→[E]を示す。

[E]=[c]∧[d]；そして、

[c]={(¬C)→(¬B)}={(C)∨(¬B)}={(¬B)∨(C)}、

[d]={(S)→(¬B)}={(¬S)∨(¬B)}={(¬B)∨(¬S)}；

したがって、

[E]={(¬B)∨(C)}∧{(¬B)∨(¬S)}

を分配して

  ={(¬B)∧(¬B)}∨{(¬B)∧(¬S)}∨{(C)∧(¬B)}∨{(C)∧(¬S)}

1番目の{ }にX∧X=X、3番目の{ }にY∧X=X∧Yを使って、

  =(¬B)∨{(¬B)∧(¬S)}∨{(¬B)∧(C)}∨{(C)∧(¬S)}

2番目3番目の{ }は1番目の(¬B)に吸収されて

=(¬B)∨{(C)∧(¬S)}。

Y=(¬B)∧C∧S→(¬B)、(¬B)→(¬B)∨{(C)∧(¬S)}=[E]より、Y→[E]が示された。

3° ☆の¬（Y→[2]）の証明

①背理法の仮定

Y=(¬B)∧C∧Sに対し、¬(Y→[2])を背理法で示す。

Y=→[2]と仮定する。

②結論1

YとY=(¬B)∧C∧S→(¬B)∧Cから三段論法で(¬B)∧Cが結論される。

③結論2

Yと仮定Y→[2]から三段論法で[2]が結論される。

④矛盾

ところが、後者[2]=¬{(C)∧(¬B)}は前者(¬B)∧Cに矛盾する。

⑤背理法の結論

したがって、Yに対し、①の仮定Y→[2]は成り立たず、その否定¬(Y→[2])が結論される。

4° 結論

以上により、☆＝「¬★」＝「¬『[E]→[2]』」が示された。

図8　大学基本調査問題・命題（2）に対する和文と数文による論証解答例

ばれた数文内容のうち、左項「2°：『Y→[E]』の証明」と、右項「3°：¬(Y→[2])を背理法で示す」の証明過程をそれぞれ示し、最後に2°と3°の両者を合わせるかたちで「4°：結論」が導き出される、ということになります。

　この論証で重要なのは、和文と数文をうまく交えて、推論の流れを明確にしているという点です。例えば0°では、★印の否定の数文をド・モルガンの法則を使って、☆印の数文へと変換する過程で、帰結を導く接続詞「したがって」を挿入し、「『★印の否定の数文』を証明するというのは、『☆印の数文』を証明することだ。」と、より推論が行いやすい、同値な数文☆へと変換し示しています。

　また、数文による変換が最も著しい2°の段階でさえ、「そして」と「したがって」という2つの接続詞を適宜用いたり、数文を変換する際に「1番目の{　}にX∧X＝X、3番目の{　}にY∧X＝X∧Yを使って」といった論理公式の解説を加えたりと、解答の読み手と想定される出題者や採点者にとって、変換操作の意図が分かりやすくなるよう、和文による表現が添えられています。

　このように論証とは、数文だけで表すものではなく、ましてや図だけで済ませてしまうものでもありません。それらの間を円滑にうまくつなぐための和文表現が不可欠なのです[8]。

　本章の第2節で取り上げた韓国人予備教育学生の答案（図1）を、「単なるメモ書き程度にしかならない」と評したのは、「分かりやすい絵」を描いたという点で、本章の図5のような奴豆腐へとつながる可能性は見られたものの、絵から矢印を引いて示された単文の和文が、答案上に無造作に配置されているだけで、絵とその説明の和文、そして判断の理由の和文の接続関係がまったく示されないまま、完全に読み手任せのかたちになっていたからなのです。

5 | おわりに
――論理的思考力をどう養成するか、
理系／文系を越えた「論理的思考力」を目指して

5.1 論理的思考力をどう養成するか

　冒頭の第1節で述べたように、数学科目では和文と数文を交えた論証を行うことが求められます。そしてそのような例の1つとして、図8の論証解答例を紹介しました。論証の過程では、いきなり数文の変換や背理法による論証（2° と 3°）を始めるのではなく、まず図6の（2）のように命題の真偽を図式で確認し、そこから得られた論証への全体像を利用しつつ、「前提[E]が[2]に含まれない」という結論を導き出すため、それと同値となる存在文の数文☆『∃Y[(Y→[E])∧{¬(Y→[2])}]』を準備しました。そしてYの例として、図6の（2）で×印をつけた2つのマスのうちの1つである「(¬B)∧C∧S」を選択して、2° と 3° の部分的な証明過程へと進んでいき、最後に 4° の結論を示しました。

　このように数学では、①前提と結論の全体像を図式等を利用し把握してから、②前提から結論へ至るルートを図式と数文を使って1つ発見したら、③前提から結論へと向かって段階を追って推論を行っていき、最後に、④そのルートにより前提から結論が証明された（結論へと到達した）ことを宣言する、という過程をたどることが分かります。

　野矢（2002: 86）は、「結論に至るもっとも論理的な叙述法の一例は、数学の証明だろう」と評していますが、同時に「論理力というのは、思考によって獲得したものをきっちりと表現する力であり、そして表現されたそれを理解する力なのである」（p.87）とも述べています。これは、本章の第2節で定義した論理的思考力とほぼ同等の内容を述べたものと見ることができますし、村岡（2014: 95）で定義される「論文スキーマ」[9] にも通じるところがありま

す。そして、そのような論理的思考力とは「一朝一夕に身につくものではない」（太田・菊池2019: 50）のであって、論文スキーマもまた、「意識的にトレーニング的な学習活動を継続することで、ライティングの経験を蓄積し、徐々に論文スキーマを形成することが期待される」（村岡2014: 96）のです。つまり、どちらも放っておいて自然に身につくような力ではなく、トレーニングを通じてしか獲得できないものと言えるでしょう。野矢（2002: 91）の言葉を再度借りるならば、「論理力を伸ばす実によいトレーニングになるのは、人に伝わるように証明を書くということである。そしてその際に、たんに式を羅列するのではなく、作文を書くような感覚で」証明を書いていくよりほかに方法はないのです。

5.2　理系と文系の枠を越えた「論理的思考力」へ向けて

　5.1で述べた、数学の論証がたどる4つの過程はまた、「論理的とは何か」を扱ったより一般的な定義（広義の「論理」）にも合致していると言えます。例えば、道田（2004: 6）は、「「論理的」の基本形」として、「前提から、必然的に結論が導き出されていること」という定義を与えていますが[10]、これは上の②から④の過程に相当します。また、同じく道田（2004: 5-6）が引用し解説する、野矢（2001: 69-70）の「計算は一本道だ。（中略）論理もやっぱり一本道だ。」での「一本道」は、より形式論理に近い意味で捉えられていて（狭義の「論理」）、「（前件肯定[11]）は誰にとっても正しい推論であり、この図式にのっとれば誰でも同じ結論に達します。」と述べられています。これもまた、数学で言われる上の②から④までのすべての過程を含んでいると言えるでしょう。

　このような「広義」の論理と「狭義」の論理という分類は、「論理」を扱った教科書でも同様の区別がなされてい

ます。例えば、野矢（2006b: 3-13）では、「狭義」の論理は「演繹」、つまり形式論理であるの対して、「広義」の論理のほうは「言葉と言葉の関係」であるとして、「さまざまな文や主張のまとまりが、たんに矛盾していないというだけでなく、一貫しており、有機的に組み立てられていることを意味している」（p.7）と述べられています。ここで言う「一貫しており」は、同じ著者の別の著書（野矢2001:70）で、「一本道」と呼ばれていたものに相当すると見ることができます。

　本章の第4節で見てきたとおり、数学の論証とは「狭義」の論理に沿ったものでしたから、「広義」の論理の内容の基本は含まれています。ですから、数学の論証を和文と数文を使ってきちんと書いていけば、少なくとも論理の「一本道」をたどっていくことはできるはずです。あとは、和文と数文、和文同士や数文同士をつなげる「言葉と言葉の関係」を表す言葉、つまり接続詞や指示詞などを適切に使ってそれらの接続関係をきちんと表現できるか、にかかっていると言えます。

　そのためには、論理を数学だけの問題として捉えるのではなく、日本語をはじめとした言語の課題としても取り上げた上で、さらに理系だとか文系だとかの枠を越えた扱いをしていくことが必要なのではないでしょうか。その点を哲学者の野矢茂樹さんは日本人向けに国語の問題として取り上げていますが、国語を留学生向けの日本語や、さらに英語や他の言語へと置き換えていけば、数学と自然言語一般の問題としても捉えることが可能です。最後に、その一節を引用して本章を終えたいと思います。

　　（前略）論理はもっと庶民的な力である。訓練をすれば鍛えることができる。中学・高校、そして大学の教養教育において、もっと論理的な読み書き能力をトレー

ニングするような授業を組み立ていかなければいけない。そしてそれはもはや数学だけの問題ではない。そもそも論理というのが文系とか理系といった枠に収まらないものなのである。少なくとも、国語と数学は論理という点において共通の目標を見出し、なんらかの相互浸透を試みるべきだろう。　　　　（野矢2002: 91-92)

注

［1］本来はどの専門分野にとっても重要と言えます。

［2］日本数学会教育委員会（2013）「大学数学基本調査」問1-2（https://mathsoc.jp/publication/tushin/1801/chousa-houkoku.pdf）を調整して、追加作問したもの。

［3］表1をはじめ、本章で用いる論理記号は次の7種類です。①否定：¬A（Aでない）、②連言：A∧B（AかつB）、③選言：A∨B（AまたはB）、④包含：A→B（AならばB）、⑤同値：A↔B（AはBと同値である）、⑥存在：∃x(…)（…を満たすxが存在する）、⑦全称：∀x(…)（すべてのxについて…）。また、表1の数文中の「≠ ∅」は、「空集合でない」ことを表しています。

［4］例えば「P→Q」と同値な数文は、「命題1→命題2」型だけに限定しても、対偶命題の「¬Q→¬P」をはじめとして、「(P∨¬P)→(¬P∨Q)」、「(P∨Q)→Q」、「(¬P∨¬Q)→¬P」など、計8種類存在します。

［5］図6中に現れる記号「⊂」は、「A⊂B」↔「集合Aは集合Bに含まれる」を表し、記号「⊄」は、「A⊄B」↔「集合Aは集合Bに含まれない」という関係を表します。

［6］命題（3）の論証過程は命題（2）の場合とほぼ同様となるため、命題（2）で代表させることにします。

［7］図7で用いられている[E]と[1]は図5のものと同じです。また、[a]〜[d]は表1中の前提条件1〜4に対応しています。

［8］本章は日本に留学する理工系留学生を対象としていることから、「和文」とばかり表してきましたが、本来「英文」をはじめとした、どのような自然言語文にも当てはまることです。

［9］「研究とは何か、論文とは何か」に関する概念知識の総体であり、したがって、研究や論文に関する知識的なものも、論文執筆を含む研究活動における手続き的なものも広く含むものとする（村岡2014: 95)。

［10］道田（2004: 6）はさらに、「作文教育的な言葉で言い換えるならば、次のようになります。
適切な理由にもとづいて主張すること。 重要なのは次の3点です。①明確な結論・主張がある。（説明略)、②明確な証拠・根拠がある。

（同様に略）、③前提と結論が「適切に」結ばれている。（左に同じ）」という主張も加えています。

［**11**］ 1.「雨が降った」ならば「運動会は中止だ」（P→Q）、2.「雨がふった」（P）、3. よって、「運動会は中止だ」（Q）というのは、論理学で「前件肯定」と呼ばれる推論で、論理記号で表すならば、((P→Q)∧P)→Qとなります（道田2004: 5、ただし、道田は「ならば」を論理記号「⊃」で表していたが、ここでは本章で用いる注3の論理記号「→」に替えて引用している）。

参考文献　新井紀子（2009）『数学は言葉』東京図書

太田亨・菊池和徳（2019）「論理的思考力養成を目指した日本語教育と数学教育の連携授業—日韓プログラム予備教育の事例から」『専門日本語教育研究』21, pp.6–7.　専門日本語教育学会

太田亨・酒匂康裕（2023）「日韓共同理工系学部留学生事業（日韓プログラム）20年の歩み—予備教育を中心に」本書第2章　ココ出版

大西泰斗・菊池和徳（2009）「えいごとさんすういっしょにわかるリレー連載第10回」『NHKテレビ3ヶ月トピック英会話テキスト』1月号、pp.72–81.

野矢茂樹（2001）『はじめて考えるときのように わかるための哲学的道案内』PHP研究所

野矢茂樹（2002）「ジョン・ロックへ、あるいは論理学の答案の余白に恨み言を書きつけてきた学生へ」『数学の教育をつくろう 数学セミナー増刊』pp.86–92.　日本評論社

野矢茂樹（2006a）『入門！論理学』中公新書

野矢茂樹（2006b）『新版 論理トレーニング』産業図書

道田泰司（2004）「「論理的である」とはどういうことか」『日本語教育ブックレット5 論理的文章作成能力の育成に向けて』pp.1–17.　国立国語研究所

村岡貴子（2014）『専門日本語ライティング教育—論文スキーマに着目して』大阪大学出版会

第9章

理工系留学生のための
アカデミック・ジャパニーズ（AJ）
理系テーマの背景を見抜く力を養おう！

門倉正美

1 はじめに

　大学の学部が「理系」と「文系」に分かれているので、大学進学を準備する時から「理系」か「文系」かをまず決めるのが当然のこととされています。現にこの本も、そしてこの章も「理工系」の留学生のことを主に念頭においています。

　C.P. スノーは1959年に、有名な「二つの文化と科学革命」という講演をケンブリッジ大学で行い、人文学者と自然科学者の間で互いのコミュニケーションが成り立たなくなっていることを鋭く指摘し、批判しました[1]。それから60年以上がたち、ようやく一部の大学で「文理融合」を謳う学部も創設されるようになりましたが、「理系」と「文系」という「二つの文化」の間の亀裂を架橋する動きはあいかわらず少数派にとどまっているようです。

　しかし、実際の社会で起こる問題は、新型コロナのパンデミックな感染状況においても明らかなように、「理系」、「文系」と区切られているわけではありません。コロナ禍では、ウィルスという「理系」の対象が経済・社会・政治・労働・移動・コミュニケーション[2]という「文系」の現象に対して、第二次大戦以来最大の影響を及ぼしているのです。こうしたことは、科学技術が産業に大きな影響

を及ぼすようになった産業革命以来、いたるところで見られる事態です。そこで、近年では原子力、バイオテクノロジー、AIなどの科学技術が社会に及ぼす甚大で広範な影響について、「理系」、「文系」の枠を越えた考察がなされるようになっています[3]。

　この点を考えると、「理工系」の留学生も決して「理系」分野の学習に集中していればよいということにはなりません。本章では、「理系」の枠を越えた「教養」の世界へと誘う通路として日本語学習を捉え直します。大学で日本語を学ぶ目的は、「アカデミック・ジャパニーズ（日本の大学で学ぶために必要な日本語力：以下、AJと略します）」を身につけるためです。そして、「日本の大学で日本語を通じて学ぶ」ことができるようになるには、「理系」の枠を越えた「教養」の世界を、日本語を媒介にして形成する必要があるのです。

2 ｜ 科学はコミュニケーションである

　日本語学習が「理系」の枠を越えた「教養」の世界への通路となりうるのは、日本語学習が根本的に「世界を受信し、自己を発信する」ための「コミュニケーション」能力を身につけるためのものだからです。

　そもそも近代科学は、「世界を受信し、自己を発信する」コミュニケーションを求めるところから始まりました。中世からルネサンス期のヨーロッパでは、地動説を唱えたガリレオに対する宗教裁判が端的に表しているように、キリスト教の権威の下で自由な研究活動は抑圧されていました。そうした保守的な統制に反発した知識人が個々に集まって行った情報交換の場が、学会の起源なのです。最も初期の自然科学分野の学会は、1660年に設立されたイギリスの王立協会であり、ニュートンを始め、第一線級の科学

者が集結しました。

　こうした学会の起源は、科学者が互いの研究内容について自由にコミュニケーションを交わして、科学者コミュニティとしてメンバーの成果を共有するという伝統として受け継がれてきました。すべての研究活動は、研究仲間とのコミュニケーションにおいて評価を受ける必要があるのです。

　科学的な発見や知見が蓄積して後の世代に引き継がれるためには、そうした発見や知見が論文、報告書、資料等の形、つまり言葉によって記録されていなければなりません。したがって、科学者コミュニティにおけるコミュニケーションの中核をなしているのは、当然のことですが、「書く・話す・読む・聞く」という言語活動です。

　この点は、理系留学生の学習や研究室活動においても日常的に確認できます。実験レポート、フィールドノート、先行研究の読解、研究内容のプレゼンテーション、指導教員のゼミでの議論、講義や講演の聞き取り、卒業研究論文など、さまざまな局面で「書く・話す・読む・聞く」という言語活動が頻繁に行われているのです。

　日本の受験文化の中では、「理系」を志望するのは「国語（「日本語」のことを日本では「国語」と呼んでいます）」が苦手だから、また、「文系」を志望するのは数学が苦手だからというネガティブな意識での選択がなされることがよくあります。

　しかし、これまで見たように、科学が根本的にコミュニケーションに根づいたものであるならば、理系留学生は「日本語の読み書き」が苦手だといって済ますわけにはいかないでしょう。少なくとも、科学コミュニケーションに必要な「書く・話す・読む・聞く」日本語力を養っていかねばなりません。以下、第3節で科学コミュニケーションに必要な「書く・話す」力について、また、第4節で「読

む・聞く」力について、できるだけ「日本語を媒介とした教養」に開かれるような観点から説明していきます。

その前に、「科学がコミュニケーションである」ということの、もう一つの含意について見ておきましょう。先に述べたように、コミュニケーションの土台は「世界を受信し、自己を発信する」ところにあります。世界で初めて人工雪の製作に成功した実験物理学者の中谷宇吉郎は、科学者の探究の初心が「世界からの受信」であることをこう言い表しています。「雪の結晶は天から送られた手紙であるということができる。そしてその中の文句は結晶の形および模様という暗号で書かれているのである」(『雪』岩波文庫[4])。

『沈黙の春』で殺虫剤DDTの害毒への注意を世界に喚起したレイチェル・カーソンは、姪の幼い息子といっしょに海辺や森の中を探索し、共に「センス・オブ・ワンダー (sense of wonder：自然界の神秘さや不思議さに目を見はる感性)」を享受しました。そして、子どもが生まれつきもっている「センス・オブ・ワンダー」が生涯消えることがないよう「善良な妖精に願って」います[5]。

カーソンの言う「センス・オブ・ワンダー」こそが、「世界を受信する」科学する心の原点ではないでしょうか。

3 ｜ 理系AJの発信（書く・話す）

3.1　書く（キーブック：木下是雄『理科系の作文技術』）

実験レポート、テストの答案、調査報告、研究計画書、研究論文など、理系の学習においても書く機会はかなりあります。こうした理系の文書を書く際に注意しなければならない点を必要十分な形で、見事に説得力をもって提示したのが、木下是雄『理科系の作文技術』（中公新書）です。1981年に初版が刊行され、現在までに100万部以上も売れているベストセラー本となっているのは、この本の内容

がいかに理系アカデミズムで支持されてきたかを表しています。いや、初版刊行の際に、作家の井上ひさしが新聞の書評欄で、理系にとどまらず文章作成一般に通じるポイントを的確に表現していると絶賛したように、文系の人たちや一般読者にも愛読されてきているのです。

　理系留学生にはぜひ自ら味読してほしい必読本ですので、ここでは「事実と意見の区別」、「目標規定文」、「重点先行」、「パラグラフィング」、「簡潔・明瞭」の５点にしぼって紹介しましょう。

　「事実と意見の区別」については、著者の木下は米国の小学生用の言語技術の教科書の記述から受けた「衝撃」を記しています。

　その教科書には、「ジョージ・ワシントンは米国の初代の大統領であった」という文と「ジョージ・ワシントンは米国の最も偉大な大統領であった」という文の「どちらが事実の記述か？　もう一つの文に述べてあるのはどんな意見か？　事実と意見はどう違うか？」と書いてあったのです。

　前者が「事実」、後者が「意見」です。「事実」とは、実験や調査によって、その真偽が判別できる記述であるのに対して、「意見」とは、書き手の推論、判断、見解などを表した記述であり、真偽を判別するというより、同意できるかできないかが規準となります。「意見」については、それが「意見」であることがはっきりと分かるような書き方をしなければなりません。理系の文書では「事実」の真偽を検証することが重要な課題となります。「事実」の記述を読み手が検証（追試）して、その真偽を確認できるということが、自然科学の客観性を保障しているからです。この点を、科学哲学者のポッパーは「反証可能性」と呼び、自然科学の根本的特徴としました。

　テーマをはっきり決めて、自分は何を目標としてその文

章を書くのか、何を主張しようとしているのかを一つの文にまとめたものが「目標規定文」です。「○○について」というように、漠然とテーマを名詞で示したものではなく、文の形で主張を明確に表現していることが重要です。したがって、実験や調査の進展過程で目標規定文が修正されていくこともあるわけです。

「重点先行」とは、まず言いたいこと、結論となることを最初に示すということです。木下は新聞記事のリード文が記事の内容の要点を的確に表現していることを見本としてあげています。論文のアブストラクト（抄録）に端的に表れているように、理系の文書では重要なことを初めに述べることが大切です。重点先行という意味から、例えば、装置や実験法の説明などでも、まず大づかみな説明によって概観を示してから、細部の説明にうつるのです。

「パラグラフィング」は英語による作文の基本です。改行によって文章を区切り、一つのまとまりをなす文の集合をパラグラフ（段落）と言います。パラグラフを一つのまとまりとしているのは、それらの文が全体として一つのトピック（話題）について述べているからです。パラグラフには、トピックを表す文、トピック・センテンスがあり、「重点先行」の原則から多くの場合、第1文がトピック・センテンスとなります。こうしたパラグラフに関するルールを守って書くことをパラグラフィングと言います。

「簡潔」とは、「必要なことは洩れなく書き、必要でないことは一つも書かない」ことであり、「明瞭」とは、あいまいな表現や言い回し、断定を避ける文末表現（「……と思われる、考えられる」など）を使わず、はっきり言い切る姿勢を指しています。

研究計画や企業における企画書などをよくA4用紙1枚にまとめるようにと言われますが、その点は、ここで言われている「目標規定文」、「重点先行」、「簡潔・明瞭」の原

則が理系分野に限らず広くゆきわたっている証拠である、と言うことができるでしょう。

　なお、簡潔・明瞭を旨とする木下『理科系の作文技術』の記述は、留学生にとってはちょっと近寄りにくい印象を与える場合もあるかもしれません。そうした場合は、『まんがでわかる　理科系の作文技術』をまず手に取ってみてください。マンガをまじめに読むことはできないといった偏見をもっている人もいるかもしれません。しかし、この本では、新入社員がベテランの上司に「仕事の文書」執筆の手ほどきを受けるというマンガのストーリーに沿って、要所、要所で『理科系の作文技術』のエッセンスがまとめられており、そこから上記のいくつかの要点の趣旨を十分に読み取ることができます。

3.2　話す（キーブック：木下前掲書、アンホルト『理系のための口頭発表術』）

　日常の会話能力ももちろん大事ですが、理系留学生は研究発表などのプレゼンテーション能力を身につける必要があります。木下の『理科系の作文技術』でも「学会講演の要領」として、研究発表のポイントが説明されています。

　口頭発表でも、発表する内容を書いた原稿を準備しなければなりません。これは、決められた時間内に、必要十分な内容を伝えるために必須の作業です。当然、原稿を読み上げるのに何分かかるか（発表時間厳守が、口頭発表の基本ルールです）を事前にリハーサルして確かめておく必要があります。

　発表原稿を書く際の注意点は、初めの部分で発表の要点を述べること（重点先行）、要旨と序論、本論、結論という論理構成をとること、パラグラフに区切って一つのパラグラフでは一つのことだけを述べること（パラグラフィング）など、基本的には作文技術と同様です。

　とはいうものの、あらかじめ原稿を作って、それを読み

上げれば聞き手に理解してもらえるというわけではありません。例えば、「真空中で400℃、2時間の熱処理をした試料の表面に金の電極を蒸着し、……」という、複数の文構造を含む複文は、読めば容易に理解できても、聞いて理解するのはなかなか大変です。木下は、「試料はあらかじめ真空中で400℃、2時間の熱処理をします。その試料の表面に金の電極を蒸着し、……」と単文に分解することをすすめています。また、読むときにはいつでも読み返しができますが、話し言葉はいったん聞き逃すと、聞き返すことはできません。話し言葉では、聞き手の理解の手助けのために、適度な反復が必要なのです。

　このように、「聞いて分かる」ように原稿を書き、聞き手に分かってもらえるように話すのは意外に難しいものなのです。アメリカの大学の理系学部では、口頭発表術がかなり重視されており、すぐれた教科書を使って口頭発表を訓練する授業もあるようです。

　アメリカのそうした教科書の一つである、アンホルト『理系のための口頭発表術』が提起している口頭発表の要点をひろってみましょう。

　「発表は常に、聴衆を念頭において準備しなければならない。発表は聴衆との対話であり、一人芝居ではない」。伝わるように話す、つまり研究発表はコミュニケーションであるというのが基本前提なのです。

　「物語のように語れ！」　難しい注文に思えますが、ここでいう「物語」とは第一には「ただ一つの焦点をもち、唯一の大きなメッセージを伝える」ものという意味です。つまり、木下の言う「目標規定文」が明確であり、そのメッセージを伝える筋道がしっかりしている、ということです。「発表の初めに、大きな〈問い〉を発すること、そしてこの問題を、階層的に並べた副次的な小問題へと分割し、徐々に答えへと迫っていく」と説明されています。

近年の口頭発表では、スライドを使うのが暗黙の前提となっていますが、効果的なスライドの使い方について教わる機会は少ないようです。この点について、木下もアンホルトも、1枚のスライドに大量の情報をつめこむことを戒めています。木下はスライド原稿の行数を「8行以内」とはっきりと制限しており、アンホルトは「1枚のスライドで要点は一つ。図も個々に分けて見せること」とアドバイスしています。

　スライドの見事な使い方といい、プレゼンテーションの迫力や説得力といい、口頭発表のお手本にしたいのは、なんといってもTED（Technology Entertainment Design）のプレゼンテーションです。研究室や研究会での口頭発表をあれほど見事に行う必要はないでしょうが、できれば、少しでも参考になるところを吸収したいものです。TED代表であるアンダーソンによるTED公式ガイド『TED TALKS』でも、「スルーライン（筋道＝目標規定文）」と「物語を語る」ことの大切さが説かれていますが、とりわけ「（発表）原稿を書く」の節の「原稿を暗記するのか、しないのか」をめぐる個々のスピーカーの苦闘のエピソードが参考になると思います。全体を通じて、スピーカーたちがいかに準備に最大限の努力を費やしているかを学びたいところです。

4 ｜ 理系AJの受信（読む・聞く）

4.1　読む（キーブック：西岡壱誠『東大読書』、かこさとし・福岡伸一『ちっちゃな科学』）

　「読む」ことについては、「読み方」と「何を読むか」の両方について入門的な本を紹介します。

　まず「読み方」については、西岡『東大読書』が読み方のポイントをしっかり押さえています。たいへん読みやすく書かれているので、読むのに身構える必要がないのが、

この本のよいところです。筆者が共感したのは、ふつう「読む」ことは受動的なこととされているのに対して、能動的な読み方をすすめている点です。西岡は、「仮説作り」、「取材読み」、「整理読み」、「検証読み」というアクティブな読み方を示しています。

「仮説作り」とは、本の装丁をチェックすることによって、「自分がその本から何を学ぶか目的をはっきりさせる」ということです。本を読むためには、膨大な量の本の中から、まず自分が読みたい本、読むべき本を選ぶプロセスが大事であり、本を選ぶために本の装丁という凝縮された情報を丁寧に読み解かねばならないというわけです。筆者としては、装丁だけでなく、目次も丹念に読むと、さらにその本に関する密度の高い情報を補充することができるので、3分間、目次を集中して読む「3分間目次読み」をおすすめします。

「取材読み」も、能動的な読み方を提示する、すぐれた提案です。本の内容を海綿のように受動的に吸収するのではなく、新聞記者がインタビューして取材するときのように、本の内容に対して質問し、疑問点を追求する姿勢をもとう、というのです。この、質問し、疑問点を追求するという姿勢は、本を読むときだけでなく、理系の学び手にとって必須の「探究」のプロセス全般に通じています。

「整理読み」とは、本の内容を「要約」し、その筋立てから本の展開を「推測」できるようにする読み方です。「要約」とは、いわば本全体の「目標規定文」を言い当てる作業であり、「推測」とは本の論理展開のプロセスを捉えようとすることと言うことができます。

最後の「検証読み」も非常に大事な読み方です。「検証読み」とは、その本と同様のテーマの本を複数同時に読んで、その本の内容の信頼度や重要度を検証する読み方です。この「検証」という作業は、研究論文やレポートにお

ける「先行研究」（自分のテーマと関連する、これまでの研究）
の分析と位置づけの際に必要な、アカデミズムにおける重
要な基礎作業です。さらに広く捉えれば、ともすればフェ
イクニュースや根拠の乏しい誹謗中傷が溢れがちな現代の
メディア環境を生き抜く上でも、「検証読み」に習熟して
おくことは大切です。

　ところで、西岡『東大読書』自体について「取材読み」
しておきたい点があります。それは、この本が「東大生」
を「よい読み手」のモデルとして頻繁に賞賛している点で
す。この記述は十分な実証に裏付けられてはいないので、
「事実」文というより、「意見」文でしょう。この本におけ
る「東大生」という表現は「よい読み手」に置き換えて理
解してください。

　次に、「何を読むか」の入門本として、かこさとし・福
岡伸一『ちっちゃな科学』（中公新書ラクレ）が好適です。
そこでは、理系留学生に親しんでほしい本が精選して紹介
されています。かこは、すぐれた科学絵本を多数描いてい
る絵本作家であり、福岡は生命の「動的平衡」をテーマと
する生物学者です。

　この本に共感するのは、科学の土台として、第2節で言
及した「センス・オブ・ワンダー」（自然界の不思議さに目を
見はる感性）を大切にしている点、「小さな自然」に好奇心
に富んだ目を向けている点、科学絵本や科学読み物に科学
の初心を見ている点です。また、二人の対談で、「理系」
と「文系」の分断をどう捉えるかのアドバイスが示されて
いる点も大いに参考になるでしょう。

　絵本というともっぱら子どものためのものと思いがちで
すが、絵本の中には大人を感動させるものも少なくありま
せん。絵本という視覚表現と文字テキストが複合したメデ
ィアを通じて、理系テーマの背景をなす「教養」世界が開
けてくることも期待できます。理系留学生にはぜひかこさ

としの作品の奥深さにふれてほしいものです。かこの作品は数多くあり、いずれもすぐれていますが、まずはこの本の中で紹介されている『かわ』、『宇宙』、『万里の長城』を地域図書館（残念ながら、大学の図書館では絵本はおいていないと思います）でさがして開いてみてください。かこ以外の絵本としては、バートン『せいめいのれきし』（岩波書店）、マコーレー『新装版 道具と機械の本──てこからコンピューターまで』（岩波書店）、安野光雅『天動説の絵本』（福音館）を、まず手に取ってみてください。

　科学絵本だけでなく、理工系留学生に読んでほしい科学読み物もたくさんあります。滝川洋二編『理科読をはじめよう』（岩波書店）は、「子どものころから科学の本を楽しもう」ということと「大人も科学の本を楽しむ社会にしよう」ということの両方を目指して、「理科読」運動を呼びかけており、読んでみたくなる科学読み物がふんだんに紹介されています。ピアス『だれもが〈科学者〉になれる！』（新評論）は、米国の小学校5年生の理科のクラスで科学読み物や科学絵本を豊富に組み込んだ授業を行ったことを記録した本です。筆者が共訳し、「訳者がすすめる参考文献」として、「地球・宇宙・大気／気象・生きものたちのつながり・自然と人とのかかわり・科学的思考」をテーマとした科学絵本や科学読み物を巻末で紹介しているので、ぜひ参考にしてください。また、ウェブサイト「科学道100冊」（https://kagakudo100.jp/）では、科学読み物が一般編、ジュニア編、各100冊紹介されています。推薦されている本の中で興味を覚えた本にぜひトライしてみてください。さらなる上級編としては、科学技術の最新情報を提供する総合WEBサイト、「サイエンスポータル SciencePortal」（http://scienceportal.jst.go.jp/#）をのぞいてみてください。科学ニュース、コラム、レポート、イベント、科学マガジンダイジェストなどが満載されています。

私のおすすめの科学読み物を 3 冊あげておきましょう。

マイケル・ファラデー (2018)『「ロウソクの科学」が教えてくれること 炎の輝きから科学の真髄に迫る、名講演と実験を図説で』サイエンス・アイ新書：
偉大な化学者ファラデーのクリスマス講演の記録です。ワクワクするような実験を見せながら、「ロウソクはなぜ燃えるのか？」、「ロウソクが燃えている間、何が起こっているのか？」という謎を解き明かしていく中で、化学の基本概念、基本方法がさりげなく提示されています。

ジーン・クレイグヘッド ジョージ (2000)『だれがコックロビンを殺したの?』ゆうエージェンシー：
ある小さな町でのコックロビン（コマドリ）の死は、この町の生態系の異変を示しているのではないだろうか？　中学生たちがコックロビンの死の真相を明らかにしていきます。エコロジカル・ミステリーという領域（日本でこのジャンルの科学読み物が乏しいのが残念です）の傑作です。

畠山重篤 (2011)『鉄は魔法つかい：命と地球をはぐくむ「鉄」物語』小学館：
貝の養殖をしている漁師、畠山は、山に木を植えることで豊かな海を取り戻す、「森は海の恋人」という運動を始め、その運動は日本全国に広がりました。この本では、木が海を豊かにする要因が〈鉄〉であることを解明しています。

4.2　聞く
留学生が大学での「講義を聞く」スキルを身につけるこ

とを支援する日本語のテキストは、残念ですが、ほとんど
ありません。『留学生のためのアカデミック・ジャパニー
ズ—動画で学ぶ大学の講義』（東京外国語大学留学生日本語教
育センター編著）には、10本（その内、理系は2本）の講義動
画とそのスクリプトが載っています。動画はウェブ上で、
無料でアクセスできるので、自宅で試しに視聴してみましょ
う。

　耳慣らしという意味では、講義ではありませんが、
NHKのNEWS　WEBというサイトで、一部のニュースに
ついては、アナウンサーが読み上げるのをスクリプト付き
で聞くことができます。日本社会の動きを知る意味でもぜ
ひアクセスしてみてください。初級者用にスクリプトをや
さしい日本語でリライトし、読み上げ速度も遅くした
NEWS WEB EASYというサイトもあります。

　こうしたNHKニュースに加えてABEMA NEWS[6] や
CNNニュースなど多様なニュースをふりがなつき、音声
読み上げ（しかも、読み上げスピードが調節できます）つきで、
ふんだんに無料で提供しているスマホアプリが、TODAI
Learn Japanese with Newsです。近年、日本語学習者の
読解を支援するスマホアプリがいろいろ出てきています
が、このアプリはぜひ試してほしいものの一つです。日本
語でのニュースにふだんからこまめに接するように心がけ
ることも、理系テーマの背景をなす「教養」世界にふれる
ことにつながります。

　「講義を聞く」テキストはほとんどありませんが、日本
語による実際の講義を聞く機会は近年ウェブ上で、無料で
豊富に提供されるようになりました。（1）巨大なオンラ
イン講義ポータルサイトや、（2）YouTuberによる理系テ
ーマの動画もかなり充実してきていますので、その中でぜ
ひ気に入ったものを見つけてください。

（1）巨大なオンライン講義ポータルサイト

1-1　無料で学べる日本最大のオンライン大学講座

JMOOC（Japan Massive Open Online　Courses：ジェイムーク）　https://www.jmooc.jp/

　東京大学、早稲田大学、放送大学などたくさんの大学や企業が講座を配信しており、単に視聴するだけでなく、登録すれば無料でコースを修了することもできます。理系科目も豊富に取りそろえられており、よりどりみどりです。

1-2　TED日本語　https://digitalcast.jp/ted/

　TED（Technology Entertainment Design）の日本サイトです。「科学と技術」、「自然と生物」、「健康と医学」が理系テーマのジャンルと言えるでしょう。すべての動画に英語と日本語の字幕とスクリプトがついています。洗練された講演内容に加えて、理系の日本語と英語に同時に接することができるというメリットを活かしたいところです。

（2）YouTuberによる理系テーマの動画

2-1　よびのり（予備校のノリで話す）たくみのサイト

https://www.youtube.com/channel/UCqmWJJolqAgjIdLqK3zD1QQ

　私のおすすめは、「1+1=2の証明が難しいって本当？（ペアノの公理）」（19分）、「まだまだ分からないことだらけ！超伝導と磁場の関係【学術対談】」（14分40秒）です。

　「予備校のノリで話す」というキャッチフレーズなので、かなり早口ですが、語り口は明解ですし、キーワードはホワイトボードにスピーディーに板書されます。後者の「学術対談」は、研究室の先輩院生が自分たちの研究テーマについて縦横に語りあっているようで、研究室でのコミュニケーションに慣れる効果もあります。内容はかなり本格的です。本書のテーマとの関連では、「教養としての生物」、「大学と大学院の違い」、「理学部と工学部の違い」も

ぜひ聞いてほしいテーマです。

2-2　ナイスガイ須貝の実験YouTube

https://www.youtube.com/playlist?list=PLeZt4BusM8q7fGll2Q4rUfgVwUVpvsq4V

　私のおすすめは、「メビウスの輪をひねりまくったら予想できない結果に！」（11分29秒）、「ミキサーでお湯が沸くってホント!?」（7分26秒）。2-1のたくみさんと学術対談をしていた須貝さんが小学生向け実験を披露するサイトですが、「メビウスの輪」の最後の「まとめ方」は、理系大学生の実験レポートの基本の手ほどきになっています。

2-3　中田敦彦のYouTube大学

https://www.youtube.com/channel/UCFo4kqllbcQ4nV83WCyraiw/videos?view=0&sort=dd&flow=grid

　とりわけ、「【フェルマーの最終定理】300年前に天才が残した数学界最大の難問」（前編・後編で合わせて1時間くらい）が興味深いです。お笑いコンビ「オリエンタルラジオ」の中田さんが、多種多様なテーマについて膨大な映像を提供している内の1本です。他には、理系のテーマではありませんが、「子供も楽しめて大人の心にも残る絵本4選」、「風の谷のナウシカ1，2」も内容が濃いです。中田さんも早口ですが、説明が丁寧なので、耳が慣れてくれば、楽しめるのではないでしょうか。

5 ｜ まとめ

　科学研究活動の土台はコミュニケーションにあり、コミュニケーションの中核は言語活動です。大学での学びに必要な日本語での「書く・話す・読む・聞く」という4技能

を伸ばしていくための要点についてキーブックをもとに説明しました。

　その際、理系のテーマの背景にひろがる広範な社会的・経済的現象を読み解けるような「教養」を身につけてほしいという観点から、言語技能の育成によって、理系留学生の知的関心が理系の枠を越えて広がっていくような説明を心がけました。

注　　　　[1] この講演は、C.P.スノー『二つの文化と科学革命』という本として公刊され、世界中で大きな反響を引き起こしました。
　　　　　　[2] すぐ後で述べるように、コミュニケーションは実は単に「文系」の現象ではなく、「理系」の研究活動の中核をなすものです。
　　　　　　[3] すでに1970年代から、科学技術と社会の関わりを根本から捉え直そうとする運動であるSTS（Science, Technology and Society）が始まっています。平川秀幸『科学は誰のものか―社会の側から問い直す』は、STSの視点を説得力ある形で展開しています。
　　　　　　[4] 中谷宇吉郎『雪』岩波文庫、p.162.
　　　　　　[5] レイチェル・カーソン『センス・オブ・ワンダー』祐学社、p.21
　　　　　　[6] ABEMAはオンライン環境で、ニュースや娯楽番組をはじめとした多種多様なジャンルのTV番組を無料で視聴できるインターネットテレビ局です。日本語の話し言葉に慣れるために気軽に利用することをおすすめします。

参考文献　　アンホルト，ロバート・R・H（2008）『理系のための口頭発表技術』講談社ブルーバックス
　　　　　　アンダーソン，クリス（2016）『TED TALKS』日経BP社
　　　　　　かこさとし・福岡伸一（2016）『ちっちゃな科学』中公新書ラクレ
　　　　　　カーソン，レイチェル（1974）『沈黙の春』新潮文庫
　　　　　　カーソン，レイチェル（1991）『センス・オブ・ワンダー』祐学社
　　　　　　木下是雄（1981）『理科系の作文技術』中公新書
　　　　　　木下是雄（原作）・久間月慧太郎（作画）（2018）『まんがでわかる　理科系の作文技術』中央公論社
　　　　　　スノー，C. P.（1967）『二つの文化と科学革命』みすず書房
　　　　　　滝川洋二（編）（2010）『理科読をはじめよう』岩波書店
　　　　　　東京外国語大学留学生日本語教育センター（編）（2019）『留学生のため

第9章　理工系留学生のためのアカデミック・ジャパニーズ（AJ）

のアカデミック・ジャパニーズ─動画で学ぶ大学の講義』スリーエー
ネットワーク

中谷宇吉郎（1994）『雪』岩波文庫

西岡壱誠（2018）『東大読書』東洋経済新報社

ピアス、チャールズ　門倉・白鳥・山崎・吉田訳（2020）『だれもが〈科
　　学者〉になれる！─探究力を育む理科の授業』新評論

平川秀幸（2010）『科学は誰のものか─社会の側から問い直す』NHK出
　　版生活人新書

【科学絵本・科学読み物】

安野光雅（1979）『天動説の絵本』福音館書店

かこさとし（1966）『かわ』福音館書店

かこさとし（1978）『宇宙』福音館書店

かこさとし（2011）『万里の長城』福音館書店

クレイグヘッド　ジョージ，ジーン（2000）『だれがコックロビンを殺し
　　たの?』ゆうエージェンシー

バートン，バージニア・リー（2015）『せいめいのれきし 改訂版』岩波
　　書店

畠山重篤（2011）『鉄は魔法つかい─命と地球をはぐくむ「鉄」物語』小
　　学館

ファラデー，マイケル（2018）『「ロウソクの科学」が教えてくれること
　　─炎の輝きから科学の真髄に迫る、名講演と実験を図説で』サイエン
　　ス・アイ新書

マコーレイ，デビッド（2011）『新装版 道具と機械の本──てこからコ
　　ンピューターまで』岩波書店

【科学関連サイト・スマホアプリ】

科学道100冊
　　　https://kagakudo100.jp/

サイエンスポータル SciencePortal
　　　http://scienceportal.jst.go.jp/#

JMOOC（Japan Massive Open Online　Courses：ジェイムーク）
　　　https://www.jmooc.jp/

ナイスガイ須貝の実験 YouTube
　　　https://www.youtube.com/playlist?list=PLeZt4BusM8q7fGll2Q4rUfg
　　　VwUVpvsq4V

中田敦夫 YouTube 大学
　　　https://www.youtube.com/channel/UCFo4kqllbcQ4nV83WCyraiw/
　　　videos?view=0&sort=dd&flow=grid

よびのりたくみのサイト
　　　https://www.youtube.com/channel/UCqmWJJolqAgjIdLqK3zD1QQ

TODAI EASY JAPANESE NEWS（アンドロイド、iOS の両方があります）

https://play.google.com/store/apps/details?id=mobi.eup.jpnews&hl=ja
https://apps.apple.com/jp/app/%E6%97%A5%E6%9C%AC%E3
%81%AE%E3%83%8B%E3%83%A5%E3%83%BC%E3%82
%B9-easy-japanese-news/id1107177166

第10章
理工系留学生に必要な
日本語ライティング力

村岡貴子

1 はじめに

　大学に在籍する理工系留学生（以下、理工系留学生）は、在学段階が学部か大学院かを問わず、学習・研究活動を行うために、日本語で文章を作成する能力が求められます[1]。このような能力を、以下、日本語ライティング力とし、本章では簡略化して「ライティング力」と呼びます。

　学部生であれば、単位取得に必要な理工系の授業でのレポートや卒業論文に加え、高学年から所属する研究室では、雑誌会や輪講[2] などと呼ばれる定期的な研究会やゼミでの研究報告を行う必要があります。つまり、学部生の場合は、レポートや論文といった長文の文章だけでなく、研究室の中で行う実験や、そこでの研究会やゼミの発表で求められる文献を読み込んで批判的に解説する資料やレジュメの作成といったライティングも必要です。

　また、大学院生であれば、上記のようなライティングに加え、修士論文・博士論文の執筆、さらには、全国学会などでの口頭発表の申請書、発表要旨、および原著論文・報告[3] 等の作成といった、大学外の研究者や一般読者にも向けたライティングが必要とされます。大学院生は、本格的な研究に従事しているため、例えば、実験系の場合、実験ノートなどの記録や、その他の研究報告も多々求められ

177

ると言えます。

　本章では、上記のさまざまな文章ジャンルのライティングを経験した理工系留学生の事例、および、筆者の日本語ライティング教育に関する調査研究から得た知見に基づき、理工系留学生に必要なライティング力について議論します。その議論をもとに、理工系留学生のためのライティング教育への示唆をまとめることを目的とします。なお、本章での文章ジャンルは、研究上必要な、卒業論文、研究発表レポート、実験レポートなどのように表現や構成にパターン化が見られる文章の種類とします。

　筆者は、専門が日本語教育学であり、理工系を含む多様な専門分野の留学生に対するライティング教育を実践しているため、本章では、大学・大学院教育に必要なライティング教育の実践者・研究者としての立場から、議論を展開したいと考えます。そこでは、可能な限り、理工系に共通する分野横断的に重要な視点を求める俯瞰的な議論を行いたいと思います。

　理工系留学生は、理工系の一般学部生と同様に、大学院に進学する人が多く、例えば、筆者の所属先[4] では、およそ8割以上とも言われています。そこで、次の第2節以降の議論では、主として大学院生を中心に、一部、関連して専門課程で学ぶ学部高学年の事例を扱うこととします。なお、実際に、日本語によるライティング教育については、初年次教育に関する研究は進んでいるものの、学年が進んだ段階においては、研究室に任されているのが現状であると思われるとの指摘（仁科2018: 139）もあります。

　第2節では、第3節以降の議論の土台として、研究活動に必要なライティングに関わる環境と、理工系留学生が作成する文章のジャンルについて説明します。第3節では、理工系の元留学生や理工系研究者の知見を引きつつ、論文スキーマ[5] の形成と、論文ライティングに必要な条件、

の２点から、理工系留学生に必要なライティング力について議論し、第４節で本章を総括します。

　以上の記述に際しては、先行研究の知見に加え、2020年８月に筆者が、常勤の理工系大学教員（情報系、工学（材料系）、工学（化学系）、理学（生物系）、工学（建築工学系））５名に行った調査の結果の一部も、具体的な説明に含めます。調査では、アンケートの自由記述方式で、（1）雑誌会の参加メンバー・開催頻度と各自の貢献、（2）実験レポートの構成やフォーマット、（3）原著論文や報告への執筆者の連名、（4）論文執筆能力の獲得に必要な要素、の４点について回答を得ました。以上のうち、（1）と（3）は、分野や研究室による違いの存在も指摘されていましたが、その他は共通する部分が多く、本章では、特に共通する情報を取り上げることとします。

2 ｜ 理工系の研究環境とそこで必要とされる文章ジャンル

2.1　理工系の研究環境

　一般に、研究上必要とされる文章ジャンルは、それを取り巻く環境の影響を受けます。理工系で例示するならば、自然科学系か、都市計画・デザイン系などのように、人文社会科学系とも関係が深い領域かで違い、また、自然科学系の中でも実験系か理論系かで違います。各領域の研究の対象と方法により、必要な文章は、構成や議論のあり方が異なってきます。例えば、実験系の論文は、結果を定量的に示した図表が多く提示され、それらへの説明や考察を加える文や文章が多々用いられます。また、引用方法や引用文献の書き方も、領域や学会誌の執筆要領によって異なります。

　このような各理工系分野においては、論文完成に至る前の準備過程として、成果発表に結びつく議論や報告が、研

究会やゼミで行われます。その過程では、データを含めた視覚資料や、レジュメなどを作成することが必要です。換言すれば、そのような準備過程を経ずに、理工系の学生が単独で、一足飛びに卒業論文を仕上げるわけではないということです。

　こうした背景をもとに、以下では、理工系留学生に必要なライティングを支える研究環境について、「研究室」をキーワードとして説明し、かつ、その環境で必須となる各種の文章ジャンルについて述べます。

　一般に、筆者のような、いわゆる文系の場合、自身が大学院生であった頃も、大学院のゼミを運営する現在も、「研究室」という概念が、理工系と比較して希薄であると言えます。一般に文系では、各大学院生が「指導教員とゼミで相談しつつも、研究テーマや方法論を自ら決定し、データも単独で収集する必要」（村岡2020a: 248）があります。このような研究環境の下では、論文を単著で執筆することが多い（村岡2018a, 2020a）ものです。特に学位取得を目指す文系大学院生の場合には、大学院在学中において、理工系のように、共同研究を行った複数の研究室構成員が共著者となって、論文に氏名を併記するケース[6] は、あまりないと言えます。

　それに対して、理工系の研究は、教員の他、多くの学生が所属する「研究室」単位[7] で行われています。研究室には、教授や准教授などの教員の他に、学部4年生から、修士課程・博士課程の大学院生が所属し（村岡2018a, 2020a）、また、時にはポスドクといわれる博士研究員も参加します。このように、研究室においては、多くの関係者が集うタイプのゼミや研究会が頻繁に開かれ、研究が遂行（村岡2018a, 2020a）される状況が一般的です。

　その一例を挙げます。筆者の調査協力者であった化学系の学生Aさんによると、研究室での雑誌会は、「1年に約

80回[8] 行われる」（村岡2020a: 257）とのことです。その雑誌会では、「メンバーの学部4年生や大学院生が、最新の論文を選んでその説明と自分の研究に関する内容を約15ページに収めたレジュメを作成する」（村岡2020a: 257）というルールがあります。学生Aさんの研究室は化学系（化学合成の領域）なので、雑誌会での発表担当者のレジュメには、議論を示した文章に加え、化学式も多々含まれています。

　こうした研究室環境においては、共通の関心を持ち共同研究を行う構成員同士が、最新のデータや情報を共有するだけでなく、その研究の意義や分析方法、考察のあり方についても、厳密に共通理解を有しておく必要があります。そのような共通理解がなければ、成果を発表する重要な媒体である論文の執筆は、円滑に行われないためです。工学（建築工学系）の調査協力者は、コメント1のように根本的な問いを常にゼミ生に投げかけているそうです。なお、コメントの文末はこれ以降も同様、普通体に統一します。

　　コメント1：
　　なぜその研究をするのか、その意義は何かについて、ゼミのたびに必ず発表者を中心としたゼミのメンバーに問いかけている。そのような柱となる理念や意義や問いがあって、高いレベルの論文が書けると伝えている。テクニックや作法というものはあり、それは、社会や学会にその成果を伝えるための手段だと伝えている。

　以上のような研究室を中心とした環境の中で、定期的に、理工系学生は、自身の発表に対するフィードバックとしての指導を受け、教員や先輩等の他者の発表から研究のあり方や方法を学びつつ、そこで必要なライティング力を

獲得していきます。つまり、研究室の下で行われる各種ゼミは、構成員の学生たちのライティング力獲得に大きな役割を果たしているのです。

2.2　理工系の研究環境で必要な文章ジャンル

　2.1で述べたように、研究室に多くの関係者が集まって頻繁に報告や議論を行う状況は、理工系分野で一般的です。このような環境で必要とされる文章ジャンルには、実験レポート、実験ノート[9]、視覚資料、レジュメ、報告、原著論文、卒業論文・修士論文・博士論文などがあり、いずれも、いわゆるフォーマットや構成が比較的厳密に決まっています。この中で、原著論文や博士論文などの長文は、よりフォーマリティの高いものと言えます。

　この中で、「実験レポート」は、学部1年次から実験系の授業で課されます。例えば、工学（材料系）の調査協力者によると、「用紙サイズ・横書き、表紙と綴じ方、内容の構成（1.目的、2.実験装置ならびに方法、3.実験結果、4.考察、5.結論）、図表の書き方、出典明記」といった作成要領が決められており、毎回20ページ以上のレポート作成が課されるとのことです。

　また、「実験ノート」は、理学（生物系）の調査協力者によると、「日付、タイトル、実験方法（プロトコル）、実験結果（文章で書く。データはノートに貼付）、考察」といった流れで作成され、基本的に、研究室からの持ち出しは禁止されているそうです。この実験ノートについて、工学（材料系）の調査協力者は、「普段は人に見せるものではない」ものの、資料や装置、測定のための条件などを明確に書き、「特許やねつ造に関する裁判の証拠にもなる」ため、筆記具は消せないものを用いる必要があると話していました。

　一方、いわゆる実験系ではない工学（建築工学系）の調査協力者は、学生が担当するまちづくりプロジェクトについ

て、「企画書、報告書など先方との打合わせや報告のための資料を作成」することを求めています。また、同専門領域では、「事象を客観的に捉えることに加え、世の中や都市・建築・環境はこうあるべきだという価値観や提案も持つ必要がある」とのことです。

　このように、理工系の領域はさまざまであり、研究対象によってアプローチや手続き、そこで必要な文章ジャンルも1種類ではありません。文章ジャンルは、研究の目的に加え、どの段階の報告・発表かによっても異なります。

　ただし、上記の文章ジャンルには一定程度共通する「論理構成」が見られます。例えば、視覚資料は文字情報が少ないですが、そこの論理構成は、論文や報告と同様と言ってよいものです。つまり、序論・本論・結論の各部分で述べる、まとまった記述内容である構成要素（村岡他2005, 村岡他2013）とその提出順序は、基本的に論文や報告と同じです。例えば、序論で述べるべき、論文の構成要素としては、研究の目的と背景、先行研究の概観と本研究の位置づけ、研究課題の設定、論文の章立てなどがあります（村岡他2005, 村岡他2013）。これらが一定の順序で示される論理構成は、文章ジャンルの違いに関わらず、基本的に共通していると言えます。

　なお、情報系の調査協力者は、基本的に研究報告の場において、発表者には、視覚資料を用いてプレゼンテーションを行ってもらうと述べ、それ以外はほとんど論文形式であり、学会発表の場合も「論文集やProceedingとして出版するのが普通」と語っていました。学会発表としてのプレゼンテーションも、論理構成は、論文と同様の流れに沿うものです。

　その上で、必要な文章ジャンルとして、若干補足をします。上記のうち、原著論文、修士論文・博士論文は、理工系ライティングの目指すべき一つの完成形ですが、その完

成形に向けた「周辺的な文章」（村岡他 2013: 6）とも言える文章ジャンルがあります。理工系の学位論文は、重要な成果発信の文章ジャンルですが、そこに至る前の過程において、2.1 で言及したレジュメ以外にも、また別の文章ジャンルが存在します。例えば、研究室構成員や、学会参加時や研究交流上の学外の研究者（企業関係者を含む）とのコミュニケーションで求められるもので、研究活動を支える必要な文章ジャンルです。研究上の連絡で必要なＥメール等は書記言語ですが、音声言語的としての話し言葉の特色も兼ね備えた、周辺的文章の一つです。

　次のコメント２は、企業での専門職に就く元留学生Ｃの語りをまとめた（村岡 2016a: 92）もので、学部４年次から大学院修了までのＥメール使用の経験が示されています。引用に際して、コンマを読点に変更しました。

　　コメント２：
　　Ｃは大学在学中に使っていたメールの構成を現在でも利用しているため、それほど難しくは感じていない。基本的なこととして、Ｃは自分の会社の言い方、相手の呼び方、メール中の上司・同僚の書き方、相手に明かしてはならないこと、コンプライアンス、社会人としての振る舞い等に留意しているという。Ｃはいわゆる「報連相」について「自分としては感覚の乖離は大してない」と語った。このようなＣは、ルールやマナーについて、学部の３年次までは厳しく言われたことはないものの、いわゆる研究室所属となる学部４年生、および大学院時代には、慣れるまでは「普通に叱られた」経験もあった。

　このように、研究室に所属していた時代に獲得した知識やスキルは、大学院修了後の就職先においても十分に活用

されていることがわかります。

　以上のように、理工系環境における文章ジャンルは、各々の文章が持つ目的、媒体、および、読み手が研究室内外のいずれに所属するか等によって異なり、また、文字媒体だけでなく視覚資料の活用があり、さらには、それらの論理構成には、一定のパターン化が見られることを示しました。加えて、研究活動を支える周辺的文章の存在について言及しました。

3 理工系で必要なライティング力 ——論文スキーマ形成の観点から

　本節では、先述した理工系学生に必要なライティングを、1）論文スキーマの形成、2）論文ライティングに必要な条件の2点から具体的に述べます。

3.1　論文スキーマの形成

　本章で扱う、「書く」活動を意味するライティングは、目的に合致した形で、正確に、適切に、さらに読み手への配慮を持って行われるために、「書く」活動以前に踏まえておくべき重要な条件があります。本章では、学部高学年から大学院修了までの間の理工系留学生に必要なライティング力を扱うこととし、基本的に研究活動に必要であるという条件で議論します。

　まず、ここで扱う論文スキーマ（村岡2014, 2018）とは、論文とは何か、研究とは何か、に関する概念知識の総体です。つまり、論文や研究とは何かを、全くあるいはほとんど知らなければ、論文の構成や表現に関する知識を増やしても、論文が書けるようにはなりません。論文スキーマの形成は、研究活動のための重要な条件です。以下に例示して説明します。

　例えば、序論・本論・結論という、論文の三部構成は有

名なもので、その序論や本論において、先行研究を概観して本研究を位置づけるといった手続きが行われます。本来的に、先行研究を一切扱わずに論文を書くことはできません。それは、研究の成果は「〜学」という学問分野の流れの中で、過去から蓄積されてきた知見に対して新たな知見を加えるものであって、先行研究を無視して好き勝手に論理を構築することは学問としてあり得ないからです。もし、理工系学生が、先行研究を概観する目的を理解していなければ、先行研究の書き方の習得は困難になります。先行研究の概観は、研究成果を列挙して紹介するものではなく、自身の研究の目的と論理的世界に合わせてストーリーを組み立てる中で、先行研究を解釈し、自身の研究との関連性を明示する必要がある（村岡2020b）ものです。

　このような論文スキーマ形成に関して、以下に問題のある事例を挙げます。理工系の教員のある研究協力者は、次のように、理工系大学院生のあるケースについて「研究遂行者としての「当事者意識がない」」（村岡2016b: 251）と批判的に語りました。コメント3は、複数の分野・専攻の学生に対して授業を担当していた、村岡（2016b）の協力者で、学生に自分の研究への紹介・説明を求めた際の、質疑に関する発話です。

　　コメント3：
　　先生からデータとれって言われたからやってるって。それで何でやってるの？と尋ねると、わからなくなる、そういうケースがある。（中略）「当事者意識」がなくなっている。

　コメント3にある当該の学生は、研究室の中で、指導教員や先輩に導かれて、研究テーマや方法を学びつつ、研究を進めていたものと想像されますが、研究を遂行する当事

者として、研究の背景や目的などを明確に他者に説明できていないようです。それは換言すれば、研究ではなく、ただ無目的に実験や分析の実施・報告の「作業」を行っているという状態です。

　上記のような「当事者」としての研究への意識化を進め、論文スキーマを形成する過程で必要な「読み手を意識したライティング」について事例を示します。別の理工系の元研究者は、企業での豊富な経験をも引きつつ、日本語によるライティングの場合、曖昧さを排除して明確に簡潔に書く必要性を、コメント4のように説いています（村岡2016b: 250）。

　　　コメント4：
　　　会社に入っても、技術者は書かないからわかっていない。情報共有ができていない。もっと書かせて添削をしなければならない。4、5回書き直すとすっきりとする。自分の考えがクリアになる。短い言葉で書いて、最終的には機械翻訳にもかかるようにならなければいけない。工業製品の品質を開発内容がわかるように書くこと。特許の面からいっても、実験をしたことがない人が文章を書いてもだめ。産業の振興がストップしないよう、技術者が書けなければならない。

　コメント4のように、理工系出身の技術者は、専門職として、知的財産の保護[10] のためにも、機械翻訳にかけられる程度に、明快な日本語で開発内容を示すことが重要で、またそのために、書く訓練と必要な書き直し作業や添削が重要であると力説しています（村岡2016b）。論文スキーマを形成している人には、書く訓練と必要な書き直し作業や添削の重要性がよくわかるものです。コメント4に即して言えば、理工系出身の技術者には、（1）専門的な業

務・活動が行え、（2）必要なライティングによる言語化・発信力を持つことの双方が重要であり、知的財産の観点からもライティング力が必要であるということです。そのため、大学在学時から、専門分野でのライティングへの意識を高く持ち、そのためのトレーニングが重要であると考えられます。

　上記の重要性は、企業の研究所で活躍する元留学生の研究者の語りからも明らかです。2015年に筆者がインタビュー調査を行った際の調査協力者の一人は、「（現在は）会社で研究の仕事をしていて大学時代していた研究と違いがあまりない。特に、大学院の時に学習したレポートを書くことと発表スキルは今の仕事内容において役立っている」といった内省を披露しました。ライティング力は社会人としての職務においても重要であり、また、大学院修了後に就職してからも、大学在学中に獲得したスキルが、明らかに有用に働きます。以上のように、研究活動の目的と意義を理解し、論文スキーマを形成しておくことは、さまざまな意味で重要であり、また、社会人になっても通用する程度に、学部・大学院の間にライティング力を高度に引き上げておくことが大切です。

3.2　論文ライティグに必要な条件

　3.1で述べた論文スキーマ形成とともに、ライティング力を獲得するためには、研究のテーマや位置づけ、意義、理念や概念が明確に理解でき、論理的思考が行えて、自分の研究のオリジナリティを十分に説明できる必要があります。その考え方を、具体的な例を引きつつ説明します。

　工学（化学系）の調査協力者は、コロキウムという、研究室の行事で行うリサーチプロポーザル（後述）と、学位取得に至る理想的なプロセスを、次のコメント5のように述べています。

コメント5：

コロキウムで多数の論文を調査して、表などに体系的にまとめ、主要な論文3〜4報をまとめて紹介し、過去の研究の中における自分の研究の独創性を自覚・提案させることをやっている（いわゆるリサーチプロポーザル）。（中略）学位取得に至る理想的なプロセスは、「リサーチプロポーザル」→「実験による検証×∞」→「論文執筆」という流れになる。

　コメント5の「×∞」とは、「∞」が無限大なので、実験による検証を明確な結果が出るまで限りなく行うという意味です。また、実際には、十分に練られた「リサーチプロポーザル」を経た上で、実験による検証を続けることが理想的であるものの、その手続きを十分に踏まずに、実験から試みにスタートするケースは理想的ではないとも述べられています。リサーチプロポーザルが明確に行えた学生は、「背景から、実証方法、実験結果、考察、結論までの「論旨」がクリアであるため、比較的、手を入れずに投稿可能なレベルになる」そうです。

　同様に、理学（生物系）の調査協力者も、「研究テーマを自分でよく考え、文献を読んで論文のロジックを理解し、他者であるレビューアの解釈を理解して応用できる力も必要である」と述べています。つまり、学生が自ら深く思考した上で、新たな結果・結論を提示できなければ論文が書けないわけです。その教員は、指導教員から常に、"What's new?"と聞かれ続けていて、それがプレッシャーと刺激になっていたということです。

　上記2名のコメントは、論文執筆に向かう姿勢と俯瞰的な視野に言及していると言えます。つまり、必要な文献の読み込みと深い思考といった、丹念に準備を行う姿勢と、それによってこそ、自分の研究のオリジナリティを示せる

という、論文完成までの過程を俯瞰する視野の重要性に言及していると考えられます。こうした文献読解と深い思考により得られる視野の拡大は、論文執筆に非常に大きな役割を果たしていると言えます。

　こうした準備過程を経た論文のオリジナリティの重要性について、工学（材料系）の調査協力者は、理系研究者における平均的な意見から外れていないと思うという前提で、次のコメント6のように語っています。

　　コメント6：
　　（論文執筆のために、論文の概念を理解することに加えて）論理的思考と自分の研究の当該分野における位置づけを理解できることが大事だと思う。論理的な思考は3段論法や演繹、帰納といった論理展開や数学の集合の概念などを用いて論文における研究の目的と結果、結論を正しく結びつけるために必要である。また、自分の研究のどの部分が新しい、独創的な点であるか、どれくらいの価値を持っているかを理解しないと、論文において正しく自分の結果をアピールすることができない。

　コメント6に示されたように、論理的思考と、自身の研究の位置づけができることは、自身の研究の独創性や価値を特定して適切に表現できることにつながります。この論理的思考を経て自身の研究の独創性と価値を、論文としてアピールできることは、狭義の言語能力を超えるものであり、また言語の違いを超えて普遍的に妥当するものと言えます。なお、関連して、鎌田（2018）も、文系の教育実践において、深く考えることや、文献読解から、発表での質疑で自身の説明と他者からの質問や批判を受けるまでのプロセスを重視する必要を説いています。

理工系の場合には、共同で行うことの多い実験や調査に加え、研究室でのゼミなど、日常的に行われる文献読解と議論を継続する中で、他者の作成した文章を日々目にし、さらに自身もライティングの機会を得ます。それは、共同研究の性格上、他者との研究上の刺激となる接触が多いという意味で、理工系分野で学ぶ学生の方が、典型的な文系分野で学ぶ学生よりも、環境面で有利であることを示唆しています。

　最後に、学生に必要な論文のライティング力を獲得するためには、教員や他者から添削等の指導や批判を受けることと、他者への丁寧な説明を繰り返すことが重要です。村岡・因（2015）では、研究指導も企業との共同研究の経験も豊富な理工系元大学教員が、ゼミ資料や学会発表、論文投稿等の機会を捉えて「徹底した添削指導」が重要であると訴えています。また、工学（化学系）の調査協力者はコメント7の通り、指導の一つの方法として、論文を簡潔に要約して他者に伝える論旨の意義を示しています。

　コメント7：
　（当研究室では）良い論文を「1P」（1ページ：引用者注）に要約することで、論旨の紡ぎ方を練習しているのが雑誌会という位置づけです。（中略）自分自身のオリジナリティを明らかにして、それを表現するための論旨をコンセプトマップ（設計図：引用者注）と「1Pロジック」のような形で、「見える化」することを続ければ、自分で進んでいけるような気がする。（中略）多数の言葉で文章にすることも大切だが、論旨を整理する場合は、単純化したほうが、自分自身が理解しやすいし、他人にも意見を言ってもらいやすいと思います。だいたい、私も、コンセプトマップを書いてから、文章を書き始める。

コメント7では、論文でもレジュメでも、最も重要な主張を短く要約する重要性が語られています。この要約は、学生にとって、研究の目的や重要な考察を俯瞰した上で、情報を厳選して凝縮するものであるため、自身の理解と他者への理解促進のためにも非常に有用であると考えられます。

　さらに、理学（生物系）の調査協力者からは、次のコメント8のように、責任著者についての言及もありました。

　コメント8：
　（学生は）論文添削は指導教員から指導を受ける。責任
　著者（corresponding author）が責任を持って添削する
　場合が多い。

　論文の添削は基本的に、指導教員から受けるものであり、また、学会誌への投稿論文の場合には、査読者との連絡において、その論文の共著者の一部が責任著者として、責任を持って校閲を担うことになります。

　なお、こうした投稿論文の場合、英語で書かれた論文について、情報系の調査協力者から、「英語がネイティブ並みだ」と自覚している学生が危ないという指摘がありました。この指摘からわかることは、先に言及したように、日本語能力や英語能力といった狭義の言語能力の高さが、本章におけるライティング力の向上に直結するわけではなく、論文スキーマが形成され、研究の目的や意義などを自覚し、かつ、投稿の準備や手続き的知識を持ち、研究室構成員と協働できることが重要だということです。

4 まとめ

以上行ってきた議論は、次の4点にまとめられます。

(1) 理工系の研究環境では、基本的に、研究室を中心として共同研究がなされ、最終的な成果発表となる論文執筆に向けた準備過程としての、組織的なゼミや研究会が頻繁に行われている。

(2) 上記（1）のゼミや研究会のレジュメのように、論文以外にも、研究を支えるさまざまな文章ジャンルがあり、それらの読解や執筆を繰り返すことがライティング力の向上につながる。

(3) 論文の目的や意義を含め、自身の研究のオリジナリティを言語化できることはきわめて重要であり、こうした論文スキーマの形成は、狭義の言語能力の高低とは別である。

(4) ライティング力の向上のためには、徹底した添削指導を受けることや、論文を要約して他者に示す方法等、地道なトレーニングが重要であり、そうしたトレーニングを経たライティング力は、大学のみならず、就職先においても有効に活用できるものである。

注　[1] 大学によっては、特に理系の学部あるいは大学院で、授業受講と論文執筆の全ての課題を英語で行う、英語コースといわれる特別コースも存在し、留学生も在籍しています。本章では、英語コースではない一般のコースを念頭に記述しています。

[2] 研究室内で行われる研究会の一種です。そこでの発表者は、自身の研究に関わる新しい雑誌論文を読んで内容をまとめたレジュメや視覚資料を提示し、それをもとに発表を行います。他の参加者はそれを聞いて、内容についての理解を深めたり、議論をしたりして、参加者全員

［3］学会誌によっては、「報告」「資料」などと呼ばれるもので、論文より短い文章で、読者にとって有益な内容を報告するものを指します。

［4］所属先の大阪大学における理工系は、理学研究科、工学研究科、基礎工学研究科の3研究科が該当します。

［5］本章の3.1で扱うもので、論文とは何か、研究とは何か、に関する概念知識の総体（村岡 2014, 2018b）です。

［6］氏名併記の順は、博士学位論文を執筆する大学院生が業績として発表する場合は、必ずその大学院生の氏名が筆頭となりますが、その次には、共同研究者の氏名を列挙するか、指導教員の氏名が入るか等、当該研究への貢献度により、かつ、それぞれの分野によっても書き方が異なります。複数名の併記の場合、指導教員の氏名を最後に置く方法もよく知られています。

［7］研究室では、しばしば掲示板を用いて構成員の1日の予定も共有しています。現在ではSNSを活用する場合も多いようです。ただし、研究室の扉などに設置されている掲示板は、災害時の点呼のために利用され、それをもって避難し、研究室に誰も残っていないことを確認するためにも用いられるとのことです。こうしたことからも、文系と比べて、研究室で共同の活動を行う時間が長いことがわかります。

［8］1年に約80回という回数は、雑誌会という名称での開催状況としては多い方であると考えられます。筆者の調査協力者によると、夏休みなどを一部除いて毎週、あるいは、1年間40回程度、というものでした。ただし、雑誌会以外に、他の名称の研究会・ゼミ（例：コロキウム、プログレスレポート）もあり、分野・研究室によって開催の形態と回数は多様であると言えそうです。

［9］これは、実験レポートとは別で、毎日どのような実験を行ったかを書き残すもので、人に見せるものではありませんが、理工系研究者によると、「何の試料をどの装置でどのような条件で測定したか、をはっきりと書く必要がある」とのことです。また、「特許やねつ造に関する裁判の証拠になるものなので鉛筆など消せる筆記具ではなくボールペンなどで記入」するものです。

［10］知的財産保護の重要性と技術者が文書を適切に作成できることの重要性については、玉井（2013）が詳細に議論している。

参考文献　鎌田美千子（2018）「大学教育から見たパラフレーズの諸相」村岡貴子・鎌田美千子・仁科喜久子（編著）『大学と社会をつなぐライティング教育』pp.15–3.　くろしお出版

玉井誠一郎（2013）『知財インテリジェンス─知識経済社会を生き抜く基本教養』大阪大学出版会

仁科浩美（2018）「エンジニアを目指す工学系学生に必要なライティング教育とは─学生と社会人へのライティングに関する調査から」村岡貴

子・鎌田美千子・仁科喜久子（編著）『大学と社会をつなぐライティング教育』pp.137–156.　くろしお出版

村岡貴子・米田由喜代・因京子・仁科喜久子・深尾百合子・大谷晋也（2005）「農学系・工学系日本語論文の「緒言」の論理展開分析―形式段落と構成要素の観点から」『専門日本語教育研究』7, pp.21–28.

村岡貴子・因京子・仁科喜久子（2013）『論文作成のための文章力向上プログラム―アカデミック・ライティングの核心をつかむ』大阪大学出版会

村岡貴子（2014）『専門日本語ライティング教育―論文スキーマ形成に着目して』大阪大学出版会

村岡貴子・因京子（2015）「国内外の大学教員が語る日本語アカデミック・ライティング教育への期待と課題―自身の学習・研究・教育の経験から」『専門日本語教育研究』17, pp.35–40.

村岡貴子（2016a）「社会人日本語非母語話者による職場での日本語ライティングに関する内省―日本留学経験者のビジネスパーソン・研究員への調査から」『社会言語科学会第38回大会発表論文集』pp.90–93.

村岡貴子（2016b）「第3部第3章 大学に在学する留学生への日本語AW教育の再考―来日前日本語教育との接続および社会への橋渡しを視野に－」三牧陽子他（編）『インターカルチュラル・コミュニケーションの理論と実践』pp.239–255.　くろしお出版

村岡貴子（2018a）「論文執筆を目的とした日本語学習者の読解」国立国語研究所「日本語学習者のコミュニケーションの多角的解明」研究発表会　2018.9.29

村岡貴子（2018b）「第3章　ライティング活動とその内省から獲得する論文スキーマ」村岡他（編著）『大学と社会をつなぐライティング教育』pp.3–13.　くろしお出版

村岡貴子（2020a）「論文執筆を目的とした日本語学習者の読解」野田尚史（編）『日本語学習者の読解過程』pp.245–263.　ココ出版

村岡貴子（2020b）「論文作成における文献引用法の改善―学習者は先行研究の引用法をどのように学ぶのか」石黒圭・烏日哲（編著）『どうすれば論文・レポートが書けるようになるか―学習者から学ぶピア・レスポンス授業の科学』pp.73–96.　ココ出版

理工系留学生にとって必要な語学力、どのように語学力を身につけたか

コラム⑥
新聞を読むことから始めよう

呂学龍

　日常会話は問題なくできても、要領よく話すことができないと、研究発表や面接などで実力以下と思われてしまうことがあります。会社の職場会議で出る批判的なコメントは、意外に、学部や大学院の研究発表会で出るコメントと似ています。

　「で、あなたは何が言いたいのですか」、「だから、その根拠は」、「それはあなたの意見？　それとも何かの資料からのもの？」、「経緯じゃなくて結論から話して」、「また話がズレてるよ」といった具合です。

　これらのコメントから読み取れることは、結論先行の言い方を心がける、理由や根拠をはっきり述べる、自分の考えか、他の有力な情報源からの情報かを区別して述べる、論理的に筋が通った話の流れを心がける、などの点です。

　要領よく話せるようになるためには、読んだり書いたりの訓練が大事です。文章では論理的な流れが重視されているからです。読む訓練というとハードルが高く感じられますが、私の経験では、新聞記事の要点を読み取ることから始めるといいと思います。新聞記事は結論先行の文章の見本で、研究論文の著者抄録（abstract）と似ているのです。

　私は週3日間15分以内で、日本経済新聞の一番大きい

タイトルを写し、読み方が分からない単語にふりがなをつける練習をしました。新聞記事の大まかな内容が分かれば良いのです。そして、当日の夕方NHKの手話ニュース（手話ニュースはスクリプトが出るので理解しやすいです）で写したノートを見ながら、聞く練習をします。語彙が増えれば、同じ記事に絞って毎日新聞、朝日新聞、日本経済新聞などの大手の新聞を読み比べてみます（図書館でいろいろな新聞を読むことができます）。同じ記事でも、新聞社によって、タイトルの付け方、好悪感情などが違うことが分かります。そして、新聞のリード文を写し、「だれが」、「いつ」、「どこで」、「なにを」したかについて、文を作成します。そして、作成した文章を土台にして、記事内容を読むのです。

書く訓練としては、新聞の社説の内容を図解で表してみることがおすすめです。私は運よく、日本語科目担当の先生と1対1で図解を練習する機会に恵まれました。週1回、同じ新聞の社説の内容を図解で表し、お互いに図を持ちよって、その内容を話すトレーニングを行いました。そして、最後に図解を見ながら話した内容を書いてみるのです。これを繰り返しているうちに、だれにでも分かるような説明の仕方、言い換えなどを工夫できるようになります。この方法は非常に重要で、同じ内容について、短時間で複数の図解の仕方があることを学び、やさしくも言えるし、逆に理路整然とした言い方でも言えることをトレーニングすることができました。

新聞記事のリードから、社説の図解へと毎日少しずつ読むことと書くことの訓練を積み上げていけば、良い論文を書ける理工系留学生、面接一発合格の院生、上司の意思を理解し、仕事ができる社員、部下に尊敬される上司になれるはずです。

コラム⑦
科学に必要な英語
Benjamin Bode

　英語は研究の世界では重要な位置を占める言語です。日本における多くの理系の大学院生には、英語文章の読解が必須です。もし、学部時代に2、3年でも英語学習を怠っていれば、驚くほど英語を忘れてしまうと思います。

　私の専門は数学ですが、他の理系分野も同様に、論文はほとんど英語で書かれているものの、人文科学より、文法も難しくなく読みやすいと言えます。数学の文章には、方程式、図表や「Let $\varepsilon > 0$」のような短い表現がよく用いられます。

　ただ、専門用語も重要です。科学の世界における専門用語は、科学者が使う具体的な意味を持つ重要な表現です。例えば、私の論文のタイトルの一つ、"Braid group actions on the n-adic integers" は、英語母語話者なら、"Braid" "group" "actions" という語を知っていても、そのタイトルの意味は理解できないでしょう。つまり、数学論文の理解には、数学と英語が得意なだけでは不十分で、英語を使って数学を学ぶ必要があるわけです。また、その意味で、翻訳アプリは科学論文の翻訳には役に立たないものです。

　英語の専門用語は容易に理解でます。多くの研究論文を読んで、好きなネット検索エンジンで、"braid mathmatics"、"group mathematics" などを検索してみてください。これらの定義を数学の厳密なレベルで理解することはまた別の話です。論文や教科書を読むより重要なのは、論文や学会等での口頭発表によって研究成果を披露することです。最後には、博士論文を英語で書くことが期待されます。

研究室や研究会では、その構成メンバーによっては英語が共通語となり、そうなると、自分の研究について英語で説明する必要が生じます。一方で、その人たちと多くの時間を過ごす間に、英語で日常会話をすることも有意義でしょう。

　では、英語能力はどの程度必要でどのような方法でそのレベルに達するのか。こうした問いへの解答は不可能です。むしろ十分なレベルに達するために行うべき最小限の作業は何かを考えることです。さらに、研究活動を妨げない範囲で英語をどう上達させるかという問いが適切でしょう。

　私の母語はドイツ語です。9年間学校で英語の授業を受け、その後ドイツの大学の学部3年の間、最終学年まで英語による数学論文は読んでいませんでした。その後イギリスに5年間留学した後、来日しました。こうして現地でその言語を学ぶのは良い方法なのですが、誰にでも同じ選択肢があるわけではありません。大学では、一日の勉学・研究の後の時間を英語学習に費やしたくはないですね。英語上達への道は、それを仕事のように感じないことが大切です。読書が好きなら、英語で小説、伝記、フィクション・ノンフィクションを読み、映画が好きなら、字幕も活用しつつ英語で鑑賞してみてください。現在では、インターネットを通じて、英語のニュース、ポッドキャスト、チャットも使えます。私はほぼ10年間毎日そのようなツールを活用してきました。目の前には多様なツールがあり、それを活用しない手はありません。Good Luck!

第4部
日本の理工系教育の特徴と研究室環境

^第11^章
理工学系分野の教育の特徴と
留学生の研究生活

藤田清士

1 | はじめに

　理工系分野の学生は、学部前半の座学から学部後半の研
究室活動を経て、大学院へ進学する学生が多く存在しま
す。留学生も学部後半では、講義形式の授業の受講から研
究室内での実験、計算機シミュレーション、大学外でのフ
ィールドスタディなど様々な研究形態を経験します。

　理工系分野の研究のスタイルは様々で、時間や場所を選
ばずに研究ができる理論系の分野もあれば、実験装置の維
持管理により長時間、研究室に拘束される分野もありま
す。また、生命科学系の分野では、生物の飼育のために休
日に大学へ出たりというように、極めて長い時間、実験を
する研究分野も存在します。留学生の中には、自国の大学
の研究時間と比較して、極めて長い研究室での滞在時間を
嫌う者も多く存在します。最悪の場合、日本の教育スタイ
ルや研究習慣になじめず、帰国する学生もいます。一方、
単純な作業を繰り返す実験に対する忍耐力や持久力が高
く、論文を多数執筆し、指導教員から非常に高く評価され
る留学生も数多くいます。

　理工系の留学生が日本の大学で学業をこなすためには、
理工系の授業についていけるだけの理系の基礎学力やコミ
ュニケーション能力が必要です。周りの日本人学生が積極

的に留学生と接するような雰囲気作りや、教員が気軽に留学生の相談にのれる環境も重要となります。また、研究室に所属した際に、ともすると留学生にとって教員は遠い存在になりがちなので、指導教員と留学生が直接的に対話できる機会を増やすことも重要です。研究室内では、留学生と日本人学生が一体化し、気楽に学生同士のコミュニケーションできる雰囲気を作ることも求められます。本章では、学部から大学院までの留学生の教育研究環境とその問題点に焦点を絞り、記述してゆきたいと思います。

2 理工系分野の学部教育と生活

　　学部から教育を受ける留学生は、大きく分けて、国費留学生、政府派遣及び私費留学生です。留学生の多くは直接大学へ入学し、学部1年生になりますが、出身国や日本において予備教育を受けてから、各大学へ入学する場合も存在します。学部3年生までは、座学形式の講義と基礎実験や演習及び専門実験などの受け身の教育スタイルが多いため、学部留学生と教員が直接、接する時間は総じて少なくなります。最近では、学生と学生の親と教員との三者面談を行い、学生の学業状態や学校生活を確認する大学も存在しますが、留学生の多くは親が本国にいるために、このような面談に参加できないなどの問題も生じています。

　　留学生が学部へ入り、同じ国の留学生や日本人の学生の中で気楽に会話ができる友人がいれば問題は少ないのですが、日常の相談相手を持たない留学生はクラスの中で孤立する可能性があります。学生は実験や演習などにおいて、小グループや大グループを編成して協働作業をします。実験・実習では、他の学生とのコミュニケーションを行い、役割分担を設定して、積極的な行動をすることが求められます。特に、実験を行う際の段取りや多数のデータを扱う

場合には、どのように解析し、リポートにまとめるかのノウハウが必要になります。普段から友達付き合いのある留学生はこのような実験科目を受講する際に、問題なく課題をこなすことができます。しかし、相談相手がいない留学生の場合、実験・実習での協働作業を行うのが大変な場合も出てきます。

　学部の留学生で問題となるのは、基本的な学力の問題です。留学生が自国で基礎的な理数系科目を学習している場合は問題となりません。しかしながら、大学の教養課程では、いきなり高校レベルより遥かに高い数学・物理・化学を学習する場合があります。留学生がそれらの科目に対応できる基礎学力がないと、大学の授業についていけないことがあります。その原因として、予備教育や自国の高校での教育内容が十分に日本の高校レベルに達していない場合があります。数学の「行列」や「微分積分」などの単元は、多くの理工系分野に必要な内容です。これらの単元を良く理解していないと、基礎的な数学や物理・化学の理解において、教養課程や基礎教育課程で大きく躓くことになります。

　例えば、マレーシアからの留学生が日本の大学へ入学する前の物理の学習について、「最も目につく違いは、扱う数式の少なさ」と「定性的な暗記科目としての性質が強い」という問題を、鴈野（2006）は述べています。特に、「マレーシア人学生は自然現象に対する定性的知識は豊富であるが、物理の問題に対する数学的解決力・応用力には乏しい」という傾向を指摘しています。数学についても詳細な分析がなされています。佐々木・長谷川（2019a, 2019b, 2020）は、マレーシアの後期中等教育の数学教科書と日本の教科書を比較対照しました。マレーシアの高校レベルの数学では、日本の理系の高校生が学習する「数学Ⅰ」の2次関数とグラフ、「数学A」の円順列・重複順列、

「数学Ⅱ」の導関数の応用、「数学B」の空間ベクトル、「数学Ⅲ」の極限や微分法・積分法などを学習しません。佐々木・長谷川（2020）の指摘によると、マレーシアの後期中等教育は2年間であるということを考慮しても、日本の高校の学習内容をどれくらいカバーできているかを見る「カバー率」が37.7％しかないという点は刮目に値するとしています。マレーシアの後期中等教育に続く予備教育の2年間に、日本の高校教科書の内容まだ学んでいない62.3％の部分を学び、日本の大学へ入学することには、学習に困難が伴うと指摘しています。

　大学の教養課程の物理・化学では、高校で学習した基礎的な数学はもとより、大学で学ぶ新しい概念の数学を用いて授業をすすめます。そのため、未習の単元があるまま、日本の理工系大学へ入学すると大きな問題となります。留学生の現地の中学・高校教育のカリキュラムから日本の大学教育にいたる課程をシームレスに捉えることが重要な課題になっています。

　留学生には経済的な問題がいつも存在します。文部科学省や日本学生支援機構（JASSO）の奨学金を受けている留学生の場合は問題はありませんが、奨学金の受給を受けない学生は経済的な基盤が必要になります。

　理工系分野の学生の場合、1年生から研究室に配属するまでに、教育カリキュラムが詰まっている場合が多く、アルバイトをして収入を得ることが難しいのが現状です。また、学業に専念させるために、留学生にアルバイトを禁止する大学もある一方、日本の文化や社会構造を学ぶためにアルバイトを奨励する大学もあり、その対応は千差万別です。留学生の中には、IT産業、語学学校や接客業務など高収入のアルバイトに魅力を感じ、学業から離れてしまう学生もいます。そのような留学生は基礎学力や日本語運用能力は十分に高くとも、アルバイトに注力するあまり、授業

への参加が少なくなり、急激にGPA（Grade Point Average）が低下する傾向が見られます。20 〜 30年前と大きく異なる点は、アジア諸国から日本に来た留学生の平均的な経済力が高く、高所得者でなくても日本へ留学する子供に資金を惜しまないアジア諸国の親が大幅に増加していることです。平均的な日本人学生の親からの仕送りより遥かに大きな経済的援助を受けている留学生が存在することも近年の傾向です。

　病気やメンタルの問題を抱えている留学生への対応は重要です。特に学部留学生の場合、友達がおらず、かつ大学と宿舎を往復している学生には注意が必要です。このような留学生が病気になった場合などは、自室から出られず、病状が悪化している場合があります。また、メンタルの問題を一人で抱え込み、自室に引きこもる留学生も増加しています。孤立しがちの留学生の様子は担任の教員やTA（Teaching Assistant）やメンターの学生が注視していないと、精神的な不安を抱えながら学業を続けなければならず、留年や退学にいたるケースもあります。

　留学生のトラブルが学外で起こった場合の対応は難しいケースがあります。交通事故や刑事事件など学外の問題では、日本の法律での対応が必要であるうえに、身元引受人が存在しないこともあって、大学関係者の関与が求められます。交通事故の場合、一般的な日本人でも難しい相手との交渉、警察とのやりとり、病院での対応、保険請求など多岐のことを留学生が全て日本語でこなす必要があります。特に、交通事故の実例は多様です。留学生が事故を起こした場合や事故に巻き込まれた時、事故現場で適切なやりとりができなかったため、後になって後遺症が出た事例もあります。また、当事者などから大学へ苦情の電話がかかってくる場合もあります。また、留学生が保険に加入していなかった場合や保険支払い適用外の時は、法律の解釈

や保険の約款の理解など、留学生と大学教職員が難題を抱えることになります。

　このように理工系分野の学部留学生は学業のみならず、経済的困難や病気やその他のトラブルに直面する可能性があります。学部の授業に対応するためには、数学・物理・化学など基礎的科目については日本の高校教科書レベルの内容を理解していないと、大学の教養課程や共通教育課程で大きく躓くことになります。理工系分野では、教育カリキュラムが詰まっているため、アルバイトをせずに、奨学金の受給や親からの十分な仕送りがあるなど経済的な問題をクリアしなければなりません。また、留学生が民事事件や刑事事件に巻き込まれた場合は、高度な日本語能力が必要であるため、大学の教職員による手厚いサポートが必要です。研究室配属前の学部留学生の問題を最小化するためには、日頃からの教員による面接や面談だけでなく、TAやメンターなどが気軽に相談にのれる体制を整えることが必要不可欠であると考えられています。

3 　研究室というファミリー

　理工系の学生の多くは学部4年生（大学や分野により2年生か3年生の場合もあります）の段階で、専門分野の研究室へ配属されます。留学生も日本人学生と同様に、学部4年生・大学院修士課程（博士前期課程）・博士課程（博士後期課程）院生と、研究室というファミリーにおいて研究生活を送ることになります。海外の多くの大学の学部と異なるのは、授業中心の"Course Work"の生活から研究室中心の"Laboratory Work"の生活へ大きく変化することです。学部4年生から始まる日本型の研究中心の生活では、良いホストファミリー（良い研究環境で良い対人関係の研究室）に所属すると、研究の生産性も高まり、留学生自身ものびの

びと留学生活を送ることが可能になります。反対に、居心地の悪い研究室では、留学生の勉学意欲や研究生産性を大きく低下させてしまいます。

　留学生の研究室内でのコミュニケーションについては、多様な形態があります。留学生が日本語能力試験（JLPT）のN2レベル（旧日本語能力試験2級とほぼ同じレベル）の学生であると研究室での意思疎通や研究についての指導や議論を日本語で行う上で大きな問題はありませんが、それより日本語能力が低い場合は、意思疎通が難しい場合があります。一方、英語でのコミュニケーションでは研究室の日本人学生の英語会話能力が必要となります。留学生と日本人の間に英語力の差がある場合は、日本人学生が積極的かつ普通に留学生と話をできる環境を指導教員が整える必要もあります。日本人学生の英語会話能力が低い場合でも、留学生と対等に付き合える日本人学生の環境と留学生を"お客様扱い"しない雰囲気作りが研究室には求められます。

　研究室では、新学期になるとメンバーの顔合わせから始まり、研究室内のルールや実験設備及び計算機の使い方講習や実験を行う上での安全講習、セミナーの運営方法など多数の事項を覚える必要があります。アジアの大学で日本型の教育を導入している国の留学生はこのような研究室の生活に違和感を持つことが少ないのですが、欧州各国や米国・豪州で研究をした学生は、日本の研究室スタイルに大きな違和感を覚えることがあります（例えば、増田2019）。適応能力の高い留学生は、この日本型の研究室になじんでいきますが、一部の留学生は自分の研究スタイルや生活スタイルを変えないため、日本人学生や指導教員と衝突するケースも出てきます。特に、研究室間の壁のないオープンラボの環境で育った留学生は、日本独自の講座制（現在は小講座制から大講座制に移行している大学が多く存在しますが）に強い違和感を覚えます。多くの日本の大学では、1つの研

究室が"個別"のユニットになっており、隣の研究室とほとんど交流がない場合もあり、研究室の環境が独立した存在になっていることも少なくありません。

　研究生活が軌道にのると、留学生は寮・下宿と研究室の単純な往復を繰り返すことになります。研究分野の特性にもよりますが、マシンタイム（実験機器を使用できる時間）が制限されている巨大装置で実験する物理分野、反応時間が長い研究をする化学分野や生体を扱う生命科学の分野では、土曜日や日曜日も関係なく研究を行います。このような環境に適応できる留学生は問題ありませんが、拘束時間が長く、研究室のコアタイムを遵守しなくてはいけない生活スタイルを嫌う学生も多く存在します。無理に日本型の研究スタイルを続けて、精神的な苦痛を感じる留学生やホームシックになる留学生に対しては、ファミリーとしてケアする研究室の役割が大きくなります。指導教員や研究室の日本人学生が、留学生の適応ストレスのサインを見落とさないようにすることが何より重要です。留学生が過度のメンタルストレスを抱えると、ひきこもりや学内外での大きなトラブルを引き起こすケースもあり、注意が必要です。

4 ｜ 研究室の雰囲気と留学生の研究環境

　理工系大学の研究室の雰囲気は千差万別であり、単純なパターン分けはできませんが、大きく以下の4類型に分類してみました。

（1）留学生孤立型の研究室
（2）留学生と日本人学生の関係で成り立つ研究室
（3）留学生と指導教員のみが対話する研究室
（4）留学生と日本人学生及び指導教員が一体化した研究室

（1）に在籍する留学生は研究室内でのサポートを得られず、卒業論文、修士論文や博士論文の完成に大きな支障をきたします。このタイプの研究室の留学生が、単独で研究できる分野にいる場合には比較的問題は少ないですが、共同で実験する分野やフィールドワーク等を行わなくてはいけない研究の場合には、周りからの協力を得られずに、留学生は孤立を深めます。昨今の理工系分野は、予算の選択と集中により、巨大サイエンスや巨大プロジェクト型の研究が少なくありません。そのため、研究室内での研究もプロジェクトベースで遂行される場合があり、装置の使い方や実験の仕方、研究室ミーティングなどで、周りの学生や教員と十分なコミュニケーションが取れないと、孤立型の留学生の立場は一層厳しくなります。

　（2）の研究室にいる留学生は、指導の教員がいなくとも、周りの日本人学生とコミュニティーを形成し、研究を行うことができます。特に、留学生をサポートする日本人学生と指導教員との間に信頼関係がある場合は、教員が直接的に留学生を指導しなくても、問題はあまり起こりません。最近は、教授や准教授が学内外の会議や大学運営の業務で忙しく、研究室を空けることも多いため、留学生を指導できる時間が限られることが多くあります。そのような状況でも、留学生と良好な関係の日本人学生や先輩の留学生が、研究計画から研究の遂行、論文作成までを手伝ってくれます。

　（3）の研究室の留学生は、研究室の学生と関係を築かず、指導教員とだけ対話するケースが多い留学生です。このタイプの留学生は、研究室の他の学生をあまり信用せず、指導教員から指示のあった事項のみを実行することになります。指導教員と留学生の関係が良い場合、問題は少ないのですが、留学生と教員の研究方針や研究スタイルの乖離が生じた場合は大きなトラブルになります。特に、卒

業論文、修士論文や博士論文の提出時期直前になると、このような問題が顕在化する傾向があります。

　（4）の留学生は理想的な研究室環境にいると言えます。このタイプの研究室では、研究室を先導する教授、准教授などのPI（Principal Investigator）が研究室全体を上手に俯瞰しており、研究上の問題や研究室内の人間関係が悪化した場合も、最適な解決が行われます。このタイプの研究室では、教員と留学生・大学院生・学部4年生が、度々、顔を合わせるミーティングがあり、学生が教員に意見を言える雰囲気もあります。また、研究室内では、研究の協力体制が整備されているだけでなく、留学生が私生活で困った場合もサポートする雰囲気が存在します。指導教員がどれだけ忙しくとも、研究室内のことを気にかけ、出張先などから適格な指示が出せるのもこのような研究室の優れた点です。

　理工系の研究室は、"研究の場"、"教育の場"、"生活の場"でもあります。研究室では実験・計算機シミュレーション等を通して研究を遂行しますが、研究を通して教育を受ける"教育の場"としての役割があります。例えば、1つの研究を行うにあたって、1）研究計画、2）研究実行のための準備、3）研究遂行、4）データ解析、5）論文作成、6）学会発表などの一連の流れがあります。研究者にはそれぞれのタイプがあり、自分に適した流れで研究を行います。日本の大学では、"教育の場"としてこの流れをきっちりと教える研究室が多く存在します。しかしながら、自国の研究スタイルと大きく異なることを好まない留学生がいることも事実です。研究室には、それぞれのローカルルールがあり、それぞれ固有の研究文化が存在しています。良い伝承や優れた研究スタイルを継承している研究室にいる留学生に不満はありませんが、明らかに不条理な規律やPIの思いこみだけで作られた教育規範の中で研究

を続けなければならない留学生は不幸です。最近では、大学内の規則が厳しくなり、長時間の実験・研究をするために大学に寝泊まりをすることが禁止される場合も存在します。昔のように、研究だけでなく、食事・睡眠を含めて24時間を研究室で過ごす、"生活の場"として、長時間滞在しなくてはいけないルールを多くの留学生は好んでいません。

　留学生の良い研究環境を決定づけるのは、優秀なPIの存在です。研究での生産性が高く、優れた論文が多く出版され、良い人間関係が保たれた研究室には、必ず優れたPIが存在します。優れた研究室では、全ての留学生に対して同じパターンで指導するのではなく、留学生の個性の違いにより柔軟に教育研究指導が行われています。研究室では、研究内容や研究テーマの選択も重要ですが、優れた研究組織の構築や研究指導体制も重要な課題となっています。

5 ｜ 研究室における留学生の問題を最小化するために

　前述のとおり、理工系の研究室には様々な環境が存在します。そのため、留学生は日本でのカルチャーショックや教育システムの違いなど様々な場面で心理的適応が求められます。留学生の異文化適応のストレスの受けとめ方には個人差があるため、周りのサポート体制により状況が大きく異なってきます。問題発生時の留学生への援助の方法は、場合により問題解決型アプローチか専門的カウンセリングなどを適宜、選択する必要も出てくるとされています（JAFSA 2012）。

　研究室という限られた空間で生活すると、その狭い社会が絶対的空間になるので、PIは大学外の広い社会や価値観を意識して留学生を教育する必要があります。研究室における留学生の問題は以下の点で注意が必要です。

第一の問題は、留学生の研究室内でのコミュニケーションの問題です。留学生と日本人学生との関係性も重要ですが、卒業論文や学位論文を作成するまでの研究指導時の留学生と指導教員のコミュニケーションも大変重要です。留学生が常に指導教員と議論や対話を行い、双方向のコミュニケーションが取れている場合は問題が起こりません。しかしながら、留学生の日本語能力や英語力の不足もしくは指導教員の英語力不足によっても、研究内容のやりとりや意思伝達で誤解が生じる場合があるからです。

　第二の問題は、留学生の学力の問題です。日本の大学へ留学しても、自国で理工系専門分野の基礎となる教育を十分に受けていない留学生は、研究を行う上で大きな問題となります。研究を遂行するためには、その基礎力となる数学・物理・化学・生物等で必ず学ぶべき単元があります。自国の高校の教育課程や予備教育課程において、理工系分野に必要な基礎的科目を学習していない場合は、研究活動で大きく躓くことになります。また、大学院に進学する留学生も、自国で学部時代に受けてきた基礎的な知識や研究に対する考え方が異なります。指導教員は、研究指導を行う上で、個別の留学生に対して十分な配慮が必要です。

　第三の問題は、研究に対する考え方の違いによる指導教員と留学生との対立です。個々の留学生に合わせてその指導を変える教員には問題が少ないのですが、自身の研究スタイルや論文の書き方を同じ形式で留学生に強要する指導教員の場合には、トラブルが発生します。また、留学生に対して答えのある練習問題的な研究を課し、精神論的な議論を繰り返す教員に対しては、留学生は大きな反発を示します。博士後期課程の学生ともなると専門分野への造詣が深くなり、指導教員より特定の研究領域に関する知識量が多いこともあります。この場合、留学生が思い描いている研究の方向性と指導教員が誘導したい研究方向が異なるこ

とがあり、対立が生じます。指導教員は自分の方針を留学生に一方的に押し付けるだけでなく、科学的・技術的な間違いがなくかつ論理的に正しい研究であれば、留学生の考えを取り入れ、一緒に研究をすすめる研究パートナー的存在になる必要もあります。

　研究室に所属する留学生の問題は、病気やメンタルの問題、学外での事件なども存在します。日本国内で身元引受人となる保護者が存在しない留学生にとって、入院を伴う大きな病気になった場合は、学生の所属する研究室の指導教員や大学のサポートが必要です。病院で受ける大きな手術の場合、同意書の作成など、研究室構成員の支援なしでは成り立たないこともあります。さらに、入院中の留学生を研究室がファミリーとして、ケアする必要も出てきます。

　近年は、ひきこもりになる留学生の増加が問題になっています。ひきこもりの原因は様々ですが、一旦、寮や下宿に引きこもってしまうと、部屋から出ることが困難になるだけでなく、留学生を研究室へ通学させることにも大きな困難が伴います。特に、メンタルな問題の症状が強い場合、通院・カウンセリング・投薬などの医療の専門家による支援が必要となります。ひきこもりの原因を究明せず、単に怠惰な生活であると指導教員が判断することによって、メンタルの問題を悪化させたりすることもあり、注意が必要です。

　留学生の遭遇する事件は学外でも多数あります。研究室とは離れた夜の街で、留学生が行う違法行為や留学生が巻き込まれる事件などは、個人の問題だけでなく、研究室を超えて、大学全体に影響を及ぼすことにもなります。指導教員が留学生の私生活を管理することは不可能ですが、日頃からの留学生との対話により、研究活動だけでなく、留学生の日常の行動も把握しておく必要もあります。

第11章　理工学系分野の教育の特徴と留学生の研究生活

6 おわりに

　　理工学系分野の留学生が日本の大学へ入学するとその状況により様々な問題に直面します。基礎的な学力の問題や経済的な問題のみならず、病気やメンタルトラブル等、問題は多岐にわたります。さらに、留学生と指導教員の関係や留学生と周囲の学生との関係など、対人関係は複雑かつ多様な形態で存在し、それらの問題や解決法に影響を与えます。

　　学部教育では、留学生に授業についていけるだけの理系の基礎学力や日本語能力や英語でのコミュニケーション能力が必要です。また、日本人学生が外国人であることを意識せずに積極的に留学生と接する雰囲気や留学生に対して普通に接するように、大学側が学生を導くことも重要です。

　　留学生が研究室に所属した際に、教授や准教授などのPIは遠い存在になりがちです。海外の大学では、教授に面会するためには高いハードルがあり、教授との面会に緊張する留学生もいます。そのため、指導教員と留学生が直接的に対話できる機会を増やすことも重要になります。研究室では、留学生と日本人学生が研究室内で一体化し、気楽に学生同士でコミュニケーションできる雰囲気を作ることが求められます。留学生の孤立を防ぐためには、教員が高い頻度で留学生面談をしたり、日本人学生や留学生のTAが本音を聞いたり、留学生の孤立や事前の兆候を見逃さないことが重要になります。

　　このように、留学生が日本の大学で学部から大学院の間で過ごす間には、多種多様な問題が存在します。しかしながら、留学生が増加している日本の多くの大学内では、留学生に対する個々の配慮をしながら、特別扱いするのではなく、日本人学生と同様にすることも必要になってきています。

参考文献　鴈野重之（2006）「マレーシアにおける高校物理の概観」『大学の物理教育』12(3), pp.169–172.

佐々木良造・長谷川貴之（2019a）「理科系学部留学生受け入れのための送り出し国の数学カリキュラム評価の試み」『日本語教育方法研究会会誌』26(1), pp.32–33.

佐々木良造・長谷川貴之（2020）「数学カリキュラムから見た専門教育・専門日本語教育の前提の見直しの必要性―マレーシアと日本の後期中等教育数学教科書の比較対照分析を通じて」『静岡大学国際連携推進機構紀要』2, pp.1–16.

長谷川貴之・佐々木良造（2019b）「大学理科系学部留学生送り出し国の数学カリキュラムの評価試案―高度外国人材育成を目指す」『数学教育学会秋季例会発表論文集』pp.141–143.

増田直紀（2019）『海外で研究者になる―就活と仕事事情』中公新書

JAFSA（国際教育交流協議会）（2012）『留学生受入れ手引き』かんぽう

^第12^章

日本の大学における工学教育の特長と留学生の研究生活

古城紀雄

1 日本の大学教育の特徴と学生の大学生活

　大学教育は学生に専門分野での学習の機会を与えて、その学生にその専門性を生かす将来を可能にすることを目的としています。どの国であれ、「個人にその分野で生きるための能力を醸成・付与し、その可能性を伸ばす」ことが大学教育施策のゴールとなっています。ただし、そのゴールへ向かうプロセスはその国の文化的背景の違いなどから特徴をもって設定されています。

　ここでは米国の大学教育と対比させながら、日本の大学教育の特徴を考えてみます。まず、日本では、高等学校教育を終え、大学入学時点ですでに自分の「専攻」を定めて進み始めてしまっていることが挙げられます。このことは、第一に日本の大学への入学後に専攻を変更することがほとんど想定されていない制度設計になっていることと関係しています。加えて、入学可能な大学・専攻を入試前の自分のペーパーテストでの得点力を勘案しつつ選択して進むという考え方が一般的です。結果として、入学した大学・専攻でもってその個人をまず基本的に査定・評価する流れが今日でも結構一般的になされています。しかし、この査定基準は、基本的に高校までのペーパーテスト結果と対応はするものの、最近有用人材に求められている「独創

性」・「企画力」・「リーダーシップ」などの具備とは必ずしも対応しないことが多く、「出身大学・専攻による人物評価基準」の意味が大きく低下していることも指摘されなければなりません。従って、当然のことながら、現状としては格上の大学・専攻への編入学は極めてまれな例になります。また、今でも人事案件が決まらないときの便法として「出身大学・専攻による評価基準」が持ち出され、結果として納得を得る考え方もよく使われる日本社会であることも理解しておかねばなりません。

　一方で各大学は、社会からのそんな評価基準を守るために、入学試験を突破した学生についてはできるだけきちんと（留年させることなく）卒業させることに腐心してきました。特に20～30年前の大学教員は自分の研究室またはゼミに参加した学生・院生には留年することなく卒業させることを至上命令としていたように思われます。それは上述の「入学時点での評価基準を維持」するためであり、その対象には留学生（特に当時の文部省から受け入れ依頼された国費留学生）も含まれました。現在では、この前時代的「入学時評価」から「卒業できた学生・院生の資質」で大学評価を行う流れが主流になってきていて、適切に単位取得でき、かつ提出した卒業論文・修士論文・博士論文に合格した者をもって、その大学の教育面でのアウトプットとして評価対象とする傾向が強まっています。しかし、日本の大学での単位取得は米国のそれに比べると容易で、まだまだ「入学時評価」を標榜する流れを否定はできない状況も残存していることが指摘されます。

　さて、日本の大学での授業では、講義担当者が一方的に講義を進める形態が大半を占めています。担当者から与えられる課題も受講生からの質問なども少なく、学生は特に積極的に参画することは少ないようです。その代わり、結果として講義内容は円滑かつ豊富に伝えられます。その点

では「アカデミックなトレーニング」を目的とし、主体的に取り組める能力を醸成するように設計されている米国の大学とは異なります。日本では学期末に試験などで理解度がある程度以上であると評価されれば、授業中に眠りこんだり講義を休んだりしても単位は与えられます。日本人学生が真剣に授業に取り組まないことを指摘する留学生は少なくありませんが、制度として単位取得が達成されれば問題はないとの考え方が一般的です。つまり、米国の「トレーニングの機会提供」という考え方に対して、日本の大学では「社会人へ向けての専門性の醸成・人間力の向上への自主学習の機会の設定」がなされていると理解されます。

　「インターンシップ」についての考え方の日米間の違いは、その社会が大学に何を期待しているかと関係しています。最近ではともかく、日本企業文化にとっては、インターンシッププログラムは必ずしも必要でなく、基本的に当該企業に必要な能力は企業内教育プログラムで育成することが実践されています。このことは日本における「中途採用の少なさ」や「終身雇用制度」と密接に関連しています。一方、欧米では、大学時代にトレーニングを重ね、その企業で必要なスキルは入社前に保持していることが必要な文化となっています。従って、入社前のトレーニングの機会を提供し合わなくてはならず、結果として各企業のインターンシップの受け入れも必然となっています。その意味で、日本の大学に留学すると、欧米の大学でのように在学中から卒業前に企業などのインターーシッププログラムに参加することは原則としてありませんし、あっても極めてまれな例である点に注意しなければなりません。

　米国の大学はトレーニング機関であり、教授たちもそのことを認識して十分な体制を取ります。一方で教授らの教育能力を学生側が評価することが一般的となっています。

筆者の経験では、米国の大学では学生による教育能力評価が結構厳格に行われ、結果はその教授たちのサラリーに反映される場合も多いようでした。従って、欧米の大学教員の教育に対する熱意は日本と比べものにならない位大きいと言えます。また、欧米の学生は自身が「更なるトレーニングが必要だ」と考えた段階でいつでも大学に戻るということがしばしばあります。

　一方、日本の大学教授は主としてすぐれた研究成果を出すことに重きをおいており、研究成果が最もステイタスを上げます。また、学生は最終的には専門性の高い社会人として必要な能力の醸成を基本的に自らを鍛えながら行い、また、サークル活動や友人との協働を通しての人間力の醸成も、「自己努力」で図ることになっています。すなわち、日本の大学では手取り足取りのケアを受ける訳でなく、自分で、社会人として成長するために、まずは教養教育を受け、ついで、専門教育研究に精励する流れを経て、自分を鍛え上げた上で社会へ雄飛する流れとなります。

2 ｜ 日本の工学教育のユニークな点——国際的評価の観点から

2.1　戦後日本の復興と日本人の働き方の傾向

　日本留学の志望動機として「戦後見事に経済的復興を遂げた日本で学びたい」とするアジアからの留学生が多く見られます。この復興が必ずしも教育だけの成果としてもたらされたとは言えませんが、そんな留学生たちがしばらくして、日本・日本人・日本文化の片鱗を理解し始めると、異口同音に「日本人の働き方」へ高い評価を口にするようになります。

　基本的には日本は農耕文化社会であり、お互い突出することなく、さりとてともども全力を出して助け合いながら、成果よりもこの過程を大切にしつつお互いに生きてゆ

くことを本望としていると考えられています。戦後の復興を結果として成し遂げたとして、それは一にこの気質に負うところが大であり、この点に関しては理工系・文系に何の差異もありません。「働き方改革」が叫ばれている最近はやや事情が異なってきましたが、「会社人間」と揶揄されながらも、その会社等組織に属しつつ自分の生きがいもかけて、ある意味では「私」を犠牲にしてさえもその組織の目指すところへ向かって全力を尽くす。それが戦後から極く最近までのサラリーマンの普通の生き方であったと言えます。勿論、理想的には誰一人としてずる賢く立ち回ることなく、一丸となってチームワークを良好に保ちながら成果を蓄積し共有する流れが全てのメンバーに了解されていたと言えます。しかも、そんな毎日がほぼ定年退職の日まで間断なく続けられるということです。この状況は、最近でこそ転職傾向が容認されてはいますが、その会社・組織に加わったらおよそ転職することのない終身雇用制度が一般的であった日本の労働環境と無関係ではありません。

　特に戦後になってから、技術的もしくは経営的に優秀な人材を永続的に雇用しておきたい流れは、成果主義というより新卒一括採用制度・年功序列制度・定期昇給制度をからませた「終身雇用制度」を労使関係の基礎とする考え方を一般的にしてきました。対する成果主義制度・中途採用制度は最近採用されるようになってきましたが、その際でも、「成果」は個人というより「そのグループ構成員の協力一致した努力の結果」と捉えることで補完してきたと言えます。

　かくして、戦後からつい最近まで、大学教育を修了した人材は、文系・理系にかかわらず終身雇用制度を軸にした労働環境の中で、ある種家族ないし個人の人生を犠牲にして日本経済を力強くけん引してきたと言えます。

2.2　国際的評価の高い日本の大学における理工系人材育成

　前節で述べたように、日本の大学は、将来自分の専攻・専門を生かした職業人となるべく、社会に巣立つ前の最後の自己錬成の機会を提供してきています。大学に入学して1・2年間余り（長い学生になると3年次生後半になるまで）「自己錬成」が求められていることに気づかず無為に過ごす学生が多いのが現状のようです。このような状況の日本人学生の態度（講義に出ない、出席しても質問もせず、ねぼけまなこで過ごす、など）を見て理解に苦しみ失望する留学生の話をよく耳にします。

　しかし、そんな留学生も、4年生となり研究室に配属され卒論に取り組み始める日本人理工系学部生に接すると、評価を一変させます。日本の理工系学部の卒業論文研究はいわゆる「プロジェクト研究」と呼ばれものですが、その研究テーマは指導教員が「研究者としての自身の研究を推進させる方向で選択された最先端研究テーマ」の中から用意されます。学生の方も「自己錬成」の意識がもう確立され、日夜その卒業論文研究に力を尽くし、その過程で研究室の先輩（修士課程・博士課程の院生）に研究手法・考え方についての薫陶を受けて、急速に成長し、理工系人材としての基礎を形成してゆきます。大学4年次生の段階でこのような高度のプロジェクト研究の機会を提供されるのは日本だけであり、世界から高く評価されています。そのような事情もあって、欧米の協定大学からの「このプロジェクト研究に参画すること」のみを目的としたプログラム開講が強く要請される現実があります。日本の理工系大学・大学院ではこのように原則4年次生から、自己錬成が必須状況の真の理解のもとに、優秀な人材としての成長がもたらされます。

　戦前の教育制度では、12歳で小学校を卒業した後は、原則17歳までの旧制中等学校（5年間）、18 〜 20歳までの

旧制高等学校（3年間）、21歳から23歳までの旧制大学（3年間）が設置されていました。戦後は、小学校卒業は同年齢ですが、その後中学校（3年間）、高等学校（3年間）、大学（4年間）、と進学し、戦前と比較して1年間早く大学を終えることのできる制度となっています。しかし今日の日本の理工系学生は大半が大学院修士課程（2年間）に進学修了するという流れが占めるようになり、結果として大半の理工系学生が修士課程を修了して社会へ巣立つ年齢は戦前の大学卒業年齢より1年上と同じになっています。従って、順調に進学できれば22歳〜24歳の3年間は、戦前の大学生期間と同様にその学生の人生を決める極めて有用な期間であると言えます。現在の大学4年生と修士課程2年間の合計3年間のことです。

　さて、最近になって、学部時代の大学・学科・専攻とは異なる組織に属して修士課程を過ごす者が年々多くはなってきています。しかし、現在でも大半の理工系学生は大学・学科・専攻を変えずにこの3年間を過ごします。この3年間に、指導教授は自分の研究者生命をかけた最も進めたい最先端研究テーマとアイデアを提供し、理工系学生は、自分の研究室に属する他のメンバーたちと協働して、卒業論文研究（学部）に引き続いて修士論文研究を進め、共著論文を投稿し続ける流れを目指すようになっています。上述のように、研究者としてのステイタスアップを常に目指す日本の大学教授は、その意味で自分の研究室（ゼミ）の卒論学生と大学院修士課程の院生とは運命共同体として、実に緊密に連携することが求められています。特に修士論文研究のレベル・内容は欧米の大学での博士論文研究になんらひけを取らないと評価されることが多く、日本の理工系大学の研究レベルの高さに大きく貢献しています。

　他方、学生・院生側から見れば、高度の研究に従事する

機会を得て、この3年間で「理工系人材」として立派に関連業界に貢献できる能力を自らの努力の結果として具備し、社会に漕ぎ出して行ける流れを可能にしていると結論できます。このシステムの中に留学生が加わることはそう困難なことではありません。しかし、留学生も含めて、システムにただ加わるだけでなく、このシステムが有効に機能している背景を理解して、このシステムの利点を伸ばす動きに同調するセンスを持ち、日本の理工系学部・大学院で学ぶモチベーションを確固たるものにすることが期待されています。

2.3　サーベイ中心の米国型に対する「研究成果型」の日本の学位論文

　2.2でも述べたように、日本の理工系研究室にとって研究活動は最重要です。従って卒業論文・修士論文・博士論文の内容は当然のことながら研究成果中心に記載されます。「自己鍛錬」の手段として懸命に研究に取り組み、そのアウトプットをいかんなく表現する流れは当然といえば当然であり、博士論文においても、その研究の必然性を論ずるサーベイ（Survey概説）部分は論文全体のボリュームの10％以下であることが一般的になっています。そして論文の大部分では自分の研究の独創性を主張し、そのための研究方法を提案し、実験研究を進め、結果をまとめ、研究の将来性を論ずる、といった内容になっています。それらをまとめた論文は世界の一流誌に投稿・掲載されるレベルのものがほとんどです。

　一方、多くの例を知っている訳ではありませんが、米国の大学における修士・博士論文研究では、まず論文の分量の50％にもおよぶサーベイがまず記載されています。これは、先行研究を十分に解析・解説することを求められた結果であろうと思われます。もとより米国の大学は「トレ

226

第4部　日本の理工系教育の特徴と研究室環境

ーニング機関」であり、それ故に、自分の研究成果よりも、その研究を発想するに至った必然性をしっかり論ずることができるかどうか、についてのトレーニング結果を示さなければなりません。論文内容についても試問は多くの教授の出席する雰囲気で2，3度なされ、学生はきっちりトレーニングした結果を表現しなければなりません。一言では言えませんが、博士論文として記述する自分の研究成果は必ずしも高いレベルである必要がないとも考えられます。

　これに対して、日本の理工系の博士論文は、すでにレギュラージャーナルに掲載された査読論文（一般的に2〜3報が必要）の内容を主としており、一定の高いレベルを保持しています。意味あるサーベイ作成プロセスをいかに評価するかはともかく、日本で博士号を取得するということは一流誌に自ら作成した論文を投稿して査読者とのアカデミックなやりとりを通じて闘いつつ、その主張を公にしてゆくという能力が問われ、結果として優秀な研究人材を輩出することになっていると考えられます。その際、英語で論文を作成できる能力も醸成されることが大きく期待されています。

3 ｜ 日本に学ぶ留学生の生活——日本で生活すること

　ここでは外国人が日本で日本人と共に住むことについての現状と課題を説明したいと思います。日本人・日本社会は自分とは極めて親しい仲間社会を作り上げますが、その外にいる人に対しては、本来排他的であると言えます。このことは先にも述べましたが、突出を嫌う農耕文化体質から考えて無理からぬことであろうと考えられます。しかし、一方で、「外国人との共生推進」に代表される「異質な仲間との協調・協働推進」の流れは1980年頃から活発化

され、故中曾根康弘首相の21世紀初頭を目途とした「留学生受入れ10万人計画」に代表される政策目標が大学・公共団体・地域を巻き込んで大々的に展開されるに至って、それこそ国民一丸となって外国人と共生し、国際協調・協働する社会作りに積極的な取り組みが求められるようになりました。この国家目標は21世紀に入ってほどなく達成され、日本人には少し不得手であった外部者との相互理解を基礎とした国際交流推進が前進したと考えられます。

3.1　留学生を対象にした支援活動

　1980年頃から市町村の国際交流協会においても国策としての上記推進を受けて、当時のはしりとしての「ボランティア活動」の対象として「留学生支援と留学生との相互理解」という目標が設定され、市民による留学生支援・交流活動が活発化してきました。内容は日本語学習教室、中古品・衣類バザー、各種パーティー、そしてホストファミリー活動（ホームステイからホームビジットまで）と多岐にわたりました。

　これら市民レベルの留学生との交流活動はその留学生が学ぶ大学などとの共同で企画・実践されるとき、より効果的になると考えられます。そんな市民と大学との活発な協働活動の具体的な例として、筆者が勤務していた大阪大学留学生センター（現在の名称は、大阪大学国際教育交流センター）が同大学に学ぶ留学生と外国人研究者およびその家族を対象とし、同センターが責任をしっかり持つ形で行っている支援活動を紹介します。なお、日本の全ての大学において以下のような活発な支援活動がなされている訳ではありません。

　1）相談業務：3つのキャンパスに設置された留学生交流情報室（IRIS）にはフロントスタッフが常駐し、ま

ずは対面で相談や依頼を受けます。問題によっては
センター教員、そして専門心理相談員、最終的には
医学部精神科スタッフと連携する、という4段階の
相談対応システムを機能させています。加えて、各
種ハラスメントや災害時の対応について迅速・適切
な情報提供も行っています。

2) ホストファミリープログラム：地域の国際交流協会
などを通じて募集したホストファミリーと日本人家
族との交流を申込んだ大阪大学留学生などとを「出
会いの会」で組合せ、ホームビジットを中心とした
「日本での家族」として支援・相互理解活動を進め
ています。すでに26年の歴史があり延べ組合せ数は
なんと約4500件に達し、ここ10年の年平均は260
件余りとなっています。

3) 国際理解教育支援プログラム：地域の小・中・高校
での国際理解教育に協力する形で、テーマに適した
国の留学生を派遣し、日本および留学生の母国の文
化の相互理解が図られています。この支援活動はこ
こ24年間に745件、延べ派遣留学生数5400名弱で
実施され、ここ10年間の年間平均は31件で312名
でした。多くの機会を提供したとして、地域の教育
委員会・国際交流協会から感謝されています。

4) 大阪大学留学生会（OUISA：ウイサ）支援：全留学生
が集う組織である大阪大学留学生会の活動を支援
し、卒業後の組織「国際同窓会」とも協働していま
す。OUISA主催のスポーツ大会は毎年全学的に盛り
上がっています。

5) 日本人学生との協働推進：留学生との交流に関心の
高い日本人学生を組織するプログラム（BSP：ブラザ
ー＆シスタープログラム）を推進し、留学生センターを
活動の場として提供しています。

6）新規留学生に対するバザーや歓迎パーティー開催：
　　　　これらを行う地域国際ボランティア団体と協働する
　　　　とともに、支援も行っています。
　　7）スピーチコンテスト：センターの日本語教育部門と
　　　　外部ボランティア団体との共催で、留学生の日本語
　　　　スピーチコンテストが開催されています。

3.2　日本社会で心地よく共生するために

　先にも述べましたように、外国人との共生・協働にはや
や不得手の日本人ではありましたが、ここ30年余りに国
策にも支えられ、より多くの努力の機会を得て、徐々に変
化してきたと言えます。しかし、異質な文化・習慣への理
解はまだあくまで「努力の結果」であることをしっかり認
識していることが肝要であることを指摘しておきます。あ
る種醸成された理性でもってこの理解が支えられおり、近
い将来このことが当たり前になる段階に発展してゆくであ
ろうと期待されます。

　日本人、外国人に限らず「心地よく共生する」ために
は、定められた規則や暗黙のルールを、意識しないでも遵
守し合うことがまずなければならないと思われます。日本
人社会では生活する際の遵守すべきルールは多岐にわた
り、しかもかなりしっかり守られています。特に家庭ゴミ
に関する取扱いは世界中で最も厳格に規定されています。
どの程度どのように分別すべきかについては居住する市区
町村によって異なり、ルール通りの分別はもとより、それ
ぞれ指定された袋に入れて閉じ、所定の集塵場所に決まっ
た曜日の何時までに出す、というように（留学生も含めた）
住民全てに強く要請されています。また、ことに集合住宅
における騒音も近隣の方との摩擦の原因となります。夜中
のシャワー音、無邪気に遊ぶ子供たちの足音など、そんな
騒音発生が常態化しないように心がける必要があると思わ

れます。

　「心地よく共生」するためには上述のようにまずは日本で生活する上でのルールを守ることが重要ですが、その上でルールというほどではないが心にとめておいた方がいい、いわば「習慣」的なものの理解も必要となると考えます。その代表的なものが「挨拶」ではないでしょうか。朝夕に近隣の住人と交わす軽い会釈を伴った挨拶の一言は、外国人との交流が基本的に不得手な日本人の心を開くに違いないと考えます。かつては知らない人と言葉を交わさないことをよしとした古い日本人気質から、現代は努力して心地よく共生したいというマインドに変わりつつあります。ぜひ、留学生の側から挨拶の機会を作ってほしいとも念じています。「挨拶」の交換は共生社会を円滑に機能させる潤滑油になるにちがいありません。

4　大学の研究生活——研究室文化を中心に

　第2節で述べたように、理工系学生は日本では通常学部4年次になると「卒業（学士）論文研究」を開始するために、教授（もしくは准教授）が主宰する「研究室」に配属されます。文系でいえば「ゼミナール配属」と同様ですが、指導者（教授）側から見ても学生側からも大きく異なります。理工系学部4年生と修士課程2年間の合計3年間、教授と共に研究する制度は日本の誇る「理工系プロジェクト研究プログラム」であり、世界的に極めて高名であることはすでに述べましたが、この点でも文系の「ゼミ制度」とは大きな差異があります。

　日本の誇る「理工系プロジェクト研究プログラム」の特長の第一に挙げられるのはその研究レベルの高さです。研究成果こそ日本の理工系大学教授としてのステイタスの主な部分です。従って、修士論文研究のテーマはその教授

（研究室）のステイタスの盛衰をかけて設定されるが故に、その成果はほんの少しの改訂・追加研究を伴えば、査読論文として学会誌に投稿され得るような高いレベルの内容になっています。言い換えれば、日本の大学教授は研究成果で評価され、教授はそれ故に研究成果を生み出す大学院生と運命共同体的様相を呈しており、またそれ故にこそこの共同研究に予算と時間を惜しみなくかけるという構図になっていると言えます。

　また学生側にとってこのような教授が主宰する「研究室」に加わるということは、教員のみならず博士課程に学ぶ最高5歳以上年長の研究室員などとの共同研究や共同学習を通して、理工系人材として、そして研究者として成長する機会を得る可能性を持てるということになります。この同じ研究室構成員として6〜7年にわたる異なる年齢の学生・院生がその研究室で様々に協働する中で、将来彼らの全てにとって極めて有益なものになる人間関係をゆるぎなく構築することとなります。少なくとも、4年次生から修士2年次生までの3年間の間、この人間関係の中で専門学習の点でも人間形成の点でも鍛錬の日々が続き、結果として、修士課程を終わる頃には「理工系の有用な人材」へと育成され、社会に旅立つことになります。

　研究室では、学会誌の欧文論文を紹介し議論する「雑誌会」がほぼ毎週開催されます。またその他、新入生歓迎会（コンパ、ハイキング）、夏の合宿旅行、大学院入試後の慰労会、忘年会、卒業旅行などの行事が修士1年生の運営のもと、研究室全員参加で開催されます。このような行事を通して「同じ研究室」にいることの良さ・有益さを蓄積してゆき、卒業後の長く親しい友好関係の基礎を形成してゆきます。

　大学3年生まで、留学生から揶揄されるほど無気力な学生時代を過ごしていた日本人学生も、4年生となって研究

室に加わり、多様な人間関係の中で卒業論文研究に打ち込み始める頃から、人間性豊かで有用な理工系人材として醸成されてゆくと考えられます。

　研究室で使用される言語はほとんど日本語であると考えていいでしょう。大学にもよりますが、研究の相談・指示に関しては英語がもちいられる場合が10％程度あるにはありますが、日本の大学で学ぼうという場合には、まずは生活日本語を習得しておく必要があると思われます。ここ10年余り、日本の大学でも英語で行われる講義を取って学位を取得できるプログラムが多々開講されていますが、そのようなプログラムに参加する場合でも基本的な生活日本語はぜひ前もって習得しておいてほしいという状況です。もっとも、研究室によっては、教授、学生、院生の全てが英語で研究活動を進めている場合もあります。研究室のホームページなどで使用言語の様子をあらかじめ調べて対応することが勧められます。

5 ｜ 日本での成功的留学のために

　留学生のみなさんには、「日本では上述の理工系学部・大学院の研究室文化を基礎とした人材育成プログラムが有効に機能している」という認識をぜひ共有していただきたい、と思っています。この「研究室文化」をしっかり活用して、世界に通用する理工系人材として成長してほしいと願っています。

　ただ、研究室に属している日本人学生は、極端に言えば昼夜違わず研究室にいて研究に邁進するというスタイルを取ります。留学生はこれと同様の研究生活を送る必要はありませんが、あらかじめ自身の独自の時間配分を明確にした研究生活を教授はじめ研究室構成員に知らせておくことは必要であると言えます。

その上で、在学中に「研究室制度」のもとで培った探求精神と人間関係をしっかり構築しておき、母国、日本、あるいは世界で最大限に活用することが重要であると考えます。

　また、日本社会では、これも先に述べたように、ルールを守りながら、お互いに心地よく共生することにも努力してゆくことが期待されています。そして、そのような協働活動を通じて一旦仲間だと認定されたあかつきには、将来にわたって「密接な友好支援関係が保持」されるでしょう。具体的には、指導教員から元留学生に卒業後の共同研究プログラムが提案される場合や、帰国した元留学生の結婚式へ指導教員が招待される場合などがしばしば見られます。いずれも「研究室制度」のもとでの協働・支援関係が末永く継続されている証しであり、日本に留学したことが、卒業・修了後も多くの良い成果を期待する流れを作り出すと想定されます。

第13章
環境都市工学分野における
留学生の短期研修プログラム

惣田訓

1 短期研修プログラムの目的

　多くの大学が、語学研修や文化体験、課題学習を目的とした短期研修受け入れプログラムを実施しています（桜木2018）。学部生や院生は、夏休み等の長期休業期に実施されるプログラムを利用すれば、帰国後、自分の大学の新セメスターを遅れることなく迎えることができます。また、通常の修学期間中の短期研修を必修科目としている大学もあります。短期研修に参加することで、学生はその国の文化・習慣を経験し、その大学の校風や学力レベルを確認してから、正規留学の判断をすることも多いでしょう。短期研修生を受け入れることによって、ホストとなる大学は国際交流の実績を積み、将来の正規留学生の獲得も期待しています。

　立命館大学の理工学系学部においても、インド工科大学ハイデラバード校（Indian Institute of Technology, Hyderabad, IITH）から約10日間、ベトナムの日越大学（Vietnam-Japan University, VJU）から約2カ月間の短期研修を環境や都市をテーマとした問題解決型学習（Problem/Project-Based Learning, PBL）（大橋2017）形式で受け入れています。環境都市工学は、都市生活に欠かすことのできない社会基盤施設の計画、設計、施工、管理運営や、水や大気、廃棄物に関連

235

する環境問題を取り扱うものであり、高度経済成長期を乗り越えてきた日本が、急速な経済発展を現在遂げているインドやベトナムなどの国々に対して、まさにその経験を伝えるべき学問分野です。本章では、日本文化の体験、日本人学生との交流、研究室訪問、社会インフラ見学、企業訪問など、その受け入れプログラムについて紹介します。

2 インド工科大学ハイデラバード校からの短期研修プログラム

2.1 インド工科大学ハイデラバード校の特色

インドの経済格差は大きく、都市部には高層マンションのすぐ横にスラム街があり、全体的には社会インフラの整備は十分ではありません。慢性的に電力が不足し、道路の大渋滞や交通事故も多発し、水や廃棄物に関する問題も深刻です。インドの都市圏人口第6位のハイデラバードは、デカン高原に位置し、チャール・ミナール（四つの尖塔）や16世紀の城跡ゴールコンダ・フォートが世界遺産の暫定リストに登録されるほどの歴史がある一方、そのような問題を抱える典型例です（Das 2015）。

IITHの設立協力に日本は合意し、ODA（政府開発援助）によって、約2km²の敷地に約3万人を収容する新キャンパスが建設されました。日本の産官学による効果的なIITH支援の実現に向け、ODAを含む様々な協力を目的に外務省、総務省、文部科学省、国際協力機構（JICA）、国際交流基金、民間企業、大学が、支援コンソーシアムを組織しています。

立命館大学の理工系学部は、文部科学省「大学の世界展開力強化事業」において「産学国際協働PBLによる南アジアの異文化・多様性社会の中で活躍できる高度理工系人材の育成」事業を2014 ～ 2018年度に実施しました。その一環として、両校の学生の混成チームが、夏と冬に10

日間ほど相互訪問し、都市環境問題に関するPBLを行いました。両校は独自の予算で2019年度もPBLプログラムを継続しています（惣田ら2021a, 2021b）。

2.2　インド、ハイデラバードの環境都市事情

　インドでは、発電所からの送電ロスが30％近くあるため、停電が頻繁に生じるため、産業活動も影響を受けています。インドの大都市間には鉄道と道路が網目のように敷かれていますが、乗客超過や事故も多いです。都市内部では、自家用車やバイクの増加に比べて、バスなどの公共交通の整備が遅れています（Das 2015）。ハイデラバードでは外環状道路の整備が進められており、高速道路の管理システムの導入を日本が支援しています（国際協力機構2014）。トイレの衛生状態が整っておらず、水道水が飲用に安全でない場合、食事による適切な栄養摂取が困難となります（浅田・首藤2017）。上下水道は、維持管理費が十分には徴収できておらず、節水意識も高くはありません。市の中心にあるフセイン・サーガル湖は、16世紀に作られた人造ダム湖であり、20世紀初期までは主要水源でした。ハイデラバードは製薬産業が有名である一方、多くの湖の薬剤汚染が生じています（澤田2008）。水質汚濁が進んだフセイン・サーガル湖では、底泥の浚渫や、周辺地域の下水道整備が2006 〜 2012年に日本のODAで行われました（竹原2013）。また、廃棄物問題には、インドの身分制度が影響しており、廃棄物を行政が回収する仕組みがある一方、家庭や工場から出る廃棄物を回収する人々が存在し、効率的ではないため、道端に放置された廃棄物も多いです（西谷内2009）。ハイデラバードでは、廃棄物の回収・リサイクル大手企業が、一般家庭廃棄物や有害廃棄物、電子廃棄物の回収、輸送、リサイクル、埋立処分を担っていますが、その埋立処分場の周辺では、浸出水による地下水汚染

が生じています（Kurakalva et al. 2016）。

2.3　短期研修プログラムの概要

　2019年度は、IITHの受講生2名と立命館大学の受講生3名で構成する班が5つ作られ、それぞれ電力、廃水処理、交通、健康・衛生、廃棄物を課題としたPBLにグループワーク形式で取り組みました。夏には立命館大学の15名の学生がIITHに10日間訪問しており、10名のIITH学生の受け入れプログラムを冬に実施しました。その日程を表1に示します。

（1）施設見学

　12月10日は、一般廃棄物の焼却・熱回収施設とリサイクル施設を有する草津市クリーンセンターを訪問しました。焼却は最終処分場の確保が困難な国々に特有の中間処理であり、世界の焼却炉の7割が日本にあるといわれています。感染性廃棄物の処理などを除けば、世界では珍しい処理技術であり、IITHの学生も初めて見学する者が大半でした。

　12月11日は、（株）日吉（近江八幡市）において、環境試料中のダイオキシンの化学分析やバイオアッセイ（生物検定）、浄化槽による家庭排水の処理について学びました。（株）日吉は、生活廃棄物の処理事業や、廃水処理場施設の維持管理、水質管理、化学物質の測定・分析などに事業を展開しており、2010年にはインドに子会社を設立しています（黄ら2020）。インド人技術者による企業説明を受け、IITHの受講生は、国際的なキャリアデザインについて熱心に質問をしていました。その後、琵琶湖内の沖島に渡り、約250人の島民の生活排水を処理する下水処理施設を見学しました。古代湖である琵琶湖は、近畿圏の水源となっており、フセイン・サーガル湖と歴史や役割が対照的です。

表1　立命館大学における IITH からの短期研修プログラム（2019）の全体日程

	1限（9:00– 10:30）	2限（10:40– 12:10）	3限（13:00– 14:30）	4限（14:40– 16:10）	5限（16:20– 17:50）
12月8日（日）	関西国際空港に到着、立命館大学BKCへ				
12月9日（月）	開講式、オリエンテーション	キャンパスツアー	日本語基礎講座	日本文化体験（ペン習字、浴衣着付け体験）	歓迎会（折り紙・けん玉体験）
12月10日（火）	PBLディスカッション	生命科学部高分子材料化学科研究室見学	循環型社会研究室見学、草津市立クリーンセンター見学		飛行機研究会見学
12月11日（水）	（株）日吉見学、琵琶湖・沖島浄化センター見学				
12月12日（木）	彦根城見学、新幹線乗車体験（米原〜京都）、伏見稲荷大社見学				
12月13日（金）	PBLディスカッション	理工学部ナノバイオエレクトロニクス研究室見学	PBL成果発表会		修了式、歓送会
12月14日（土）	立命館大学BKCから空港へ、関西国際空港から出発				

　12月12日は、立命館大学の学生がIITH学生を滋賀と京都に案内しました。彦根城は17世紀に築城された平山城であり、現存する天守が国宝指定され、ゴールコンダ・フォートのように世界遺産暫定リストに登録されています。また、彦根市はフセイン・サーガル湖流域改善事業の現地ワークショップにおいて、琵琶湖の水質保全に関するノウハウから、湖の浄化のための提言をしています（竹原2013）。その後、米原から京都の約68kmを新幹線で移動しました。これは、2028年ごろを開業予定としている、ムンバイ〜アーメダバード間の日本の新幹線方式の高速鉄道の導入に関連づけています（山腰2017）。京都では、短期研修生の希望によって、伏見稲荷大社を散策しました。千本鳥居や狛狐像には日本的な魅力があるらしく、これは、象頭神のガネーシュ祭りに立命館大学の学生が感じたものに似ているかもしれません。また、山鉾が街中を巡行する祇園祭が受講生間で話題になったようであり、祇園と

239

いう言葉が紀元前インドの園林に由来するのも興味深いものだったようです（平岡2003）。

（2）PBLグループワーク

PBLの課題に関し、両校の学生は夏から継続的に取り組んでおり、短期研修の最終日には、モノづくりを伴う技術的な解決案がIITHの短期研修生から発表されました（写真1、写真2）。電力をテーマにした班は、盗電を検知する回路とそれを解析するスマートフォンのアプリの試作結果を発表しました。廃水処理をテーマにした班は、両大学の共同研究（Katam et al. 2020）として、実験室規模の散水ろ床装置によって、界面活性剤やカフェインを含む廃水を処理した結果を発表しました。交通をテーマとした班は、両大学の屋外駐車場の画像データを用い、100カ所近い駐車スペースからの空車場所の判別をコンピューターに深層学習させ、利用者を速やかに誘導するスマートパーキングシステムの試作結果を発表しました。健康・衛生問題をテーマにした班は、ワンボードマイコンArduinoにアンモニアセンサー、GPSセンサー、Bluetoothモジュール、スマートフォンのアプリを組み合わせ、汚れたトイレのアンモニア臭を感知し、その場所を清掃管理者に知らせる装置を試作した成果を発表しました。廃棄物をテーマにした班は、IITHの食

写真1　IITHからの短期研修生のPBL成果発表

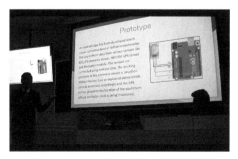

写真2　IITHからの短期研修生のPBL成果発表

堂の廃棄物を想定し、金属センサーと水分センサー、モーターアームを接続したArduinoによる有機物と金属の分別装置の試作機によるデモンストレーションを行いました。

（3）日本での生活

　プログラム期間中、IITHの短期研修生10名と引率教員1名は、立命館大学のびわこ・くさつキャンパス（BKC）内のセミナーハウスに宿泊しました。IITHの学生は、全員が初めての海外渡航であり、ハイデラバードの最低気温が12月夜間に15℃程度であるのに対して、草津市の気温は5℃まで下がるため、体調管理が注意されました。半数ほどはベジタリアンであり、大学食堂で選択するメニューも米や豆類、野菜類が中心でした。茶碗、汁椀、小鉢、中皿といった食器の多様性もインドとは対照的であり、箸を使うことや、お椀を持ち上げて味噌汁をすすることにも、違和感があるようでした。インドから持参した食材で弁当を作っている短期研修生もおり、やはり異国での食事は大きなストレスのようです。また、PBLのテーマとも関連し、日本のトイレに自動洗浄装置や温水洗浄便座が普及しているのも珍しかったようです。また、筆ペンを用いた書道体験（写真3）や、浴衣の着付け、けん玉体験が好評でした。歓迎会と歓送会では、折り紙も好評で、モチーフは手裏剣が人気でした。

写真3　IITHからの短期研修生の筆ペン書道体験

2.4　短期研修プログラムの評価

　IITHの短期研修学生を対象に、立命館大学におけるプログラムに関するアンケートを実施しました。プログラムに関し、「不満」、「大変不満」、

「普通」との回答はなく、9名が「大変満足」、1名が「満足」と回答し、受講者の評価は高かったといえます。プログラムにおいて1番印象に残ったことは、9名が「日本文化体験」、1名が「研究室」見学と回答し、「施設見学」との回答はなかったものの、自由回答欄には沖島浄化センターや草津クリーンセンターに対する多くの感想が記述されていました。また、将来、日本において進学・就職することに関する回答では、「希望しない」、「どちらともいえない」というものはなく、「強く希望する」が9名、「希望する」が1名であり、プログラムの目的は成功したと思われます。

3 | 日越大学からの短期研修プログラム

3.1 日越大学の特色

　ベトナムでは、工科や自然科学などの単科大学が基本であり、それらが国家大学のハノイ校やホーチミン市校のメンバー校となっています。ベトナムでは、21世紀に入り、高等教育機関が急速な増加を遂げた一方で質の向上も必要となり、2010年の日越共同声明では、日本の協力による質の高い大学を設立する検討案が盛り込まれ、ベトナム国家大学ハノイ校の7番目のメンバー大学として日越大学が2016年に設立されました。世界水準の研究大学を志すと同時に、産業界のニーズに応える人材育成を重視していることが特色です。学部に先行して、まずは大学院の修士課程が開設され、教育プログラムの確立に日本の多くの大学が協力しています。ベトナムにおける大学進学率は現在約約30％であり、学士を持つことの価値は高く、さらに院に進学する学生は、極めて修学意欲が高いといえます。

　立命館大学と東京大学は、日越大学の環境工学コースの協力校であり、2年の就学期間の間に日本への短期研修を

推奨しています。この短期研修における日越大学の学生の目的の一つは、自分の修士論文のテーマに関連する研究室において、専門知識や技術をPBL形式で習得することです。それに加え、環境産業分野を牽引する日本企業を訪問し、国際的なキャリアデザインに関する意識を高めることにあります。2017年の環境工学コースの第1期生は、立命館大学に2名、東京大学に3名、京都大学に1名が、2018年の第2期生は立命館大学に5名、東京大学に4名、京都大学、金沢大学、九州大学に1名ずつが派遣されました。また、2019年の第3期生は、立命館大学と東京大学に5名ずつが派遣されました。2019年度の立命館大学における短期研修プログラムの日程を表2に示します。

3.2　企業訪問

(1)（株）堀場製作所

　ベトナムの都市部では、バイクからの汚染物質の排出が問題となっています。そこで、日越大学の短期研修生5名は、10月1日に（株）堀場製作所「HORIBA BIWAKO E-HARBOR」を訪問しました。ここでは、世界シェア8割のエンジン排ガス測定装置や、煙道排ガス分析装置などの開発・生産を行っています。また、その連結子会社であるホリバ・インスツルメンツ社は、2011年にハノイ駐在員事務所を開設しています。

(2) フジクリーン工業（株）

　10月9日に訪問したフジクリーン工業（株）は、浄化槽を中心とする水処理プラントの開発・製造等をしている企業です。ハノイ市は、トイレの水洗化は進んでいるものの、下水道普及率は10％程度であり、トイレ排水はセプティックタンクで処理されていますが、大半の生活雑排水は未処理のまま河川に放流されています。そのため、分散

表2 立命館大学における日越大学からの短期研修プログラム（2019）の全体日程

日付	共通活動	水環境研究室（毎月曜はゼミ）
9月19日（水）	関西空港着、立命館大学BKCへ	
9月20日（木）	健康診断。研究室訪問。これ以降、平日は個別の研究活動を実施	
9月24日（火）	京都フィールドツアー、歓迎会	
9月25日（水）		（株）環境総合テクノスにおける人工湿地による廃水処理実験の視察
9月28日（土）		亀岡市大谷鉱山の廃水処理施設の視察
9月30日（月）	ベトナム留学生パーティー	
10月1日（火）	（株）堀場製作所「HORIBA BIWAKO E-HARBOR」視察	
10月9日（水）	フジクリーン工業（株）視察	
10月23日（水）〜29日（金）	（株）日吉における企業インターンシップ	
10月28日（月）	ベトナム留学生パーティー	
10月30日（水）〜11月1日（金）	京都大学グローバルワークショップ。南部クリーンセンター第二工場、京都市東部山間埋立処分地「エコランド音羽の杜」視察	
11月3日（日）		研究室旅行（伊勢神宮、鳥羽水族館）
11月4日（月）〜5日（火）	東京大学での中間報告。JICAレセプション	
11月12日（火）	送迎会	
11月15日（金）		最終プレゼンテーション
11月19日（火）	関西空港発、ハノイへ	

型下水処理設備である浄化槽の普及が期待されています。2015年にはハノイ市立イエンサー幼稚園にフジクリーン工業（株）の浄化槽が設置されました。

（3）日吉（株）

短期研修生は、（株）日吉において10月24〜29日に企業インターンシップを受けました（写真4）。地元、滋賀県と協力し、JICA草の根技術協力事業の「ベトナム国ハイフォン市の観光島カットバの水環境改善に向けた協働体制

**写真4　日越大学の短期研修生の
　　　　（株）日吉インターンシップ**

づくり」や、環境省アジア水環境改善モデル事業の「ベトナム国水産加工工場における排水処理の水質と施設運営の改善事業」にも（株）日吉は参画しています。短期研修生は、近江八幡市の一般家庭の可燃ごみをゴミ収集車に積み込む作業を体験し、近江八幡市環境エネルギーセンターを視察しました。また、八日市市のクリーンぬのびき広域事業協同組合の衛生センターにおいて、硝化・脱窒反応によるし尿の高度窒素除去技術を見学しました。

（4）南部クリーンセンター第二工場

　京都市伏見区にある南部クリーンセンター第二工場は、ごみ焼却施設、バイオガス化施設、選別資源化施設に加え、環境学習施設で構成されています。やはり、ベトナムも焼却による中間処理をせずに埋立処分によって廃棄物を全般的に処理しています。また、京都市東部山間埋立処分地も見学しました。ここでは、不燃物やごみの焼却灰を受け入れており、浸出水処理施設も設置されています。

（5）その他

　短期研修における訪問企業は、年度によって異なり、2017年度には、（株）ナガオカと（株）神鋼環境ソリューションを訪問しました。（株）ナガオカは、エネルギーや水処理に関連した企業であり、中国をはじめ、国際的な水ビジネスに進出しており（張2017）、ベトナムでも飲料大手ハノイビールより、浄水処理施設更新工事を受注しています。2017年の短期研修プログラムでは、貝塚市の津田浄水場に導入された地下水処理装置を見学しました（写真5）。

**写真5　日越大学の短期研修生の（株）ナガオカ
への訪問（貝塚市の津田浄水場）**

（株）神鋼環境ソリューションも、ベトナムでのビジネス拡大をしており、その子会社であるKOBELCO ECO-SOLUTIONS VIETNAM CO.LTD.はバリアブンタオ省にある製紙工場向け排水処理施設を受注しています。また、ドンナイ省にある工業団地に排水処理設備（西尾・星住2012）を、バリアブンタオ省にある鉄鋼電炉工場向けに水処理設備（稲葉ら2013）を納入しています。この両者では、ベトナム国家大学ハノイ校出身の若手技術者が活躍しており、彼らからの企業説明を受け、日越大学の学生たちは、国際的なキャリア形成について熱心に質問をしました。

3.3　研究室活動

　日越大学の短期研修生5名のうち、2019年度は、2名を大気環境工学研究室、1名を環境衛生工学研究室、そして2名を水環境工学研究室が受け入れ、関連施設の訪問や、実験技術の習得を行いました。水環境工学研究室は、学部4回生から博士後期課程1回生まで、約15人の学生が在籍しており、数人で構成されるプロジェクト別に実験を主とする研究活動を行い、毎週月曜に各プロジェクトの進捗状況を報告するゼミを実施しています。研究室には、理工系学部の海外スタディプログラム（惣田ら2019）に参加し、日越大学に訪問したこともある学生もおり、短期研修生を受け入れやすい雰囲気がありました。

　受け入れた短期研修生2名は、人工湿地を用いた畜産廃水の処理に関する修士研究に取り組んでいます。ベトナム

の畜産は1990年代以降、拡大を続けており、養豚は食肉生産の約8割を占めています。しかし、養豚場から発生する多量の廃水が問題であり、人工湿地による廃水処理施設をベトナムに導入している日本企業もあります（家次・加藤2017）。人工湿地は、廃水処理を目的としてデザインされた湿地であり、土壌によるろ過・吸着や、微生物による酸化還元、植物による吸収などによって、汚濁物質を除去するもので、大面積が必要であるものの、省エネルギー型の廃水処理施設です。

　短期研修生は、静岡県畜産研究所の養豚廃水の二次処理水の化学分析を行い、日本とベトナムの養豚廃水処理の特徴を比較しました。また、日本語で記載されている下水試験法の図表や、関連する英語論文を読み、窒素を除去する脱窒菌や、リン可溶化菌など、廃水処理に関わる微生物の培養技術を習得しました。また、（株）環境総合テクノスに訪問し、鉱山廃水から金属を除去するための小型の人工湿地の設置作業に参加し、物理化学反応や生物反応による金属の除去機構を学びました。京都府亀岡市にある大谷鉱山に設置されているパイロットスケールの人工湿地も見学し、採水した水試料中の金属の分析技術を習得しました。ベトナムでは、多種にわたる鉱物資源の生産が知られており、その持続可能な開発のため、廃棄物、廃水処理に関する関心も高いです（鈴木2009）。2名の短期研修生は、最終的にそれぞれ約30分の成果発表をして、日越大学における修士研究への研修成果の活用について議論しました。

3.4　日本での生活

　日越大学の短期研修生は、研修費がJICAによって支援されており、立命館大学BKC内の留学生寮であるインターナショナルハウスに滞在しました。5名とも初来日であり、気候や食生活をはじめ、様々なことが新鮮のようでし

た。学生食堂を利用する際は、やはり食器を持ち上げて食べることには抵抗があるようで、味噌汁をスプーンで飲んでいる姿も見られました。ペットボトルのお茶の味も、ベトナムと日本では大きく異なるようです。ベトナム出身の大学院生の支援によって、近所のスーパーで買い物をし、共有のキッチンにおいて母国の料理を作り、食事のストレスを少なくしていました。また、研究室に料理を持ち込み、教員、国際交流スタッフ、日本人学生に、ベトナム料理のランチパーティーまで開催してくれました。休日には、京都の清水寺や、二条城をはじめ、観光名所をまわり、研究室旅行に参加して、伊勢神宮や鳥羽水族館も訪れ、日本人学生と交流を深めました。

4 短期研修生への期待

　本章で紹介した立命館大学の事例のように、日本の大学は、国の留学生政策にもとづいて、海外の特定の大学から短期研修生を受け入れていることも多いと思います。日本の大学としては、彼らによって日本人学生が良い刺激を受け、国際交流の実績となり、受け入れた短期研修生のうち、一人でも正規生として入学することを期待しています。理工系の大学教員の多くは、自分の研究の理解者や協力者を求めており、短期研修プログラムにおいても、将来の人材探しをしています。

　2019年度の日本における外国人留学生の出身国の内訳は、中国が約38％で1位、ベトナムが約24％で2位である一方、インドはわずか0.5％です。実際、日越大学の第1期卒業生1名、第2期卒業生1名、第3期卒業生2名が立命館大学の博士後期課程に進学しています。ベトナムには、すでに多くの日本企業が進出しており、ベトナム人の理工系人材は日本企業にとってニーズが高いため、日越大

学からの短期研修では、日本企業の組織面や雇用面の特徴を知ってもらうのも課題です。一方、数年後には、人口が世界第1位になると予測されているインドの世界経済への影響力はさらに増大していきます。IITHからの短期留学生には、日本の環境都市工学に関わる技術力をアピールし、社会面や文化面の違いを理解してもらい、各種の奨学金を獲得できようように支援し、将来の技術交流を担う正規留学生の獲得を目指すのが課題です。

謝辞

IITH学生の2019年度の短期研修プログラムは、科学技術振興機構のさくらサイエンスプランの支援を受け、立命館大学理工学部事務局の林龍徳氏、小谷優介氏、谷口勝一氏、田中優子氏、大橋奈美氏、IITH Suriya Prakash講師らとともに実施しました。日越大学学生の短期研修プログラムは、JICAの支援を受け、日越大学の佐藤圭輔講師（JICA専門家）、立命館大学中島淳名誉教授、橋本征二教授、樋口能士教授、神子直之教授、理工学部事務局　石井英理香氏、三品満喜子氏をはじめとする多くの方々とともに実施しました。両プログラムとも、多くの民間企業や行政の支援を受けました。また、本章の一部は、日越大学の大学院生 Le Thi Van 氏と Pham Thi Kieu Chinh 氏の研修レポートを参考にしています。ここに記して感謝の意を表します。

参考文献　浅田哲也・首藤久人（2017）「インドにおける家計による飲料水衛生処置がカロリー摂取量に及ぼす効果」『農業経済研究』88(4), pp.449–454.

家次秀浩・加藤邦彦（2017）「人工湿地浄化システムの日本とベトナムにおける実用化と展望」環境技術46(11), pp.581–587.

稲葉正毅・中川茂・星住勝彦（2013）「ベトナム POMINA Steel 殿向け水処理設備」『神鋼環境ソリューション技報』9(2), pp.57–61.

大橋裕太郎（2017）「PBLはどのように実践されているのか」『工学教育』65(1), pp.21–26.

黄俊卿・今荘博史・川嵜悦子（2020）「インドでの技術移転─水質分析と維持管理」『環境技術』49(3), pp.160–163.

国際協力機構（2014）「インド国ハイデラバード都市圏における ITS 導入実施支援調査（SAPI）最終報告書：和文要約」国際協力機構

桜木俊行・村田晶子（編著）（2018）「短期日本留学を通じた異文化コミュニケーションの体験的な学び」『大学における多文化体験学習への挑戦』pp.170–186.　ナカニシヤ出版

澤田貴之（2008）「転換期を迎えたインドの製薬企業—インド型製薬ビジネスモデルの検証」『名城論叢』9(3), pp.1–38.

鈴木徹（2009）「ベトナムの鉱物資源に関する処理技術及び管理政策」『金属資源レポート』39(1), pp.71–78.

惣田訓・福山智子・小林泰三・藤本将光・青山尚（2019）「都市システム学系の海外環境スタディ（ベトナム2018）の取り組み」『立命館大学理工学研究所紀要』77, pp.27–37.

惣田訓・Suriya Prakash・Prasad Rao・林龍徳・小谷優介・谷口勝一・田中優子・大橋奈美（2021a）「立命館大学からインド工科大学ハイデラバード校への短期派遣PBLプログラム」『環境技術』50(2), pp.99–104.

惣田訓・Suriya Prakash・Prasad Rao・林龍徳・小谷優介・谷口勝一・田中優子・大橋奈美（2021b）「立命館大学とインド工科大学ハイデラバード校の相互学生短期派遣2019」『立命館大学理工学研究所紀要』79, pp.1–12.

竹原憲雄（2013）「自治体の国際協力と連携円借款（1）」『桃山学院大学経済経営論集』54(4), pp.129–160.

張明軍（2017）「中国水ビジネス市場における日本企業の進出戦略に関する研究—株式会社ナガオカの事例」『福知山公立大学研究紀要』1, pp.91–128.

西尾敏幸・星住勝彦（2012）「ベトナムLOTECO工業団地排水処理設備」『神鋼環境ソリューション技報』7(2), pp.19–22.

西谷内博美（2009）「廃棄物管理における慣習の逆機能—北インド、ブリンダバンの事例から」『環境社会学研究』9(15), pp.89–103.

平岡聡（2003）「京都にあったインド—その地名の背景を読む」鵜飼正樹・高石浩一・西川祐子『京都フィールドワークのススメ—あるく・みる・きく・よむ』pp.166–174. 昭和堂

山腰俊博（2017）「海外インフラ展開としてのインド高速鉄道プロジェクト—日本の新幹線方式の採用」『運輸と経済』77(8), pp.8–13.

Das, D. (2015) Hyderabad: Visioning, restructing and making of a high-tech city. *Cities, 43*, pp.48–58.

Katam, K., Shimizu, T., Soda, S., & Bhattacharyya, D. (2020) Performance evaluation of two trickling filters removing LAS and caffeine from wastewater: Light reactor (algal-bacterial consortium) vs dark reactor (bacterial consortium). *Science of the Total Environment,* 707, 135987.

Kurakalva, R. M., Aradhi, K. K., Mallela, K. Y., & Venkatayogi, S. (2016) Assessment of groundwater quality in and around the Jawaharnagar municipal solid waste dumping site at greater Hyderabad, southern India. *Procedia Environmental Sciences, 35,* pp.328–336.

研究室の生活サイクル紹介
（生活サイクル、卒業までの主な出来事）

コラム⑧
24時間オープンの研究室

Kerthi Katam

　私は2016年から2017年にかけて7カ月、短期留学生として立命館大学琵琶湖キャンパスで学びました。キャンパスは美しい自然に取り囲まれていましたが、特に私が感動したのは、キャンパス内におかれた、嵐に耐える母子を描いた銅像でした。その像は、女性の強さを社会が重んじていることを表しているように思えたのです。

　私が所属した研究室の雰囲気はとてもよかったです。学生も先生もとても友好的で、インドの大学から来た私の他にもバングラデシュ、インドネシア、タイなどから来た留学生がいました。研究室のメンバー全員が私に研究室での実験方法や器具の使い方を親切に教えてくれました。

　研究室のライフスタイルは非常に興味深いものでした。まず、研究室は24時間いつも開いていて、食料品が保管されレンジもおいてあって、研究室内で料理することができるのです。メンバーは一日中研究に没頭しているようでした。すべての学生は研究用のガラス器具を自分で洗い、自分の作業場を自分で掃除します。研究室には学部生から院生、ポスドクまでの学生が所属していましたが、こうした点で、研究室メンバーの間に上下関係はありませんでした。

　指導教員の部屋の書棚には、教科書類や過去の学生や院

生の卒業・修了論文がおいてありました。過去の研究室メンバーの論文を見ることによって、この研究室でこれまでどんな研究がなされてきたか、これから私はどんな研究に焦点をあてたらいいかが分かりました。学部生は3年生から研究室に所属し、後期から先輩の研究を手伝い、4年生になると自分自身のテーマを持つようになります。私も2人の学部生の研究を指導する機会に恵まれました。指導教員は多忙にもかかわらず、ひんぱんに研究室に来て、私に実験の手順などを個人的に指導してくれました。

　同じ領域の研究をしているメンバーの間で、1週間に1度グループミーティングが行われます。研究室全員のミーティングもあります。学生のプレゼンテーションの後、短いディスカッションが行われ、研究結果の理解を共有します。これらのミーティングによって、自分の研究課題に関する知識だけでなく、研究室での研究全体の方向性への理解も深まりました。

　学生が教員と研究について自由に議論できる関係を指導教員が作ってくださっていたので、指導教員と学生の間には友情以上のものがありました。私がガラスの実験器具を壊してしまい、恐縮しながらそのことを指導教員に報告したところ、指導教員は「大丈夫だった？」と私が怪我をしなかったかを気遣ってくれたのです。

　指導教員は研究成果をより多く公刊することだけでなく、社会に役立つ研究をすることを目指していました。私のテーマは下水処理だったので、指導教員はキャンパス内の浄化槽について説明してくれただけでなく、琵琶湖の下水処理施設見学や、関連課題について京都大学で行われた学会やシンポジウムに出席する機会を与えてくれました。それらの会合で、私は多くの研究仲間を得ることができました。

　もう一度留学の機会が得られたなら、また立命館大学で研究したいと思っています。

〔コラム〕研究室の生活サイクル紹介（生活サイクル、卒業までの主な出来事）

コラム⑨

頑張れば、何でもできる

Sastia Prama Putri

　9年前に、私は故国インドネシアのバンドン工科大学の
アリ教授の研究室を訪ねました。アリ教授に大阪大学への
1年間の短期留学の推薦状を書いていただくためです。「あ
なたは頑張り屋さんなので、きっとうまくいくよ」という
教授の、別れ際の言葉を私は今でもしっかりと心に刻んで
います。

　大阪大学の研究室の先輩や先生方に助けられながら、私
は研究にベストを尽くしました。そして、指導教授の仁平
先生から院生としてこの研究室で研究活動を続けるように
薦められたのです。幸い、2016年に文部科学省の奨学金
を得て、仁平研究室で院生として研究生活を始めることが
できました。研究室を訪ねたその日から、週末も研究室に
行って、一日中入り浸って研究に励みました。

　その成果をまとめた2本の論文が学会誌に掲載され、学
会や研究会で口頭発表やポスターセッションをしました。
しかし、聴衆の反応は乏しく、がっかりすることが続きま
した。そんな時期に一大転機となったのは、研究室から旅
費の補助を受けて、アメリカのソルトレーク市で行われた
学会で研究発表ができたことです。そこで、なんと口頭発
表部門の最優秀賞（その賞金も旅費の足しになりました）を取
ることができたのです。研究を発表するときは、研究会や
学会誌が発表内容を正当に評価してくれるかを見極めなく
てはいけないな、と強く思いました。

　大学院生活が3年過ぎた時、私は妊娠し、つわりに苦し
みながら博士論文作成の最終準備に取り組みました。そし
て、妊娠8カ月の時に博士論文を提出することができまし

た。これも、家族をはじめとして研究室の仲間たちがあた
たかく支援してくれたおかげです。娘のアイシャが生まれ
たのは、博士論文のディフェンスをした2週間後でした。

　博士号取得後は、福崎研究室でパートタイムの研究職に
就くことができましたが、0歳児のアイシャを保育園に預
けなくてはならず、保育園で何度も病気がうつってしま
い、いっそ故国に戻って育児に専念するべきかと悩む日々
が続きました。そんな時、福崎先生はいつも「あなたが最
優先するべきことは、お母さんであることだからね」と励
ましてくださいました。やがて娘は保育園での生活を楽し
むようになり、身体も強くなって、私も自分の仕事に集中
することができるようになりました。

　1年間のパートタイム職の後、私は指導教授の推薦でバ
イオ燃料の日米共同開発プロジェクトの一員になりまし
た。そのプロジェクトに従事した3年間は、一流の研究仲
間と共同研究できる夢のような時間でした。そして、その
プロジェクト終了後に、私は大阪大学の研究機関の正規メン
バーとなったのです。

　私の旅は始まったばかりです。現在の研究の国際的連携
を通じて、母国であるインドネシアへの日本の技術の移転
が進むことやインドネシアの学生を大阪大学に迎え入れる
ことを大いに期待しています。私の指導教授のモットーは
"Chance favors the prepared mind" ですが、私はそれ
を「頑張れば、何でもできる」と訳して自分のモットーに
しています。

〔コラム〕研究室の生活サイクル紹介（生活サイクル、卒業までの主な出来事）

コラム⑩
私のインターンシップ

Thi To Uyen Dinh

　私は日本政府とベトナム政府の共同事業で2014年に設立された日越大学（VJU）の修士課程を修了しました。VJUは学生支援を積極的に行っており、JICAと連携して日本の協定校における研修を実施しています。私は修士課程在籍時の2017年にその研修に参加しました。

　2017年9月21日〜12月16日に、立命館大学びわこ・くさつキャンパス（BKC）に研修生として滞在しました。立命館大学は長い歴史を持つ私立大学であり、留学生を積極的に受け入れる大学です。滞在中は大学側の厚いサポートを受け、快適な研究環境が提供されました。また、環境工学に関心のある者として、利便性の良いキャンパスづくりにも大変感銘を受けました。立命館大学は、産学官連携によって新しい研究・教育体制の構築を目指しています。私は理工学研究科で惣田訓教授の指導を受けながら廃水処理プロセス中のウキクサの生長量のデジタル画像解析を行いました。養豚業が盛んなベトナムのような国では、その廃水をウキクサで高次処理しながら、バイオマスを生産することで、環境への悪影響を最低限に抑えることができます。その際にウキクサの生長量を正しくモニターすることが研究の目的でした。立命館大学で学んだことは実に多く、今後の研究に大変役立つと考えます。

　2017年10月23日〜11月10日の間には、滋賀県の（株）日吉の企業研修にも参加しました。1955年創業の同社は、主に下水処理とその関連の研究開発に力を入れてきましたが、現在は食品や健康に関する研究もしています。また、社会貢献に熱心な企業であり、子供に対する環境教

255

育プロジェクトも進めています。私が参加した研修も社会貢献の一環であり、参加者が帰国後に自国の環境改善に貢献ができるようにするためのものです。前半は主に企業の組織や体制について学び、後半は具体的な分析技術について学びました。帰国後に作成した報告書は高く評価してもらえました。

　研修先を日本に選んだ理由は、環境問題に対する顕著な対策実績を残しており、経済成長と環境保全をバランスよく両立させている国だからです。また、日本人との交流においても好印象を受けており、親切にしてくれた方々のことは生涯忘れることはないでしょう。受け入れ先の日本人は、私があまり日本語ができないことに常に配慮してくれました。日本人は大変熱心に働いていたため、私も後れを取らないよう努力しました。また、日本の教員は学生に対して強い責任感を持っており、積極的にサポートしてくれました。

　しかし、唯一残念なことは研修期間が大変短かったことです。今後、もし立命館大学のような施設で研究を行う機会があれば大変嬉しく思います。

〔コラム〕研究室の生活サイクル紹介（生活サイクル、卒業までの主な出来事）

第5部
理工系留学生の
キャリアパス

留学生全般の近年における就職状況

久保田学

1 はじめに

　2008（平成20）年に、文部科学省から日本を世界により開かれた国とし、アジア、世界の間のヒト・モノ・カネ、情報の流れを拡大する「グローバル戦略」[1] を展開する一環として、2020年をめどに30万人の受け入れを目指す「留学生30万人計画」[2] が発表されました。（独）日本学生支援機構（以下「JASSO」）の「外国人留学生在籍状況調査」[3] によると、2019（令和元）年5月1日現在で312,214人となり、2020年（令和2年）の前に目標を達成しました。

　一方で、出口の就職については、JASSOの「外国人留学生進路状況・学位授与状況調査結果」[4] によると、外国人留学生就職者数は、2008（平成20）年の8,736件から2018（平成30）年は約2.3倍の20,402件に増加しているものの、2018（平成30）年の留学生修了者数が58,174人となるため、約35％程度しか日本企業に就職できていないのが現状です。JASSOの調査[5] では、約60％の学生が卒業・修了後の進路希望として日本での就職を希望しているので、約35,000人の日本での就職希望者に対して、20,402人の就職者となるので、約40％が就職できていないということになります。本章は、外国人留学生における就職環境について、政府、外国人留学生、企業、教育機関の4つの視

点から、統計データを基に、これから必要となる取り組みについて、筆者の経験を基に述べていきたいと思います。

2 │ 政府における留学生就職支援施策の動向

　日本政府は、2016（平成28）年6月の「日本再興戦略」[6]において、留学生の日本国内での就職率を現状の3割から5割に向上させることを目指すこととされましたが、実際の就職率は約35％程度にとどまっており、抜本的な対策が必要な状況にあるという認識です。また、2019（平成31）年から施行された新たな在留資格「特定技能1号」及び「特定技能2号」[7]の創設を踏まえ、2018（平成30）年12月25日に「外国人材の受入れ・共生のための総合的対応策」[8]が閣議決定され、2020（令和2）年7月14日には、改訂版が発表されました。その中には、「留学生の就職を容易にするための在留資格の見直しを行うとともに、各大学における留学生の取扱い、各企業における就職活動の在り方やその後の育成を含めて、幅広い対策を講ずることが必要である」と記されています。その結果として、「日本料理海外普及人材育成事業」[9]の拡充により、調理又は製菓の科目を専攻して専修学校の専門課程を修了する等した留学生が、就職できる業務の幅が拡大されました。また、これまで留学生が就労する際に9割以上が該当する「技術・人文知識・国際業務」において、これまで認められなかった一般的なサービス業務や製造業務等が、主たる活動になる業務について、一定条件を満たせば「特定活動」[10]において在留を認めました。さらに、一定条件を満たした中小企業の在留資格変更申請時の提出書類を、大企業と同様にする政策が実施されました。

　その一方で、受け入れ側の企業に対する政策として、「留学生の採用時に高い日本語能力（例えば、日本語能力試験

N1[11] 相当以上）を求める企業も見られますが、業務に必要な日本語能力のレベルは、企業ごとに様々であり、採用時に求める日本語能力水準には多様性があること等を踏まえ、その多様性に応じた採用プロセス及び採用後の待遇の多様化を推進する」とあり、多様化する外国人留学生の日本語能力に配慮し、日本語能力の水準の多様性の環境整備や、大学等の秋卒業者の国内就職を促進するため、企業等の通年採用の促進を行っています。

　一方で教育機関においても、「各大学院、大学、専修学校等に対し、進路相談等の外国人留学生への就職支援を促すため、各学校に対して、留学生数及び留学生の就職率を開示・公表するよう要請するとともに、就職支援の取組や就職状況に応じて教育機関に対する奨学金の優先配分を行う」とあり、外国人留学生の就職支援に関する取り組みを推進しています。

　このように法令整備、企業側の採用環境、教育機関側の体制整備など外国人留学生の就職に関わるプレーヤー全体で、就職しやすい環境構築を行う内容となっています。もちろん、今回の政策だけで就職環境整備が完全に補完されるわけではありませんが、外国人留学生の就職環境は今後好転することが見込まれます。

3 ｜ 外国人留学生の就職活動の現状と課題

3.1　外国人留学生の就職活動の現状

　外国人留学生の修了生に対する就職率については、図1のJASSOの「外国人留学生進路状況・学位授与状況調査結果」[12]によると、2009（平成21）年の17.8％から2018（平成30）年は35.1％と年々上昇している傾向がありますが、1で述べた通り、就職を希望する学生の約40％は就職できていないのが現状です。

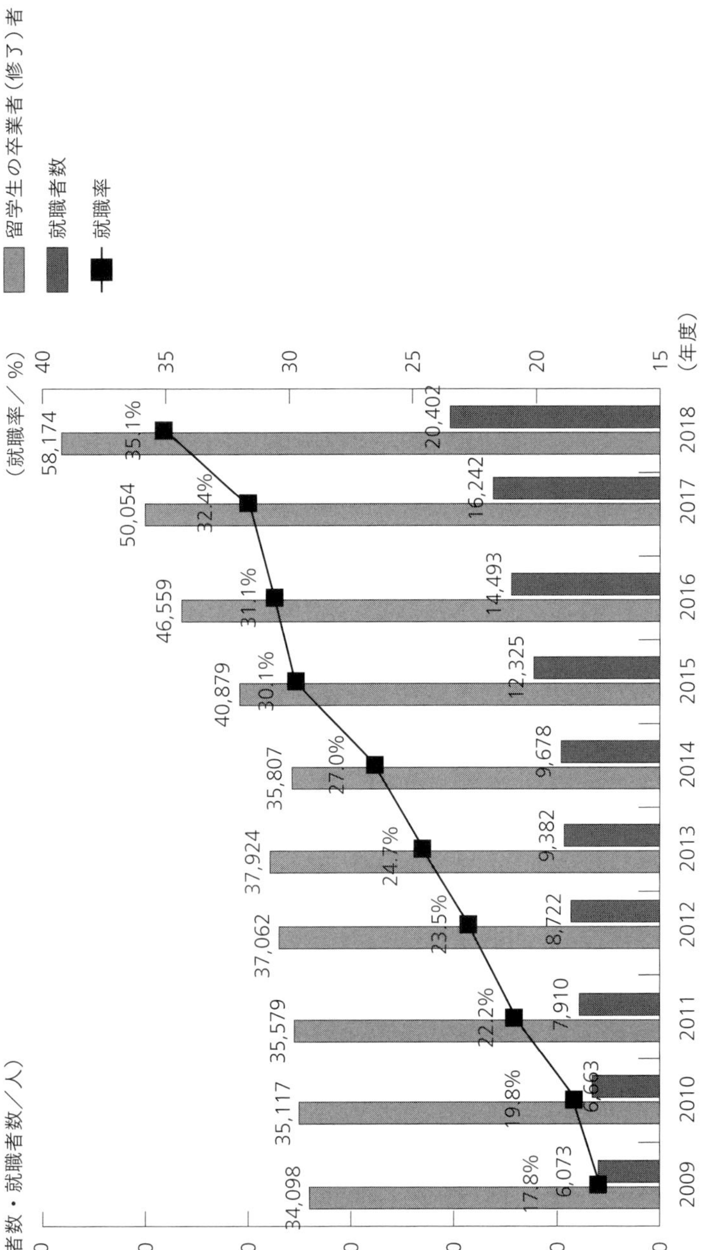

図1　外国人留学生の就職率の推移

（修了者数・就職者数／人）

年度	留学生の卒業者（修了）者	就職者数	就職率
2009	34,098	6,073	17.8%
2010	35,117	6,663	19.8%
2011	35,579	7,910	22.2%
2012	37,062	8,722	23.5%
2013	37,924	9,382	24.7%
2014	35,807	9,678	27.0%
2015	40,879	12,325	30.1%
2016	46,559	14,493	31.1%
2017	50,054	16,242	32.4%
2018	58,174	20,402	35.1%

3.2 日本と海外の就職活動の違い

　外国人留学生の就職活動について、一番の問題となるのが世界的に見て日本の就職活動が独特な形態を採用しており、外国人留学生も日本人学生と同じ選考試験を受け、就職活動を行わなければならないことです。

　具体的に、海外と日本の就職活動の文化の違いについては、採用方式、採用試験、採用基準の3点が大きく異なります。

　まず、採用方式ですが、海外では一般的に通年採用となります。一方で日本については、新卒一括採用となります。新卒一括採用は、多くの企業が同じスケジュールで採用活動を行うため、就職活動のタイミングが年に1回に限定されるという特徴があります。また、海外では卒業後に就職活動を行うのが一般的で、在学時代に就職活動を行う国はあまり多くないという違いもあります。アジア圏でも中国や韓国などは日本と同じく在学期間中に行われますが、開始する時期は卒業の3〜6か月前となります。一方で、日本の就職活動は、卒業年の前年の3月から開始され、4か月間実施するという「早期」かつ「長期間」の活動が求められます。そのため、在学時代に大学の授業や研究を行いながら、就職活動を行うこととなります。特に理系や修士の学生については、論文制作で多忙となる中、就職活動を両立させる必要があり、結果として論文制作を優先して就職活動の時期を逃す外国人留学生が少なくないというのが現状です。

　採用試験については、海外では、プロフィールシートと面接、インターンシップでの経験等を基に採用選考されますが、日本ではSPI3[13]などに代表される筆記試験や日本語の作文等を書かせるエントリーシート、面接においても、個人面接だけなく、グループ面接やグループティスカッション等の面接試験のように企業ごとに採用形式や試験

内容が異なるため、本人の知識やスキルではなく、就職活動に対しての準備や対策が重要となる採用形式となっています。就職活動のスタートは、卒業年の前年の3月[14]からと設定されていますが、実際には、準備期間として4〜6か月間の準備を行った上で就職活動に取り組む学生が多く、その結果、大学院1年の9月ごろから就職活動の準備を始めることとなるため、特に海外の大学を卒業して日本の大学院に進学した外国人留学生については、入学してから6か月後には就職活動に取り組むこととなり、就職活動と学業を並行して行うこととなります。

　採用基準については、海外の場合は、現在保有する知識やスキルを学業成績、資格、インターンシップ経験などで証明することとなりますが、図2の日本経済団体連合会の「2018年度新卒採用に関するアンケート調査」[15]によると、日本企業の採用基準は、学業成績や専門性よりも主体性やチャレンジ精神、協調性などに代表される特性を重視した採用を実施しています。そのため、その評価を行うために必要となる、エントリーシートにおける日本語の作文や、グループディスカッション等の多様な面接試験の選考方法を行うこととなります。

3.3　外国人留学生の就職活動の課題

　3.2で述べた通り、海外と日本では就職活動の文化が大きく異なります。理系の外国人留学生の日本での就職活動の課題としては、日本語能力、日本の就職活動知識不足、就職活動と学業の両立、企業調査・選択の4つがあると考えます。

　日本語能力については、近年の外国人留学生は、非漢字圏の外国人留学生の増加や、大学における英語基準の入試・授業を展開するコースの増加などに伴い、外国人留学生の日本語能力の低下が見られます。また、教育機関の学

264

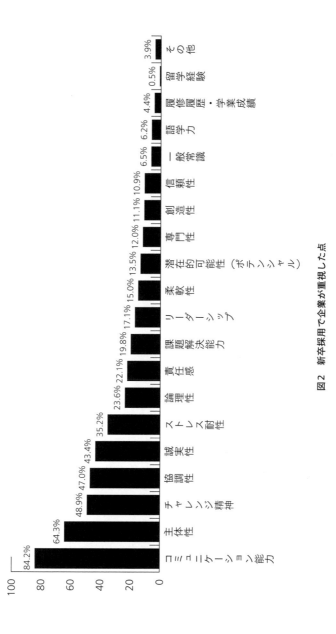

図2　新卒採用で企業が重視した点

コミュニケーション能力　84.2%
主体性　64.3%
チャレンジ精神　48.9%
協調性　47.0%
誠実性　43.4%
ストレス耐性　35.2%
論理性　23.6%
責任感　22.1%
課題解決能力　19.8%
リーダーシップ　17.1%
柔軟性　15.0%
潜在的可能性（ポテンシャル）　13.5%
専門性　12.0%
創造性　11.1%
信頼性　10.9%
一般常識　6.5%
語学力　6.2%
履修履歴・学業成績　4.4%
留学経験　0.5%
その他　3.9%

第14章　留学生全般の近年における就職状況

習環境においても、英語基準での授業展開や外国人留学生の増加に伴い、学習環境下において日本人学生との接点が希薄になり、外国人留学生が日本語を使用する機会の減少が起こっています。特に、非漢字圏の学生は、日本語の学習期間も短く、就職活動時に企業の採用基準（本章3.2で説明）に到達していない外国人留学生が増加しています。日本企業については、これまで理系学生においても入社にあたり、高い日本語能力を求める傾向が強かったのですが、近年は、業務を英語で行う環境を整備し、日本語能力の採用基準を下げる動きがあります。一方で、企業は、外国人材の生活まで面倒を見るわけではないため、日本で暮らすための最低限の日本語能力は必要となります。

　知識不足については、3.2で論じた通り、日本の就職活動は独特な文化を持っているため、就職活動の手順を理解する学生は増えてきたものの、採用基準や条件、ルールなどの本質的な違いができていないため、知識不足に陥る外国人留学生が多いようです。特に英語コースの留学生は、日本で就職を希望するのであれば、入学当初から自主的に日本語教育科目を履修しない限り、企業が求める日本語能力の到達は望めないため、企業が設定する日本語能力の基準を説明する必要があります。

　また、学業と就職活動の両立については、理系の外国人留学生には難しい問題であり、特に修士の留学生については、負担が大きく、多くの外国人留学生が苦労している点となります。教員の中には、論文が終わるまで就職活動を禁止しているケースも見られ、卒業の1〜2か月前から就職活動を始める外国人留学生も散見されます。大学は教育機関であり、学業を優先する指導を行うことは責めることはできませんが、近年は、学生のキャリアを支援する責務も求められているため、外国人留学生が安心して学業に専念できる環境を構築していくことが求められます。

企業の調査・選択については、外国人留学生が研究している内容が、自分のキャリアにどのように結びつくのかという、キャリア教育が必要となります。管見によれば、近年、中国出身の外国人留学生を中心に日本での就職に固執しない学生が増えています。当然教育機関は、卒業予定者全員に就職支援を行うわけではなく、就職希望者に対して支援を行うべきではありますが、教育機関側で就職希望者の把握をいかに適切なタイミングで行い、支援対象者の確定を行うかが効率的な支援につながります。一方で、多様な価値観を持つ学生が増えたことにより、進路希望の決定の時期が遅くなっている傾向も見られ、進路を考えるための高学年向けのキャリア教育が必要と考えます。

　また、管見によれば外国人留学生は、日本人学生以上に大企業や有名企業志向が高く、その理由として企業研究の不足が挙げられます。学生自身が、「大学で行う研究がどのように企業のビジネスに応用可能となるのか」、また、「応用可能となる企業はどのような企業なのか」という観点からの企業研究が不足し、企業を探すことができていないのが現状です。

4 ｜ 企業における外国人留学生採用の現状と課題

4.1　日本企業の動向と外国人採用の現状

　めまぐるしく動く国際的な経済情勢の中、多くの日本企業はさらなる成長戦略を求めて、生産の基盤や販路拡大のための拠点を海外にも求めており、図3の外務省の「海外在留邦人数調査統計」[16]によると、海外に進出している日本企業の総数（拠点数）は、2009（平成21）年の56,430拠点から、10年間で77,651拠点と約1.4倍に増加しています。また、その中でアジア地域への進出は、7割を占め、次に多い北米の1.2割を大きく引き離しています。ア

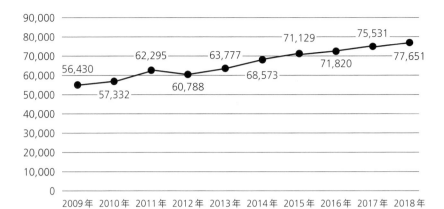

図3　海外日系企業拠点数の推移

　ジア諸国への進出当初は、こうした海外拠点は「生産の現場」として捉えられてきましたが、進出先の経済成長に伴い、「市場」としての姿にも改めて注目が集まっています。経済産業省の「海外事業活動基本調査概要」[17]によると、現地法人売上高は2008（平成20）年の201.7兆円から、2017（平成29）年は288.1兆円と順調な推移を示しており、特に2017年のアジア地域での売り上げは、130兆円と北米の92.8兆円を超える市場となっています。

　また、日本の人口は、2004（平成16）年をピークに減少傾向の局面に入り、将来の持続的な成長を確保するために、労働力の確保や1人当たりの生産性の向上等が求められています。一方で、アジア等諸外国に目を向けると、豊富な若年人口を有し、各国の大学には優秀な学生が数多く在籍しており、こうした人材の獲得は今後の企業の成長、とりわけアジア等に進出しようとしている企業にとって重要な経営資源となると考えられています。

　このような背景をもとに、日本における外国人労働者の数は、図4の厚生労働省の「外国人雇用状況」の届出状況

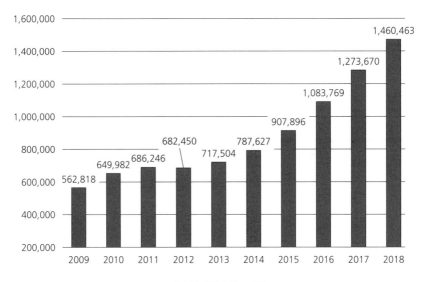

図4　外国人労働者数の推移

まとめ[18] によると、2010年の約65万人から2019（平成30）年は約166万人と10年間で100万人の増加となりました。

　次に、業界別の外国人労働者の数に注目してみると、2019（平成30）年10月の全産業の日本人を含む就業者は、約6,787万人[19] であり、そのうち外国人労働者は、約166万人となっています。外国人労働者の比率は2.44%となり、日本で働く就労者のうち43人に1人が外国人労働者という計算となります。

4.2　日本企業における外国人留学生採用の現状と採用基準

　日本企業の留学生の採用目的については、図5の経済産業省が実施した「外国留学生の就職及び定着状況に関する調査」[20] の結果から、海外展開要員、国籍不問採用、ダイバーシティ、人手不足の4つに分類できます。

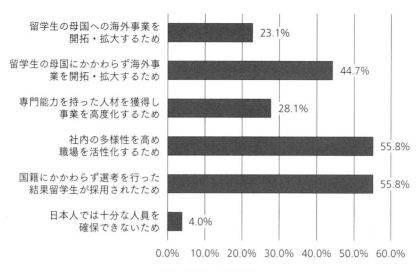

図5　留学生の採用目的

　海外展開要員については、海外との架け橋となる人材の
ことであり、留学生が持つ言語能力や出身地と日本との両
方の事情に明るいといった、「母国と日本との良好な関係
構築への貢献」を期待するものと、留学生の英語能力を活
用した、留学生の出身国に関わらない海外市場の開拓、拡
大を目的したものの2種類に分けられます。
　国籍不問採用については、文字通り「国籍に関係なく優
秀な人材を求める」という採用方針で、企業の競争力保持
のために高度外国人材の受け入れ推進が、政府、産業界か
ら問題意識として提起される前から存在しています。
　ダイバーシティ採用については、文化背景の異なる人材
のことで、女性やシニア人材の活用を含めた、比較的最近
になって評価されるようになった考えです。あえて多様な
背景を持つ人材を、意識的に社内に取り込むことにより、
組織活性化と商品等の多国籍な付加価値の創出などを促す
ことを目的としています。

人手不足については、特定の業界で日本人学生の採用が困難であり、日本語の堪能な外国人留学生を採用するというもので、外国人留学生の能力を期待するというよりは、日本人の能力（日本語能力）にできるだけ近い人材を採用するというものです。

　企業のこれまでの外国人採用の出身国別の実績については、外国人留学生の比率と同じく、中国や韓国出身の外国人留学生が圧倒的に多く採用されてきました。これまで、企業が既に進出している現地法人や海外取引がある国を中心とした採用を実施してきたことが、背景として考えられます。

　図6の株式会社ディスコが行う、「外国人留学生／高度外国人材の採用に関する調査」（2019年12月調査）[21] によると、2019年に採用した国籍は中国が57.5％と多く、続いて東南アジアの37.2％、韓国23.0％と続いていますが、今後採用したい国籍では、東南アジアが67.3％と中国のニーズを逆転しています。続いて中国56.5％、台湾31.3％と続きます。また、インドやヨーロッパ、北米のニーズも高くなっていることがうかがえます。

　図7[22] の学歴別による企業の採用ニーズについては、海外と違い日本の企業では、「博士号」の価値が低いことが特徴です。そのため、「学部」、「修士」が高く、「博士」は採用ニーズがあまり高くないのが現状です。この傾向は、文系・理系関係なく同じ傾向が見られます。この要因として考えられるのが年齢です。日本人学生でも博士課程の就職のハードルは高い上に、日本語学習などで日本人学生と比べて、さらに2年程卒業年齢が高くなるため、待遇面等でも新卒枠でなく中途採用枠での採用となります。母国での職務経験や研究内容と企業側のニーズが、ピンポイントでマッチすれば採用の見込みがありますが、それ以外の場合は、日本企業での採用枠は少なく、厳しい就職活動となります。

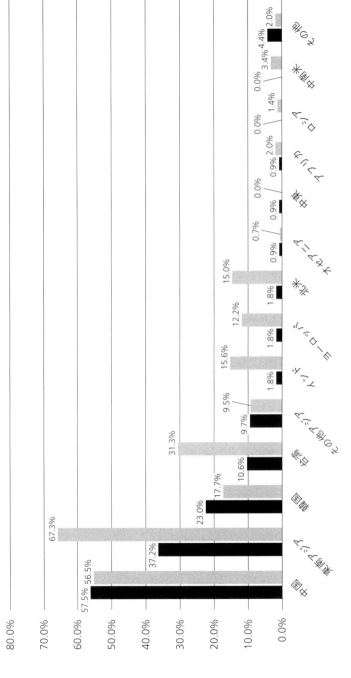

凡例
■ 2019年度採用（実績）
▨ 今後採用（実績）
□ 今後採用しない

	中国	東南アジア	韓国	その他のアジア	インド	ヨーロッパ	北米	オセアニア	中東	アフリカ	ロシア	中南米	その他

- 中国: 57.5%, 56.5%
- 東南アジア: 37.2%, 67.3%
- 韓国: 23.0%, 17.7%
- その他のアジア: 10.6%, 31.3%
- インド: 9.7%, 9.5%
- ヨーロッパ: 1.8%, 15.6%
- 北米: 1.8%, 12.2%
- オセアニア: 1.8%, 15.0%
- 中東: 0.9%, 0.7%
- アフリカ: 0.9%, 0.9%
- ロシア: 0.9%, 2.0%
- 中南米: 0.0%, 1.4%
- その他: 0.0%, 3.4%, 2.0%, 4.4%

図6　留学生の採用国籍（2019年採用実績と今後採用したい国籍）

272

第5部　理工系留学生のキャリアパス

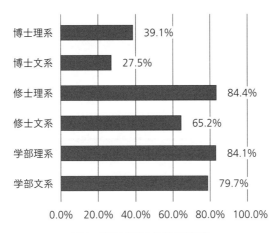

図7　外国人留学生採用予定学籍

　表1[23] によると、企業が理系の外国人留学生を採用する際に求める資質については、日本語能力が最も高く、58.2％、コミュニケーション能力41.3％、専門知識38.6％、協調性26.1％と続き、社内で想定されるコミュニケーションを意識した採用となっています。

表1　理系外国人留学生に求める資質

1	日本語能力	58.2%	11	発想の豊かさ	7.1%
2	コミュニケーション能力	41.3%	12	日本語・英語以外の語学力	6.5%
3	専門知識	38.6%	13	信頼性	6.5%
4	協調性	26.1%	14	明るさ	6.0%
5	基礎学力	21.2%	15	英語力	5.4%
6	異文化対応力	14.1%			
7	熱意	12.5%			
8	バイタリティ	12.5%			
9	社交性	8.7%			
10	一般常識	8.7%			

　企業が最も注目する日本語能力については、特に企業は面接を重要視するために「聞く力」、「話す力」がなければ、内定を獲得することは難しくなります。企業から求め

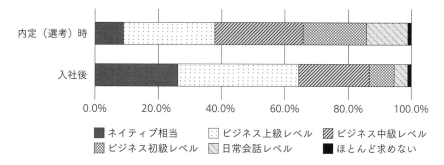

られる日本語力は、就業後の職種によって２つに分けられます。文系の営業総務職に多い社外のクライアントや協力会社、顧客との打ち合わせや営業でのコミュニケーション能力であり、高度な日本語能力が必要とされます。ビジネスシーンで使用する日本語は、大学での日常会話と違い、尊敬語・謙譲語・丁寧語の使い分けやビジネス用語、日本企業文化を理解した上でのマナーなど必要とされ、習得レベルが高くなります。一方で、理系の研究職についても図8[24]の通り、内定（選考）時については、日常会話レベルでの採用も見られますが、入社後はビジネスレベルを求める企業が圧倒的に多くなる傾向が見られます。

4.3　企業における外国人採用の課題

　企業の留学生採用に関する課題は、図9[25]からキャリアパスや社内のロールモデルを上手く説明できない41.4%、志望者が集まらない35.9%が多く、外国人留学生を含めた外国人採用における体制がまだ未整備であることが伺えます。

　一方で、外国人留学生を含めた外国人社員の定着に向けた活用の課題については、図10[26]を見ると、社内での日本語コミュニケーション能力の不足が44.8%と最も多く、

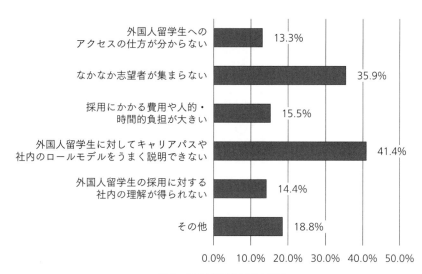

図9　外国人留学生採用の課題

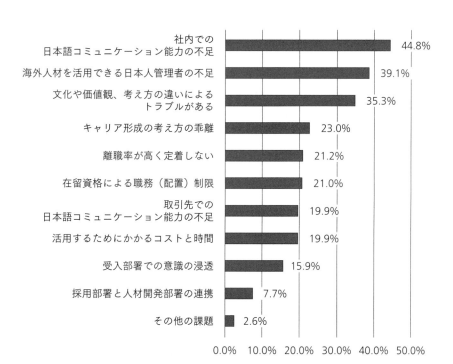

図10　外国人社員活用の課題

海外人材を活用できる日本人管理者の不足が39.1％、文化や価値観、考え方の違いによるトラブルがあるが35.3％と続いています。日本企業が外国人を受け入れるためには、日本企業独特の企業慣習を守るだけでなく、少しずつ多様な人材が働くための仕組みを構築していく必要があると考えます。

5 | 教育機関における就職支援の現状と課題

　大学における外国人留学生の就職支援については、日本人に対して行っている就職支援事業への参加を促し、外国人留学生に特化した支援は行っていない大学が多くを占めます。外国人留学生に特化した支援を実施しない理由としては、3.2で述べた通り企業側が日本人学生と変わらず外国人留学生の採用選考を行うことにあり、そのまま選考試験の対策として、日本人学生と同じ対策を求められることに必要性を感じていないということが推測されます。

　しかし、近年は、政府の外国人留学生に対する方針も変わり、外国人留学生が一定数在籍する大学において、外国人留学生に特化した就職支援事業を開始する大学が増えてきました。支援の内容については、日本人学生への支援プログラムをベースとし、外国人留学生特有の事情に合わせたガイダンスやセミナー、就職活動等で使用するビジネス日本語教育、キャリアカウンセリング、外国人留学生採用を行っている企業の求人情報提供、企業説明会の開催などが挙げられます。

　外国人留学生への就職支援を実施するにあたり、人材・財源の確保、学内関係部署との連携、参加率、求人情報の確保の4つの問題点が挙げられます。

　外国人留学生支援を行う人材・財源不足については、外国人留学生支援を行うにあたり、支援する側が、日本人学

生と外国人留学生が日本において就職活動を行う際に、文化背景や知識量などの違いを理解し、何をどのように支援するべきなのかを理解することが重要となります。また、大学の外国人留学生の在籍人数により、支援への取り組み方が変わります。当然外国人留学生数が少なくなれば、支援の効率化の観点から、外国人留学生に特化した支援を財源、人的資源を投下して行うことは難しくなります。

　学内関係部署との連携不足については、日本人学生にはない課題であり、外国人留学生は、入学当初から日常的な支援を行う留学生センター等の部署を利用しています。就職を担当するキャリアセンター等の就職支援部署は、外国人留学生にとって馴染みが低く、日本人向けの部署という認識が強く、敷居が高いと感じている外国人留学生が少なくありません。

　キャリアセンター利用率、ガイダンス等の出席率が低いという問題について、利用率が低い最大の理由は、外国人留学生の意識不足です。また、日本人学生に比べ在籍数が相対的に少ない外国人留学生が、日本人学生と同等のキャリアセンター利用率であったと仮定すると、利用者の絶対数についても少なくなります。

　管見によれば、外国人留学生向けの求人情報については、多くの大学では、大学が保有する求人情報の項目に留学生の採用可否の項目しかなく、連絡しても採用していないと回答されることもあり、外国人留学生から見ると、外国人採用実績や必要な日本語能力などの必要な情報が掲載されていないのが現状です。

6 ｜これからの外国人留学生就職における対処策について

　政府は、これまでに外国人留学生の就職の数値目標を掲げ、様々な政策を実施している点については、評価できる

反面、現在の政策は、教育機関の外部で行う集合型の支援策が多く実施されています。また、一元的に支援を行うことにより、外国人留学生の専攻分野や国籍、日本語能力や受け入れ企業の業界、職種などの個々の課題を解決するための支援策がとられていないため、その結果、一部の外国人留学生や企業しか支援が受けられていないのが現状です。そのため、これまでの外国人留学生を一括りとする一元的な支援から、外国人留学生個々の状況に合わせた支援への転換が必要となります。そのためには、教育機関の協力が不可欠であり、個々の教育機関が外国人留学生の就職支援を構築・充実化させる取り組みを支援していくことが必要であると考えます。

　また、外国人材を含めた外国人留学生を受け入れる日本企業についても、従来の独特の慣習を守るのではなく、多様な人材が働くために必要な仕組みや組織づくりを進めていくことが求められます。

　一方で、外国人留学生が在籍する大学に対する役割も大きく、外国人留学生の就職支援事業については、教育機関における外国人留学生数や規模、専攻、日本語能力、地域性等により状況が変わるため、教育機関がおかれている状況に合わせた支援を実施することが求められます。しかしながら、学内の留学生の数が少ないという理由で、日本人学生向け支援に誘導するだけで、何も行わない大学が多いのが実情です。留学生の就職支援事業は、国の機関や自治体、地域の団体などからツールや情報の提供など連携を行うことで、財源や人的資源の負担が少ない支援の方法もあるので、できる範囲から支援を実施することは必須であると考えます。また、2017（平成29）年度より文部科学省は、「留学生就職促進プログラム」を実施し、全国で12大学が地域の経済団体や他大学との連携を行い、外国人留学生のキャリア教育、ビジネス日本語教育、インターンシッ

プ等を、大学単体ではなく、地域を含めた連携した取り組みのモデルを構築しています。

　既に外国人留学生の就職支援を実施している大学については、自校の取り組みについて、常に客観的な視線で振り返り、外国人留学生にとって有益な支援なのかチェックすることにより、支援内容や手法をブラッシュアップしていく必要があります。今後、外国人留学生の獲得において競争の激化が予測される中で、出口における就職支援は、入口のリクルーティング戦略と表裏一体の関係にあり、外国人留学生の卒業後のキャリアの選択肢の一つとして、戦略的課題として位置づけ充実させていくことが教育機関に求められると考えます。

注

[1] 2006（平成18）年5月18日の財政諮問会議において取りまとめられた政府の政策。
[2] 2020（令和2）年に日本国内の外国人留学生を30万人に増やすという2008（平成20）年7月29日文部科学省によって策定された計画。
[3] JASSOが調査する毎年5月1日現在の高等教育機関及び日本語教育機関における外国人留学生総数。
[4] 大学（大学院を含む）、短期大学、高等専門学校、専修学校（専門課程）及び我が国の大学に入学するための準備教育課程を設置する教育施設において教育を受ける外国人学生外国人留学生の進路状況。
[5] JASSOが隔年で実施する「私費外国人留学生生活実態調査」。
[6] 2013（平成25）年6月2日に閣議決定された政策。外国人留学生の就職率も数値目標が初めて設定された。
[7] 中小・小規模事業者をはじめとした深刻化する人手不足に対応するため、人材を確保することが困難な状況にある産業上の分野において、一定の専門性・技能を有し即戦力となる外国人を受け入れていく在留資格。
[8] 一定の専門性・技能を有する新たな外国人材の受け入れ及び我が国で生活する外国人との共生社会の実現に向けた環境整備について、関係行政機関の緊密な連携の下、政府一体となって実施するための政策。
[9] 農林水産省において、日本料理の海外普及を目的に、調理の専門学校を卒業した外国人留学生が、日本国内の日本料理店で働きながら、技術を学べる制度。

［10］本邦の大学（短期大学を除く）を卒業、又は大学院の課程を修了して
学位を授与されたこと、日本語能力試験N1、又はBJTビジネス日本語
能力テストで480点以上等が条件となる。

［11］国際交流基金と国際教育支援協会が主催する日本語を母語としない人
を対象に日本語能力を認定する検定試験。N1は同試験の最上位のレ
ベル。

［12］https://www.jasso.go.jp/about/statistics/intl_student_d/
index.html（JASSO「外国人留学生進路状況・学位授与状況調査」）

［13］株式会社リクルートマネジメントソリューションズが実施する総合適
性検査。

［14］就職・採用活動日程に関する関係省庁連絡会議において取りまとめ、
関係省庁より経済団体・業界団体等に対しその遵守等を要請した。

［15］https://www.keidanren.or.jp/policy/2018/110.pdf（日本経済団体連合
会「2018年度新卒採用に関するアンケート調査」）

［16］https://www.mofa.go.jp/mofaj/toko/page22_000043.html（外務省「海
外在留邦人数調査統計」）

［17］https://www.meti.go.jp/statistics/tyo/kaigaizi/index.html（経済産業省「海
外事業活動基本調査概要」）

［18］https://www.mhlw.go.jp/stf/seisakunitsuite/bunya/koyou_roudou/
koyou/gaikokujin/gaikokujin-koyou/06.html（厚生労働省「外国人雇用
状況」の届出状況まとめ）

［19］https://www.stat.go.jp/data/roudou/2.html#ft_title（総務省「労働力調査」）

［20］https://www.meti.go.jp/policy/economy/jinzai/global/pdf/H26_
ryugakusei_report.pdf（経済産業省2015年「外国留学生の就職及び定
着状況に関する調査」）

［21］https://www.disc.co.jp/wp/wpcontent/uploads/2020/01/2019kigyou-
global-report.pdf（株式会社ディスコ「外国人留学生／高度外国人材
の採用に関する調査」（2019年12月調査））

［22］https://issn.or.jp/pdf/surveydata_2012.pdf（経済産業省平成24年度
「日本企業における高度外国人材の採用・活用に関する調査」）

［23］https://www.disc.co.jp/wp/wpcontent/uploads/2020/01/2019kigyou-
global-report.pdf（株式会社ディスコ「外国人留学生／高度外国人材
の採用に関する調査」（2019年12月調査））

［24］https://www.disc.co.jp/wp/wpcontent/uploads/2020/01/2019kigyou-
global-report.pdf（株式会社ディスコ「外国人留学生／高度外国人材
の採用に関する調査」（2019年12月調査））

［25］https://www.meti.go.jp/policy/economy/jinzai/global/pdf/H26_
ryugakusei_report.pdf（経済産業省の「外国人留学生の就職及び定着
状況に関する調査」）

［26］https://www.disc.co.jp/wp/wpcontent/uploads/2020/01/2019kigyou-
global-report.pdf（株式会社ディスコ「外国人留学生／高度外国人材
の採用に関する調査」（2019年12月調査））

第15章
理工系留学生の就職支援の類型化の試み
就職支援に関わる教職員の実践に活かすために

髙沼理恵

　本章では、筆者が統括コーディネーターを務めた金沢大学「「かがやき・つなぐ」北陸・信州留学生就職促進プログラム」（2017 〜 21年度文部科学省委託事業、以下「本プログラム」）での理工系外国人留学生への取り組みから、就職支援のポイントについて類型化を試みます[1]。本プログラム開講科目の単位修得者（2018年、2019年度卒了者）は全員日本企業から内定を得ました。

1 | 背景

1.1　日本の留学生政策と留学生就職促進プログラム

　日本の留学生政策において「高度人材獲得モデル」という観点が登場したのは2007年の「アジア・ゲートウェイ構想」です。背景には急速な社会、経済のグローバル化による国際的な頭脳獲得競争に勝つには、高等教育段階からの人材確保の必要性が認識されてきたこと（楊2014: 61）があります。2009年の「外国高度人材受入政策の本格的展開を（報告書)」内で、「留学生は「高度人材の卵」として重視すべき存在」とされました（高度人材受入推進会議 2009: 8）。

　留学生就職促進プログラムは「日本再興戦略改訂2016」をもとに、外国人留学生の日本国内での就職率を3割から5割へ向上させることを目指すものです。公募要領には、

日本語能力試験（以下「JLPT」）のN1取得を必須とし、3つの教育プログラム（ビジネス日本語教育、キャリア教育、インターンシップ（以下「IS」）教育実施と、産官学コンソーシアムの構成等があり[2]、当初は12大学を選定し、2020年以降3大学を追加しています[3]。

1.2　金沢大学における取り組み概要

　本プログラムは「越境」をキーワードに信州大学と広域連携を行っています[4]。コンソーシアム運営の一環として、企業に対しては、授業等でのインターンシップや企業・仕事に関する座談会等のみならず、留学生採用・活用に関する情報提供・相談等や留学生との異文化理解等をテーマにしたワークショップによる学びあいの機会の提供（図1の「北陸寺子屋」）を行っています。学生に対しては、公募要領の内容に加え、併せて英語プログラムの理工系大学院留学生（1.3で詳述）にも対応した取り組みを行っています。彼らが研究と並行して日本語を日本語能力試験N1レベルにすることは時間的に困難である上に、日本語習得に時間を割きすぎると研究指導教員との関係性を損なう可能性もあるためです。

1.3　金沢大学の在籍学生と就職意向

　金沢大学は文部科学省「スーパーグローバル大学創成支援事業」採択校で、正規／非正規課程、奨学金受給形態等様々な学生が在籍しています。本プログラムが対象とする正規課程学生の入学時の日本就職意向は、日本での就職目的で留学してきた学生から、チャンスがあるなら考えても良い、進路はまだ考えていないという学生まで幅広いです。2019年度卒了者約180名のうち、日本就職を「検討しても良い」程度の意欲の学生まで最大限含めると、76名のうち58名（77%）が理工系、47名（62%）が理工系大

互いの場所を「越境」し、異なる文化を「混ぜる」教育　　　地域ぐるみで留学生採用を盛り上げるコンソーシアム

外国人留学生

企業

企業

情報提供・相談
- 留学生採用に関する実務
- 留学生活用事例の共有
- 留学生の「逆求人」採用 / 大学による学生紹介
- 採用時の支援 / マッチング実施、雇用条件、内定者フォロー、指導教員との面談　など
- 入社前の支援 / 在留資格変更、住居、宗教対応　など
- 入社後の支援 / ビジネス日本語コースの提供、異文化理解、社内コミュニケーションに関する相談　など

学びあい・お互いを知るプログラム科目
- インターンシップ教育（実践）/ 日本人と留学生による混成チームでの派遣
- キャリア教育（実践）/ 信州と北陸をまたいだ企業・地域・文化理解、日本での暮らしのイメージ醸成、外国人社員・日本人社員・留学生等多様な仕事観・人生観の醸成、繋がりづくり
- ビジネス日本語教育 / 外国人社員・日本人社員・留学生によるワークショップでの実践的な学び

プログラム科目（座学）
- インターンシップ教育 / 事前・事後教育
- キャリア教育（理論）/ 日本の雇用・労働・企業文化や自己理解に関する基礎理論
- ビジネス日本語教育 / N1取得をサポートするレベル別7段階の日本語教育　IS参加、就労に向けたビジネス日本語教育

プログラム科目と連動した個別カウンセリング
- 日本の雇用・労働・企業文化等の理解のサポート
- 自己理解のサポート
- 就職支援

コンソーシアム構成団体との共同事業
各種シンポジウム、就職マッチングイベント、留学生の北陸寺子屋（キャリア教育・ビジネス日本語教育）、企業と留学生への各団体実施講座の開放　など

※可能な限り、日英2言語で実施

図1　金沢大学の取り組み概要

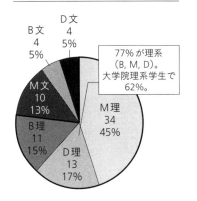

学位別

D文 4 5%
B文 4 5%
77%が理系（B, M, D）。大学院理系学生で62%。
M文 10 13%
B理 11 15%
M理 34 45%
D理 13 17%

日本語力（JLPT レベル）別

	N1以上	N2	N3	N4以下	合計
M理	7	16	3	8	34
D理	1	7	3	2	13
B理	5	6	0	0	11
M文	7	2	1	0	10
B文	2	2	0	0	4
D文	4	0	0	0	4
合計	26	33	7	10	76

B: 学士課程　M: 修士課程　D: 博士課程

図2　金沢大学2019年度卒了予定者における日本就職検討者（合計76%）の内訳（2019年春進路希望調査時点）

学院学生で、その内16名（33%）がN3以下です（図2）。ダブルディグリー制度や英語での学位取得プログラム在籍者は、基本的に日本語を解しません。

日本での就職意向が強い学生は自身で積極的に情報収集し、本プログラムにも参加します。母国で学士取得後修士課程に留学した中国人学生は「入学したてで学生生活や日本での生活に慣れるので精いっぱい。修士1年の夏のISがこんなに大切だとは思わなかった。でも募集は5月頃から始まるから、就職を意識した積極的な情報収集が必要でかなり負担だった。プログラムがあって助かった」という旨を筆者との就職相談で話しています。バングラディシュやインドネシア等の学生は、博士等の高い学位に見合う仕事が母国に少なく、日本語を解せずとも日本就職を検討することがあります。

一方、日本就職意向が低い学生は本プログラムへの参加に消極的です。中には日本企業就職の魅力の減少をうかがわせるものもあります。中国の情報系専攻の学生は、場合

によっては母国のIT関連企業の方が給与水準が高い、日本の大手システムインテグレーターでは労働文化や仕事内容により早期のスキル向上が見込めないと判断し、帰国する場合があります。

1.4　企業の理工系留学生に対する期待

　企業は理工系留学生に対しても高度な日本語を求めています。ビジネス中級レベル以上を、内定時に65％以上の企業が、入社後は90％近くが求めています。その割合は年々減少傾向ですが、依然高い水準と言えます（図3）。

　また、「選考（面接）時の使用言語」（文理混合）は「すべて日本語」が85.9％（2020年調査。19年調査は87.2％）で、「一部外国語で実施することがある」が12.7％（従業員1000人以上の企業では22.9％。ただし2019年調査では、全体11.5％、従業員1000人以上の企業では14.8％[5]）です。金沢大学の学校推薦枠でも英語選考等柔軟な対応を行う大手企業があります。学校推薦とは、内定保証はないが内定時は辞退不可という条件で選考プロセスを優遇されるものです。ただ、英語で面接・業務遂行可能なISや求人情報は取得困難です[6]。大学への求人票にも未記載であることが多く、案件ごとに確認が必要です。新卒外国人留学生専門の人材紹介会社にもほぼ情報がありません。独立行政法人日本貿易振興機構（ジェトロ）の「高度外国人材ポータル」でも理系学生の採用希望社数は全国で98社と少ないです[7]。

　さらに「理工系留学生に求める資質」は過去5年「日本語力」[8]「コミュニケーション能力」が上位2位で、3位が専門知識です（図4）。

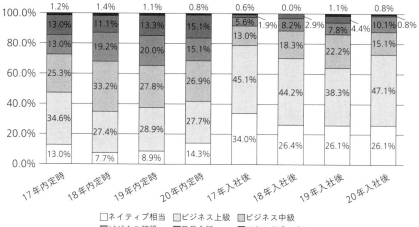

※株式会社ディスコの2017〜20年調査を加工。端数処理の関係上、元のデータで100%を超えるものがある。20年は新型コロナの影響がある可能性がある。

ネイティブ相当	どのようなビジネス場面でも日本語による十分なコミュニケーション能力がある
ビジネス上級	幅広いビジネス場面で日本語による適切なコミュニケーション能力がある
ビジネス中級	限られたビジネス場面で日本語による適切なコミュニケーション能力がある
ビジネス初級	限られたビジネス場面で日本語によるある程度のコミュニケーション能力がある
日常会話	限られたビジネス場面で日本語による最低限のコミュニケーション能力がある
ほとんど求めない	日本語によるビジネスコミュニケーション能力はほとんどない

図3　内定時と入社後に求める日本語レベル

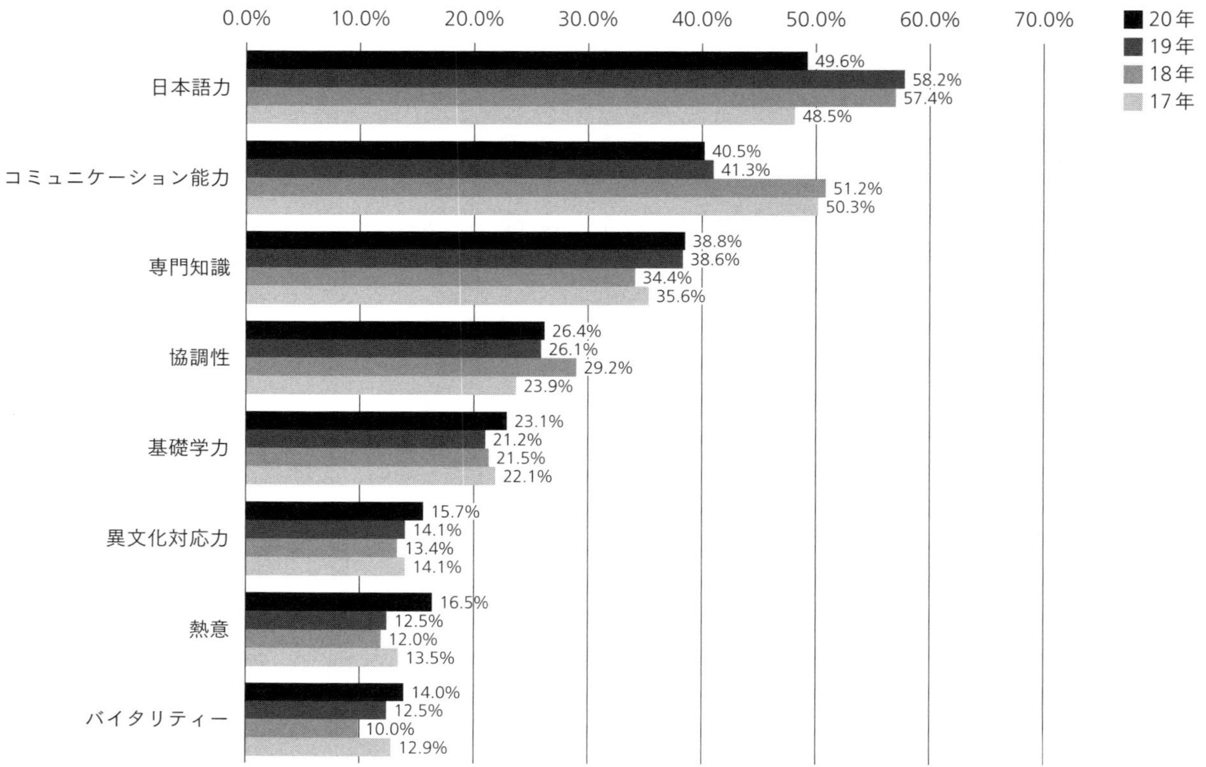

図4 理工系留学生に求める資質（上位8項目）

※株式会社ディスコの2017～20年調査を加工。20年は新型コロナの影響がある可能性がある。

第15章　理工系留学生の就職支援の類型化の試み

2 金沢大学における理工系留学生の就職活動の実際

　こうした中で理工系留学生はどのように就職活動を行っているか、金沢大学の代表的な例を挙げます。

2.1　X氏（修士課程修了）

　都市工学専攻、中国出身、N2（M1の冬にN1取得）。

　自営業の両親の影響で、日本で自動車関連企業への就職を考え修士課程より渡日。学部時代に日本語を独習、修士入学時（4月）はJLPTのN2で、やりとりでは辞書を多く用い、本人が想いをうまく伝えられないこともありました。その状態で、入学当初より本プログラムのキャリア教育科目にて日本の雇用・労働文化や価値観、就職活動のスケジュールや、選考の際に企業は何を・なぜ重視しているのか等の就職活動の基礎を学び、ビジネス日本語科目にてビジネスマナーやビジネス日本語を学びました。並行して5月にIS科目で大手自動車メーカーに応募。エントリーシート（以下「ES」）の設問に「社会人基礎力」「志」といった、日本文化や就職事情の理解がないと分からない用語が並んだため、用語や質問の意図の背景の解説を行いました。企業のビジネス（3Cモデル等）や文化について理解を深める支援をし、何を書くかカウンセリングを繰り返し、長期ISへ参加。特に大手企業では大学院学生は専攻や研究と企業ニーズ（ISのテーマや就職時の職種）の関連が重要なため、応募時は機械工学・電機電子工学系等専攻対象と思われるものではなく、自身の研究で活用している思考方法やスキルを活かせるテーマを選択。その後も北陸の自動車部品等関連企業のISや企業との座談会等に積極的に参加、日本企業の文化等を肌で感じる機会を作り、本プログラムを修了しました。

　就職活動の本選考期には自動車関連企業等20社程度を

選び、数多くエントリーしました。授業を日本語で受けていたこと、N1受験のための語彙力強化を行っていたため日本語力は上がっていましたが、強みの言語化は様々な日本語のバリエーションやニュアンスが求められるため、支援者が様々な日本語と用法等を提示、本人が意味を考えながら一番伝えたいことを選び、日本語で作文し、表現確認を行うサイクルを繰り返しました。本人の専攻にはなかった大手自動車メーカーの学校推薦枠を、企業に掛け合い得たものの、日本語力不足と専攻・研究テーマを活かせる場がないという理由で不合格になりました。一方、北信越の複数社から研究開発や設計で内定を得た際は、日本語力や理系の素養が高く評価されました。

2.2 Y氏（博士課程修了）

数学専攻、インドネシア出身（ムスリム）、JLPT未受験（英語にて学位取得）。

母国と比較して給与水準が高いため、留学生仲間からも一筋縄ではいかないと聞いていたものの、日本就職を検討。3年次の1月頃メールマガジンで英語による就職活動ワークショップの存在を知り、金沢大学事務局へコンタクト。博士課程から日本へ留学、その前に日本政府による中小企業へのIS派遣事業での経験が3カ月あるものの、日本語が話せないため英語で面接・業務遂行可能な企業を探しました。

支援者による求人情報の探索は、民間の就職支援事業者やジェトロの高度外国人材活躍推進コーディネーター、外国人留学生のIS受け入れ企業や本プログラムのコンソーシアム参加企業、産学連携推進を行う部署からの紹介企業等へ、採用ニーズや企業内で英語対応可能者がいるか調査しました。

また、支援者は学生に対し、研究で使用しているモデリ

ングやシミュレーションのためのプログラミングスキルや
IS中に独学した機械設計ソフト等、活かせるスキル抽出
の支援や、日本式のESに頻出する「自己PR」「学生時代
頑張ったこと」「志望動機」等を英語で作成するためのカ
ウンセリングを実施。学生の希望や企業の懸念を仲介しマ
ッチングを行いました。

　さらに、採用企業は博士の給与テーブルと、留学生採用
の人事総務的なノウハウがありませんでした。そのため、
給与水準、就労可能な在留資格と変更手続き、宗教上の配
慮、住宅手配等の情報提供や、スムーズな在留資格変更の
ための申請取次行政書士の紹介、学生・企業・行政書士間
の日英通訳・翻訳等を行いました。入社後も状況を確認し
フォローしました。

3 | 理工系留学生のマッチングに向けた就職支援の類型化

　上述のとおり、理工系留学生の就職支援には、個々に即
した対応が必要です。どのような学生にどのような支援が
必要か、学生をカテゴライズし、支援の要素を述べます。

3.1　日本語レベルと専門性による学生のカテゴリーの概要と
支援方針

　企業が理工系留学生に求める日本語と専門性（学位と専
攻内容）の水準によって支援内容が異なります。日本語は
応募要件にJLPTレベルを指定する企業もあるため便宜上
それでカテゴライズしますが、実際はビジネスまたは就職
活動での日本語運用能力（特に書く、話す）が重要です。た
だし、すべての企業が自社で必要な日本語レベルを正確に
定義できているわけではないことに注意が必要です。N1
レベルが必要と言いながら、実際にはそのレベルに満たな
くても面接でコミュニケーションが取れたので日本語要件

はクリアした、ということがあります。

　理工系では専門性レベルにより求人の探し方が異なります。理学系の求人は工学系に比べて少ないため、理学系学生のマッチングにはスキル分解等が必要になることがあります。また、博士でないと就けない（またはその逆）等の職種もあります。日本語と専門性の二つを軸にした分類が図5です。

　カテゴリー①-1は日本の多くの理系学士で、日本語で学位取得する学生です。民間のナビサイト等を活用し、日本人同様の就職活動が可能です。情報系の専攻やプログラミング経験者がSEやプログラマーとして就職することはありますが、基本的には研究職等の専攻を活かした専門性の高い業務に就くことは困難です。②-1は①-1同様ですがN2レベルのためESで足切りされることがあります。

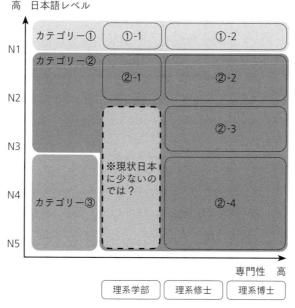

図5　日本語レベルと専門性による学生のカテゴリー

非漢字圏出身の学生にしばしば見受けられます。

　①-2は①-1同様の就職活動が可能ですが、日本文化への馴染みがないことがあり、1.3で触れた中国人学生のように、夏期IS等への動員をはじめ短期間での日本の労働文化理解が必要です。また、専門とのマッチングが重視されます。②-2はX氏のような学生で、実践的な日本語運用歴が学士課程（②-1）より短いことが多く、日本語や日本文化への馴染みの点で支援がある方が就職活動を円滑に進められます。

　②-3の学生は英語で学んでおり、JLPTレベルと実践的な日本語運用能力にばらつきがあります。例えば漢字圏故にN2〜3を取得したが運用が難しい、非漢字圏でN3でも運用可能等です。N3でも作文や面接でのやりとりが可能だったため、自社に合ういい人材と評価され北陸地方でSE職を得た学生（数学専攻）もいます。学校推薦の英語面接可能な企業をはじめ、英語や日本語要件の合う求人を探す等、応募先の確保と就職支援が必要です。②-4はY氏のように実践的な日本語運用能力が低く、②-3とは異なり日本語での就職は困難なため、②-3への支援に加え、支援者が専門性を即戦力として企業にアピールする、採用意欲がある企業へサポートし採用の後押しをする等が必要です。

3.2　カテゴリー不問の要素

　まず重要なのは（1）学生の日本就職の意志の強さです。優秀故に選択肢が多い分、帰国を視野に少しだけ就職活動を体験する程度の学生もいます。東アジア出身学生の一部は超大手志向で、親戚に対する「面子」と帰国時の転職を鑑み、大企業に入れないなら帰国する学生がいます。また、特に中国の20代後半女性は親から結婚のための帰国を強要されること[9]もあります。個人の特性と本音を

見極め、励まし等しながらの支援が必要です。

　次に重要なのは（2）学生の日本の雇用・労働文化理解です。就職先企業のダイバーシティ＆インクルージョンの状態が同化であれ包摂であれ、日本人社員との違和感のないコミュニケーションの前提となる知識ですが、日本人には無意識の価値観であるが故に言語化し難いもの[10]です。労働文化は国民文化とも密接に関わるため、ホフステードの6次元モデル（ホフステード他 2013）の「男性性・不確実性の回避度が高い、長期志向」等の特徴を持つ（宮森・宮林 2019: 253）、「クラフトマンシップ」の文化圏（勝 2018: web）であることの理解や、「企業のメンバーシップ」[11]（小熊 2019: 554）型雇用とその背景、その入り口としての新卒一括採用のスキーム（採用／就職活動の時期、どのような選考／就職活動を行うか等）についての理解がないと、企業とのコミュニケーションが難しいです。例えば、就職活動やビジネスでは相手の意図を読む力が求められます。X氏がISのESで「志」を問われた意図を理解するには、日本企業は採用の際、自分のスキルアップだけではなく社会のために技術や自身のスキルをどう活かすかに重点を置くこと、その背景である中根（1967）がいう「場」の共有が優先される日本の社会構造についての感覚的な理解が必要です。こうした可視化しづらい無意識の前提をキャリア教育やISを通じて理論的にも感覚的にも理解できる教育の提供を、スキル重視の理工系学生だからこそ軽んじずに行う必要があります。

　留学生特有の採用ニーズとして日本拠点と海外拠点やビジネスパートナーを繋ぐブリッジ人材があり、その場合（3）学生の現地語の堪能さ、現地文化理解度が重視され、採用時の日本語要件が下がることもあります。また、（4）学生の年齢が日本語学校経由での入学者や博士課程は高いことがあり、数多いエントリーが必要です。

以上は文系留学生にも共通する要素ですが、理工系特有の観点として（5）専攻あるいは研究にあたり習得した知識・スキルベースでの採用／就職活動があります。稀に文系就職や専門性にこだわらない就職を希望する者もいます。各カテゴリーで様相が異なるため、各々の箇所で詳細を述べます。

3.3　日本人学生との競争－カテゴリー①、②-1、②-2

このカテゴリーの学生は、日本人学生と同等の採用要件下での就職活動[12]が圧倒的に多いため、（2）日本の雇用・労働文化理解のみならず実践できることが重要です。1.3でISの重要性を語った学生のように、ISから約1年半の就職活動スケジュールを鑑み活動すること、日本人でもESの完成には時間を要すことを伝え、「日本語ができれば就職できる」という誤解をまず解きます。その上で（6）学生の個別企業の理解と（7）学生の就職活動の習熟度を高めます。（6）は、例えばESでよく問われる「自己PR」や「学生時代頑張ったこと」等に現れるコンピテンシーや、自身が研究者・技術者として世の中をどうしていきたいかといった志、それと関連した企業への熱意・志望動機等をコミュニケーションする必要があるため[13]、個別企業のビジネスや経営、職場環境等の深い理解が求められます。（7）は、企業とのコミュニケーション量を重ねると、企業の意図の理解や自身が伝えたいことを的確に伝達できる質的向上に繋がるため、日本人学生同様キャリアカウンセリングを通じてコミュニケーションの質と量を支援します。

（5）では、日本人学生同様（5-1）学位レベルや選考による就職可能性の違いがあります。学士より修士の方が研究開発に携われる可能性が高く、博士は専門性と企業のニーズがマッチしないと学士・修士よりも就職が難しくなる

場合があります。国防関連の技術等、留学生では携われない分野があるので注意します。また（8）学校推薦の活用も検討します。推薦情報は自身で摑む必要があるため、推薦制度や活用方法を学生に伝えておくことが重要です。一方、近年問題になっている「後付け推薦」は理工系留学生が混乱する要素の一つ[14]で、自由応募での選考中に推薦状を求められます。自身の志望企業との兼ね合いで慎重な判断や企業との交渉が必要なため、理工系留学生には難しく、適切な支援が必要です。

3.4　支援者の創意工夫－カテゴリー②-3、②-4

　このカテゴリーの学生は、（8）学校推薦に加え、指導教員の企業とのコネクションを確認します。ない場合は、支援者がいかに企業の採用ニーズを摑めるか、学生の特徴を摑み企業にアピールできるかが重要です。

　（5）では（5-2）専攻による外国籍人材ニーズを支援者が的確に顕在化させることが重要です。日本人学生では量的または質的に採用未充足という業界に可能性があります。例えばAI・画像処理関連の企業では国際的な人材争奪戦が繰り広げられていること、ベンチャー等の小規模企業で社長が英語対応可能で意思決定が早い企業が多いことから、英語人材でもニーズがあります。この分野で博士号取得予定の英語話者も内定を得ました。また、日本人では採用予定数を充足しづらい企業・業界は日本語要件を下げて採用することもあります。

　こうした求人情報を得るには、常に採用可能性がありそうな企業に学生の専攻・研究等を紹介し、企業内・配属先で英語人材の対応の可否を確認しておきます。大企業の場合、技術部門は受け入れ可能との判断もあるため、人事部以外にも広くアプローチします。また、（9）支援者による企業への伴走力も必要です。留学生との関わりが少なく

採用を迷っている企業にはISでの受け入れや入社前教育等の提案や、高度外国人材採用に不慣れな企業には2.2のような受け入れ時の総務・人事的観点の支援も必要かもしれません。

　また、企業と学生とのスムーズなコミュニケーションのために（10）支援者による学生の持つスキル分解力、（11）学生の特徴を支援者がその企業の実態に合わせて伝えられる力が必要です。（2）学生の日本の採用・労働文化理解を促し、学生の選考準備への支援を行い、企業との仲介を行います。

4 ｜ 支援者に求められること——結論に代えて

　こうした日本語レベルと専門性に応じたカテゴリーごとの柔軟な対応が求められる一方、その力は一朝一夕では蓄積できません。全国で奮闘する様々な組織の支援担当者の知恵を共有・ブラッシュアップできるようなスキームも必要でしょう。同時に、企業側の柔軟な対応も必要でしょう。2019年6月閣議決定の「成長戦略フォローアップ」には「留学生の採用時に高い日本語能力（中略）を求める企業もみられますが、業務に必要な日本語能力のレベルは企業ごとに様々であり、採用時に求める日本語能力水準には多様性があること等を踏まえ、その多様性に応じた採用プロセス及び採用後の待遇の多様化を推進する」とあります。企業内の事情もあり急な変化は難しくても、日本語が不得手な学生にも門戸が開かれる契機になることを期待します。また、1.3で言及したとおり、グローバルな人材獲得競争の渦中で就職先としての日本企業の魅力向上を講じる必要もありそうです。

　筆者自身、様々な現場で奮闘する支援者と繋がる中で、多くの熱意ある方々と様々な悩みを共有してきました。一

方でこうした横の繋がりは作りづらいのが実情で、本章が
現場で学生の未来を信じ試行錯誤されている支援者の方々
への一助となることを切に願います。

※執筆に際し、本プログラムへの謝意を表します。また、本章はあくま
で筆者の個人的見解です。

注

[1] 近年の新卒一括採用に関する議論や新型コロナウィルスによる影響
で、採用／就職活動が変わる可能性もありますが、ここでは「3月広
報活動解禁、6月選考活動解禁」という状況を前提とします。また、
経済産業省「外国人留学生の就職や採用後の活躍に向けたプロジェク
トチーム」第3回（2019年10月3日）での筆者講演を一部援用して
います。

[2] 令和2（2020）年の新たな公募要領では「特に、AI、サイバーセキュ
リティ、ロボティクス、IoT等、Society5.0の実現をはじめ、我が国社
会の発展に資する産業分野を募集」が追記されました。

[3] 北海道大学、東北大学、山形大学、群馬大学、東洋大学、横浜国立大
学、金沢大学、静岡大学、名古屋大学、関西大学、愛媛大学、熊本大
学。令和2年以降、東京大学、山梨大学、神戸大学が追加されました。

[4] 取り組み内容と第三者評価は、一般社団法人日本国際協力センター
（2020: 40）を参照してください。

[5] 図3のとおり、企業が要求する日本語レベルが上がっているにもかか
わらず、面接の一部が日本語以外でも実施されている率が上昇してい
るという点については、さらなる考察が必要かもしれません。

[6] 海外大学に通う外国人の採用では英語対応もありますが、本章では検
討の対象外です。

[7] 2020年7月時点。うち英語でも情報掲載している「英語対応可」は
34社です。割合を鑑みると、同サイト掲出企業は意欲的な対応を行
っているとも言えます。

[8] 注［5］同様、企業が要求する日本語レベルが上がっているにもかか
わらず、日本語重視の企業の割合が減少している点については、さら
なる考察が必要かもしれません。

[9] 複数の女子学生が「私は日本で成長したいが、中国の親は日本人が思
うよりも権力があります（から帰国せざるを得ない）」と話しています。

[10] カーターの「文化の島」（八代他 2009: 19）を参照。

[11] 「企業のメンバーシップ」「職種のメンバーシップ」「制度化された自
由労働市場」の3類型を唱えています。

[**12**] 理工系学生の就職活動支援に関しては増沢（2014）があります。

[**13**] 志望動機やキャリアプランを面接等で聞くことについては否定的な議論もありますが、詳論の余地はないため「事実そうしたやりとりがある」という言及に留めます。

[**14**] 若杉（2018）等を参照。

参考文献　小熊英二（2019）『日本社会のしくみ―雇用・教育・福祉の歴史社会学』講談社

中根千枝（1967）『タテ社会の人間関係―単一社会の理論』講談社

ホフステード，ヘールト・ホフステード，ヘルト ヤン・ミンコフ，マイケル（著）、岩井八郎・岩井紀子（訳）（2013）『多文化世界―違いを学び未来への道を探る 原書第3版』有斐閣（Hofstede, G., Hofstede, G. J., & Minkov, M. (2010) *Cultures and Organizations: Software of the Mind*, 3rd ed. New York: McGraw-Hill）

増沢隆太（2014）『理系のためのキャリアデザイン戦略的就活術』丸善出版

宮森千嘉子・宮林隆吉（2019）『経営戦略としての異文化適応力―ホフステードの6次元モデル実践的活用法』日本能率協会マネジメントセンター

八代京子・町惠理子・小池浩子・吉田友子（2009）『異文化トレーニング 改訂版―ボーダレス社会を生きる』三修社

楊泓（2014）「「留学生受入れ政策の歴史と現状」に関する一考察」『松山東雲女子大学人文科学部紀要』22, pp.51–75.

参考Webサイト　一般財団法人日本国際協力センター「留学生の就職促進に関する周知及び調査研究（留学生就職促進プログラム）成果報告書（2020年3月）」『文部科学省webページ』文部科学省 https://www.mext.go.jp/content/20200521-mxt_gakushi02-000007326_1.pdf（2021.6.15参照）

外国人材の受入れ・共生に関する関係閣僚会議「外国人材の受入れ・共生のための総合的対応策（令和2年度改訂）」『首相官邸webページ』内閣官房内閣広報室 https://www.kantei.go.jp/jp/singi/gaikokujinzai/kaigi/pdf/taiosaku_r02kaitei_honbun.pdf（2021.6.15参照）

勝幹子「「7つの文化圏」と「メンタルイメージ」で理解する、世界のビジネスの進め方―The Culture Factor 2018 Conference レポート」『サイコム・ブレインズ株式会社webページ』サイコム・ブレインズ株式会社 https://www.cicombrains.com/opinions/02/02-181106mk.html（2021.6.15参照）

株式会社ディスコ「外国人留学生／高度外国人材の採用に関する企業調査」『株式会社ディスコwebページ』株式会社ディスコ（2020年12月調査）https://www.disc.co.jp/wp/wp-content/uploads/2021/

01/2020kigyou-global-report.pdf（2021.6.15参照）

　（2019年12月調査）https://www.disc.co.jp/wp/wp-content/uploads/2020/01/2019kigyou-global-report.pdf（2021.6.15参照）

　（2018年12月調査）https://www.disc.co.jp/wp/wp-content/uploads/2019/01/global_kigyouchosa_201812.pdf（2021.6.15参照）

　（2017年12月調査）https://www.disc.co.jp/wp/wp-content/uploads/2017/12/2017kigyou-gaikoku-report.pdf（2021.6.15参照）

高度人材受入推進会議「外国高度人材受入施策の本格的展開を（報告書）」『首相官邸webページ』内閣官房内閣広報室　https://www.kantei.go.jp/jp/singi/jinzai/dai2/houkoku.pdf（2021.6.15参照）

ジェトロ「高度外国人材関心企業情報」『高度外国人材活躍推進ポータル』ジェトロ　https://www.jetro.go.jp/hrportal/company/（2020.7.9参照）

内閣官房日本経済再生本部「成長戦略フォローアップ」『首相官邸webページ』pp.74-75.　内閣官房内閣広報室　https://www.kantei.go.jp/jp/singi/keizaisaisei/pdf/fu2019.pdf（2021.6.15参照）

文部科学省「平成29年度 留学生就職促進プログラム 公募要領」『文部科学省webページ』文部科学省　https://www.mext.go.jp/component/a_menu/education/detail/__icsFiles/afieldfile/2017/02/06/1381850_1_1.pdf（2021.6.15参照）

文部科学省「留学生就職促進プログラムの公募について」『文部科学省webページ』文部科学省　https://www.mext.go.jp/a_menu/koutou/ryugaku/1381717.htm（2021.6.15参照）

文部科学省「「留学生就職促進プログラム」選定大学の取組状況」『文部科学省webページ』文部科学省　https://www.mext.go.jp/a_menu/koutou/ryugaku/1394574.htm（2021.6.15参照）

若杉敏也「「後付け推薦」に学生困惑 人事との攻防 来年も続く？ 就活リポート2019（13）（2018/10/3掲載）」『Nikkei Style U22就活』日本経済新聞社・日経BP社　https://style.nikkei.com/article/DGXMZO39175210Q8A221C1000000/（2021.6.15参照）

理工系留学生の就活体験談

就活で学んだこと
ビジネス日本語教育の感想

戚元澤

　学校でビジネス日本語教育を受けることができてとても嬉しかったです。日本での就職活動にとって非常に助かったと思います。私は外国人留学生として、日本に来る前に基本的な日本語や日常言語を学んだことがあったけれど、ビジネスレベルの日本語は未熟でした。大学でのビジネス日本語で、日本の履歴書の書き方や注意点などを学びましたが、それが留学生にとって日本で就職するの初めての難関だと思います。

　授業で学んだ自己 PR と打ち込んだことなど、履歴書を書くのに大きな役割を果たしてくれました。どのように自分の長所などを履歴書に表すかも授業で学びました。また、実際の面接環境により早く適応するために、様々な模擬面接も受けました。就職活動を振りかえると、履歴書を書く時が一番苦労したと思います。外国人の私にとって、いつも使っている日常の日本語が履歴書では使えなくなりました。また自分の癖ですが、字が汚いと思うので、毎回履歴書を書く時にまず鉛筆で書いてからボールペンで書きなおします。履歴書の修正と指導をしてくださった先生がたに大変感謝しています。

　私の就職活動は他の人とちがって、順調ではなかったと

思います。11の会社にエントリーしました。文系の友達より少なかったけれど、理系の友達よりは多かったです。また、私は最後の2社だけから内々定をもらえましたけれど、ほかの9社は全部最終面接の時で落ちてしまいました。

　3月の初めから、私も緊張の気持ちを持って就職活動を始めました。授業で学んだ知識を使って、興味のある業界と会社を選択して説明会に参加しました。個別の会社向けに違う履歴書を作成して、書類選考は全部合格することができました。一番早い会社では4月中旬頃に最終面接を受けました。その会社の最終面接で、「もし、今当社の最終面接に合格したら、他の会社の選考はどうしますか？　止めますか？」と聞かれましたが、その時はまだ面接のシミュレーションを行っていなかったので、どう回答したらいいか分からなくて、「ちょっと分かりません。多分まだ続けます」と、未熟な答えをしてしまいました。

　その後、私はまた何社かの選考に参加して、全部最終面接で落ちました。その時は、非常に緊張と不安でいっぱいでした。夜行バスでの往復や、連続の面接や、平日の研究室の発表や、周りの友達が内々定をもらったことなど、ほぼ2月間は本当に辛かったです。そして、最後に先生にいろいろ相談して、今の会社に入社しました。

　面接を受けた時、聞かれた質問の6割ぐらいは授業で練習したものでした。人と専攻によって聞かれる質問も違うことがあるので、授業での模擬面接はすべての問題を練習することはできないと思います。想定外の質問も出ることもあります。だから、自分の履歴書の内容を理解して、把握していることがとても大事です。

　また、自分は会社の求める人物像をきちんと理解して、選考に参加することも大事だと思います。その会社にふさわしくない学生だと、どんなに良い質問に答えても、面接で失敗する可能性があります。私は就職活動でそのことを

〔コラム〕理工系留学生の就活体験談

よく知りませんでした。だから、多くの会社の最終面接で何度も失敗してしまいました。

　今はすでに入社して、いろいろな社会人のマナーとルールを学んでいます。入社したばかりですから、社会人としての責任が学生時代とは非常に違うので、緊張と不安の気持ちを持って研修を受けています。その一方で、新しい生活と知らない物に好奇心を持って生きていくのを楽しみにしています。

コラム⑫

日本での就職活動で苦労したことと学んだこと

Mega Christivana

　母国で周りの人から就職活動の経験の話はよく聞いていましたが、私にとっては日本での就職活動が初めての就職活動になりました。日本で就職したい気持ちはありましたが、どのような業種にするかは、しっかりと決まっていませんでしたし、日本の企業のこともよく知らなかったので、最初の一歩として、大学から提供された、日本企業へ就職する興味がある留学生向けの「留学生就職促進プログラム」に参加しました。

　就職する1年半前の10月ごろから情報収集を始め、ビジネス日本語・企業文化組織論の講義を受けました。講義に参加し、日本で働くためには自分の言語知識が十分でないことに気付きました。日常会話はできると自信を持っていましたが、社会人の世界には知らない言葉や漢字が多いことが分かり、就職活動がうまくいくかどうかとても不安を感じました。そこで、少しでも日本語力を上げるために、日常会話では使わない言葉も学ぶようにしました。しかし就職活動までの期間が短く、より早めに準備をすべきでした。

　企業の情報を集めるために、大学で開催された合同説明会イベントにも参加しました。企業の説明や採用情報だけでなく、企業の方々と実際に話すことができ、社会人の話し方や表情もすごくいい参考になりました。イベントでもらった採用情報を踏まえて、1月ごろにワン・ディ・インターンシップに参加しました。初めてのインターンシップは、あまりうまくいきませんでした。自分の性格が恥ずか

しがり屋であり、言語の壁もあり、グループワークで発言のタイミングを逃し、自分が役に立たなかったと感じました。インターンシップは勉強する場だと思い気軽に参加したのですが、周りの就活生はとても準備ができており、驚きました。その経験から、次のインターンシップではどんどん発言すると決めて、積極的に自分の役割を見つけ発言することができました。

　3月に入り、実際の選考に参加しました。就職支援室の担当の先生にはエントリーシート作成をサポートしてもらいました。最初は、自己分析や企業研究があまりできていなく、エントリーシートに書く会社への興味・将来のイメージなどをうまく書くことができませんでした。また、興味がある会社を見つけても、言語の壁があり、書き言葉で自己PRやどれほど熱情を持っているかを、完璧に伝えることが難しかったです。様々な語彙やニュアンスの違いも勉強しておく必要があったと感じました。

　また、私の母国では、インターンシップや研究室内サイドプロジェクトで大学を卒業するのに4年以上かかることがよくあり、私も母国の大学を卒業するのに4年半かけています。しかし日本ではそれはあまり一般的ではなく、面接時によく聞かれました。一般的な事情が母国とは異なる部分があり、言語だけでなく、そこが母国以外で就職活動を行う難しさだと感じました。また、一部の選考にはSPIテストが含まれていましたが、テスト問題に日本語以外の言語の選択肢がありませんでした。問題自体はそれほど難しくありませんが、このようなテストでは時間は非常に重要であり、他の受験者と比較して問題を理解するのにはるかに時間がかかってしまったと思います。SPIの選考がある企業はその段階で落ちてしまいました。

　そのように就職活動に疲れていた時、ある会社の採用ページでエントリーシートの内容を確認したら今までに見た

「いつものエントリーシート」より、もっと心理的なクイズのような「エントリーシート」を使用する会社を発見し、面白い会社だと好感を持ちました。エントリーシートを記入するのにあまり時間もかからなくて、記入するのがとても楽しかったです。社風が自分にあっている会社だと感じ、面接でも気軽に自分のことを話すことができて、最終的にはこの会社から内定をもらい入社できました。

　素の自分で選考を受けることができ、入社後も自分を偽ることなく自分に合ったペースで仕事ができています。実際に働くことを考えると、大手企業やネームバリューにとらわれずに自分にマッチした企業を見つけることが一番重要だと感じています。

〔コラム〕理工系留学生の就活体験談

あとがき

　冒頭の「序章」にも記しましたが、本書は理工系留学生の大学・大学院入学（入口）から卒業・修了（出口）までの留学・研究生活全般に関する諸テーマを1冊の書籍の形にまとめた論集で、「日韓共同理工系学部留学生事業」（日韓プログラム）をめぐってこれまで編者たちが中心となって進めてきた、JSPS科研費による計3回の共同研究が基盤となっています。本書の企画は、そのうち第3回目の研究（16H03434）の中で持ち上がり、2019年ごろから準備を始めました。

　日韓プログラムで編者たちは、主に「入口」に相当する予備教育に携わりましたが、学生たちが入学してから大学でどのような留学生活を送り、卒業してからどのようなキャリアパスを経て社会人となっていくかまでの全体像がきちんと把握できていませんでした。熟考の上で得た発想が、入学（入口）から卒業・修了（出口）までを「1本の軸」と見なすという考え方です。そしてその軸に沿って、理工系留学生の歩む道程を1冊の本として編んだらどうだろうかというアイデアにつながりました。

　「1本の軸」という概念はまた、新たな共同研究への道筋も私たちに示してくれました。2021年度から始まった科研費による共同研究（21H00537）では、日本にやって来る留学生のうち多数を占める、アジア圏からの留学生たちの学修とキャリア支援を連続的かつ総合的に検討しようと

いう試みに現在取り組んでいるところです。本書の刊行が
その研究を進めるための礎となり、さらに多様な視点を取
り込んだ議論の活性化へとつながるようにしていきたいと
考えます。

　本書を生み出すまでには、専門分野や背景の異なる執筆
者が様々な機会を捉え、時間をかけて多様な意見を交わし
てきました。その結果、執筆者各自が背景の異なる分野と
その研究者・教育者に敬意を表し、より深い相互理解を構
築するという経験を得ました。編者である私たちもまた、
留学生教育に携わる研究者・教育者として、議論の継続に
よる多様な視点の涵養と相互理解を次の研究・教育の展開
のために活かそうと、気持ちを新たにしています。

　本書の刊行にあたっては、多くの方々のご協力を仰ぎま
した。本書に論考を寄せてくださった執筆者とコラム執筆
者の方々はもちろんのこと、これまでの研究と教育に携わ
り協力してくださった方々など、お名前を逐一挙げること
ができませんが、この書面をお借りして感謝の言葉を申し
上げます。そして、本書の刊行をご快諾くださったココ出
版、中でも取締役であり編集者でもある田中哲哉氏に深謝
申し上げたいと思います。

2021年9月

編者を代表して　太田 亨

［各章執筆者紹介 （名前、読みがな／所属・職名、学位、専門)］

第1部：

安龍洙　アン・ヨンス　　　　　　　　　　　　　1章担当
茨城大学教授、博士（文学）、日本語教育学・異文化間教育

太田亨　おおた・あきら　　　　　　　　　　　　2章担当
金沢大学教授、修士（文学）、対照言語学・専門日本語教育学

酒勾康裕　さかわ・やすひろ　　　　　　　　　　2章担当
近畿大学准教授、博士（文学）、韓国語教育

佐々木良造　ささき・りょうぞう　　　　　　　　3章担当
静岡大学特任准教授、修士（文学）、日本語教育学

第2部：

菊池和徳　きくち・かずのり　　　　　　　　　　4章担当
大阪大学講師、修士（理学）、トポロジー・微分トポロジー

喜古正士　きこ・まさし　　　　　　　　　　　　5章担当
早稲田大学招聘研究員、修士（理学）、理論宇宙物理・専門日本語

森下信　もりした・しん　　　　　　　　　　　　6章担当
新潟県立大学理事、博士（工学）、機械工学

第3部：

佐藤尚子　さとう・なおこ　　　　　　　　　　　7章担当
千葉大学教授、修士（教育学）、日本語学・日本語教育学

金蘭美　キム・ランミ　　　　　　　　　　　　　7章担当
横浜国立大学准教授、博士（教育学）、日本語教育学

太田亨　おおた・あきら　　　　　　　　　　　　8章担当
第2章参照

菊池和徳　きくち・かずのり　　　　　　　　　　8章担当
第4章参照

門倉正美 かどくら・まさみ 　　　　　　　　　9章担当
横浜国立大学名誉教授、修士（文学）、日本語教育学・異文化間教育

村岡貴子 むらおか・たかこ 　　　　　　　　　10章担当
大阪大学教授、博士（言語文化学）、日本語教育学・専門日本語教育
研究・日本語アカデミックライティング研究

第4部：
藤田清士 ふじた・きよし 　　　　　　　　　　11章担当
大阪大学教授、博士（理学）、固体地球物理学・地球内部電磁気学

古城紀雄 ふるしろ・のりお 　　　　　　　　　12章担当
大阪大学名誉教授、博士（工学）、材料組織工学・留学生教育学

惣田訓 そうだ・さとし 　　　　　　　　　　　13章担当
立命館大学教授、博士（工学）、環境工学

第5部：
久保田学 くぼた・まなぶ 　　　　　　　　　14章担当
一般社団法人留学生支援ネットワーク事務局長、労働政策（外国人
材）・キャリア教育

高沼理恵 たかぬま・りえ 　　　　　　　　　　15章担当
金沢大学助教、修士（政策・メディア）、キャリア開発論・組織開発論

［コラム執筆者紹介（名前、読みがな／出身国、留学先大学・大学院、専門）］
第1部：
南歳光 ナム・セグァン 　　　　　　　　　　コラム①担当
韓国、金沢大学、人間・機械工学

金小靖 キム・ソジョン 　　　　　　　　　　コラム②担当
韓国、千葉大学、創意デザイン工学

Muhammad Izaaz Hazmii Bin Suhaimi
ムハマド・イザーズ・ハズミー・ビン・スハイミ 　　コラム③担当
マレーシア、北海道大学大学院、河川流域工学

第2部：
Acep Purqon アチェプ・プルコン 　　　　　　　　コラム④担当
インドネシア、金沢大学大学院、物理学・コンピュータ科学

張娟姫 ジャン・ヨンヒ 　　　　　　　　　　　　コラム⑤担当
韓国、広島大学大学院、位相幾何学

第3部：
呂学龍 ろ・がくりゅう 　　　　　　　　　　　　コラム⑥担当
中国、横浜国立大学大学院、計算力学・連続体力学

Benjamin Bode ベンジャミン・ボーデ 　　　　　　コラム⑦担当
ドイツ、大阪大学大学院、トポロジー

第4部：：
Keerthi Katam キリチィ・カタム 　　　　　　　　コラム⑧担当
インド、立命館大学大学院、土木工学

Sastia Prama Putri サスティア・プラマ・プトリ 　　コラム⑨担当
インドネシア、大阪大学大学院、応用微生物学

Thi To Uyen Dinh ティ・トゥ・ウェン・ディン 　　コラム⑩担当
ベトナム、立命館大学大学院、環境都市工学

第5部：
戚元澤 せき・げんたく 　　　　　　　　　　　　コラム⑪担当
中国、金沢大学大学院、電子情報科学

Mega Christivana メガ・クリスティーバナ 　　　　コラム⑫担当
インドネシア、金沢大学大学院、数物科学

執筆者紹介

日本で学ぶ理工系留学生
教育・研究・留学生活

2023年3月20日　初版第1刷発行

編　者————————太田亨・安龍洙・村岡貴子・門倉正美
発行者——————吉峰晃一朗・田中哲哉
発行所—————株式会社ココ出版
　　　　　　　〒162-0828　東京都新宿区袋町25-30-107
　　　　　　　電話　03-3269-5438　ファクス　03-3269-5438
装丁・組版設計———長田年伸
印刷・製本————株式会社シナノパブリッシングプレス